Marcelle Brisson

Le Roman vrai

Récit autobiographique

ÉDITIONS QUÉBEC AMÉRIQUE
329, RUE DE LA COMMUNE OUEST, 3E ÉTAGE, MONTRÉAL (QUÉBEC) H2Y 2E1 (514) 499-3000

Données de catalogage avant publication (Canada)

Brisson, Marcelle

Le Roman vrai

(Mains libres # 3)
Autobiographie.
Comprend des réf. bibliogr.

ISBN 2-7644-0072-1

1. Brisson, Marcelle, 1929. 2. Écrivains canadiens-français – Québec (Province) – Biographies. I. Titre. II. Collection.

PS8553.R55Z53 2000 C843'.54 C00-941457-6
PS9553.R55Z53 2000
PQ3919.2.B74Z46 2000

Les Éditions Québec Amérique bénéficient du programme de subvention globale du Conseil des Arts du Canada. Elles tiennent également à remercier la SODEC pour son appui financier.

Nous reconnaissons l'aide financière du gouvernement du Canada par l'entremise du Programme d'aide au développement de l'industrie de l'édition (PADIÉ) pour nos activités d'édition.

www.quebec-amerique.com

Dépôt légal : 4e trimestre 2000
Bibliothèque nationale du Québec
Bibliothèque nationale du Canada

Révision linguistique : Catherine Beaudin
Mise en pages : André Vallée

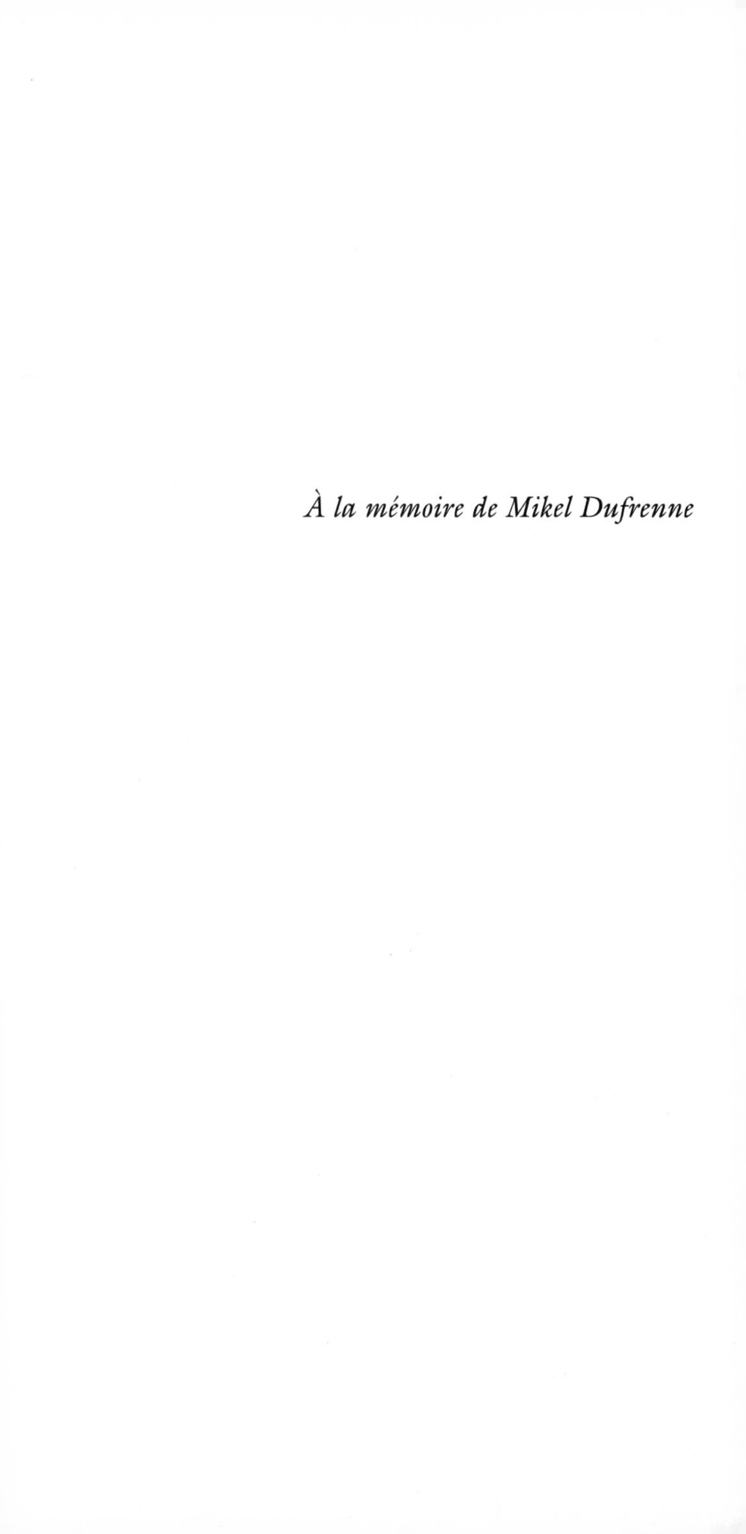

À la mémoire de Mikel Dufrenne

L'histoire de ma vie n'existe pas,
Le roman de ma vie, de nos vies, oui.
C'est dans la reprise du temps par l'imaginaire
que le souffle est rendu à la vie.

MARGUERITE DURAS

Prologue

15 juin 1995. Cimetière du Père-Lachaise. Son corps brûle pendant que les amis évoquent sa mémoire. Il vivra pour nous et pour ses lecteurs.

Nous nous rendons au Jardin du souvenir ; un homme, en noir, dissémine ses cendres dans la verdure naissante. Lui, il habitera ce lieu, si légèrement. Il fait gris. Moi, debout, sans larmes : je ne réalise pas son départ, son absence désormais. À l'intérieur, je ne suis que poussière. C'est moi, l'urne funéraire.

Pendant deux ans, je suis déplacée ici et là en divers logements, avec les caisses et les meubles. Errance passive. Moi, entre deux eaux, entre deux mers, entre vie et mort. Seule bouée de sauvetage : notre correspondance. Depuis son départ, je la relisais. C'est peu dire, je l'habitais. Ses lettres, ses mots d'amour, sa voix reprenant chair – la seule preuve tangible de notre histoire à deux. Je craignais qu'on ne me le dérobât. J'ai photocopiai toutes ses lettres, plus d'un millier.

Je ne pouvais parler sans l'évoquer. Je me mis à écrire notre rencontre, notre passion, ses dernières années, les moments ultimes d'une mort annoncée. Et soudain, j'interrompis mon récit. Je ne pouvais aller plus loin... étouffer prématurément le feu qui me brûlait. Ma mort aurait redoublé la sienne. Je me suis dit : laisse au deuil le temps de s'accomplir.

À ce moment, une amie me suggère d'écrire ma propre autobiographie. Je ne la pris pas d'abord au sérieux : je ne me trouvais ni assez illustre, ni assez vieille pour réaliser cette démarche intellectuelle. Mais n'était-ce pas là une dérobade ? Ne voulais-je pas occulter ma vie d'avant lui, ma vie sans lui ?

Et pourtant, il m'a aimée telle que j'étais, en ce Québec, mon pays, au mois d'août 1969. Entre lui et moi, ce fut une belle et longue histoire, malgré l'éloignement et le temps. Qu'étais-je donc pour le séduire ?

Après l'émoi de notre choc amoureux, il s'était enquis tendrement de ma vie, de mon passé, de mes projets. Que je n'aie jamais été mariée l'intriguait. C'est à lui, dans la chaleur de notre union, que je fis le premier récit de ma vie.

Ce récit, je le reprends aujourd'hui pour moi-même. Que je me retrouve avec mes marques, mon enfance, ma jeunesse, ma vie professionnelle, ma passion du Québec que je n'ai jamais vraiment quitté et auquel souvent il m'identifiait. Tout doucement, la mémoire engendrera l'oubli ; c'est dans un moi restauré que je l'accueillerai, image rayonnante de notre amour. Mais image.

MONTRÉAL
(1929-1949)

Je raconte une histoire dispersée dans le temps
des mots la ravivent j'y chante des mémoires
une façon de faire dans la présence des cieux
Je regarde les choses et le réel insiste
En moi la ville vacille sur les rebords du vent
Montréal de lumière je traverse tes jours

CLAUDE BEAUSOLEIL

Naissance et premières années

Qu'est-ce qui nourrit l'enfance ?
Les parents et l'entourage, pour une part.
Les lieux, la magie des lieux pour une autre part...
Un Dieu, comme une mère un peu folle...

CHRISTIAN BOBIN

Je suis née à Montréal, le 2 juillet 1929. L'année du krach boursier. Des fortunes s'effondrent, des hommes se suicident, le monde économique tremble de partout. Les petites gens plaignent les riches, obligés de vendre leurs biens et, comme eux, d'acheter à crédit à l'épicerie du coin. Leur tour viendra. Peu à peu, à mesure que la crise s'installe, ils subissent les conséquences de ce chaos international. La principale : le chômage. C'est dans ce climat que je vécus mes premières années, jusqu'à la déclaration de guerre en 1939.

J'étais la première enfant d'un couple de modestes travailleurs, des employés de buanderie : Augusta Hétu, trieuse, et Augustin Brisson, livreur à domicile. Augustin, dans sa camionnette, avait remarqué sur la rue, Augusta, cette jolie brunette aux yeux noirs. Quelques œillades, des sourires engageants. Le flirt aboutit à des sorties. Ils se virent ainsi pendant six mois. Augusta habitait avec son père qui ne semblait pas tenir aux fréquentations à domicile. D'ailleurs, elle agissait à sa guise. Puis, ce fut le mariage à l'église Sainte-Cécile. Les deux familles, réunies à cette occasion, différaient beaucoup l'une de l'autre, pas tant par la classe sociale que par les habitudes de vie. Les Brisson, qui représentaient la norme, seront les premiers à le constater : Augusta n'était pas faite pour Augustin.

Augustin appartenait à une vieille famille montréalaise, issue du soldat Nicolas Brisson, venu en 1755 défendre la Nouvelle-France dans un régiment de Louis XV. À Montréal, où il était basé, il fréquenta Marie-Joseph Paysan, dit Sansquartier, qui lui fit deux enfants. Il les reconnut sur les fonts baptismaux sans être pour autant marié avec la mère. Après la victoire des Anglais, il retourna en France avec son régiment. Ce n'est que tout récemment que j'ai appris cette histoire. Elle n'aurait pas plu aux parents de mon père : notre aïeule, une fille mère ! Les Brisson de cette souche ont toujours vécu à Montréal ou dans les environs. Mon grand-père Francis Brisson et son frère cadet Raoul étaient des tailleurs de pierre : ils ont d'abord habité le quartier Saint-Louis avec les ouvriers des carrières, les « pieds noirs » comme on les appelait. Tous deux étaient mariés à deux sœurs : Fortunate et Jeanne Martel. Ces deux familles avaient lié leur destin l'une à l'autre. Elles formaient un clan, ignorant leurs autres frères et sœurs. Elles habitèrent d'abord chacune un étage d'une maison, rue Napoléon, près du boulevard Saint-Laurent. Puis, dans la foulée de la migration des Montréalais vers le nord de la ville, les deux frères achetèrent un triplex, avenue Christophe-Colomb, qu'ils occupèrent de la même façon. Ils étaient aussi propriétaires, au cimetière de la Côte-des-Neiges, d'une concession avec entretien à vie pour eux et leurs descendants. Bien leur en prit, car on mourait jeune en ce temps-là ! Ainsi, mon grand-père Francis Brisson s'éteignit en 1915, à l'âge de 40 ans. Plus tard, sa veuve Fortunate, atteinte d'une congestion cérébrale qui la laissa à moitié paralysée, décida d'aller habiter chez sa sœur avec son fils Augustin, mon père, qui devint ainsi l'aîné de ses sept cousins et cousines.

Comme je l'ai signalé, les Brisson formaient une famille canadienne-française traditionnelle. Les femmes s'acquittaient des tâches ménagères et de l'éducation des enfants ; les hommes avaient la charge de faire vivre la famille. Dans un milieu modeste comme le leur, les filles travaillaient à l'extérieur jusqu'à leur mariage, les garçons apprenaient souvent un métier sur le tas, en le pratiquant. Les unes et les autres donnaient une partie de leur paie à leur mère, leur pension, tant qu'ils habitaient avec leur famille. Ils étaient catholiques et observaient les rites de leur religion : la mère y veillait. Ils tenaient à leur langue et à leur culture canadienne-française, et lisaient l'*Action nationale* tout en votant rouge, c'est-à-dire libéral, comme la majorité des Montréalais. Personne ne buvait d'alcool, sauf un petit verre au jour de l'An, qui était célébré en grande pompe : sapin, père Noël et distribution des cadeaux, repas somptueux, histoires, chansons et danses. Mais l'oncle Raoul buvait toute l'année, en cachette, un peu de gros gin.

Augusta Hétu était la fille cadette d'Angélina Plessis, dit Bélair, et d'Henri Hétu. Les parents semblent avoir toujours habité Montréal. Comme dans plusieurs familles, il y aurait eu du sang amérindien du côté Hétu. Le père avait un commerce de voitures avec chevaux qu'il louait à la ville pour différents services. Angélina mourut en 1915 après avoir mis au monde douze enfants ; sept seulement survécurent. J'ai connu les trois plus jeunes, des garçons. Désemparés après la mort de leur mère, ils s'enrôlèrent dans l'armée canadienne. Henri, mon parrain, devint sergent : il fut blessé à deux reprises. De retour d'Europe, tous trois vivront du *gambling* – poker, stud, black jack – dans des lieux qu'on appelait « barbotes ». En cela, ils suivaient l'exemple de leur père, un joueur invétéré qui aurait perdu une maison d'un coup de dés. Cet épisode de notre saga me fut confirmé d'une façon étonnante en 1990.

Je suis dans un autocar avec mon amie Béatrice Slama. Nous venons de visiter Mostar et nous rentrons à Dubrovnik où nous participons à un colloque, juste avant la guerre et la partition de la Croatie. Une femme s'approche de nous et, reconnaissant mon accent, me demande si je suis de Montréal. Actuellement, elle vit à Vienne, mais son mari travaille comme informaticien pour l'ONU, à la frontière israélo-palestinienne. La famille de celui-ci, franco-italienne, habite toujours à Montréal, avenue de Châteaubriand.

« Ah ! ma mère aussi a été élevée sur cette rue, dis-je. Son père y possédait deux petites maisons entre les rues de Castelnau et Faillon. Mais il en a perdu une d'un coup de dés.

— C'est renversant, c'est l'arrière-grand-père de mon mari qui l'a gagnée ! Elle est toujours dans sa famille. »

Ma mère avait aussi deux sœurs, Malvina et Miranda, qui s'étaient mariées jeunes et eurent beaucoup d'enfants. Ma mère les fréquentait à l'occasion, écrivait leurs lettres et leur rendait quelques services. Elles étaient des « ménagères » ordinaires. Jamais ma mère ne tenta de les imiter.

Pas de valeurs stables chez les Hétu, sauf quelques-unes chez les filles. On ne pratique pas la religion, on n'est pas politisé : mes oncles votent pour un de leurs copains qui leur trouvera un emploi au bureau de poste quand ils se feront trop vieux. On ne travaille pas, mais on joue, on ne fréquente pas la famille, sauf quand, à bout de ressources, on demande à être hébergés pendant quelques semaines, le temps de se renflouer. Mes oncles sont par ailleurs très généreux : si la chance leur sourit au moment où le hasard nous met sur leur route, ils nous comblent de cadeaux.

Augusta avait douze ans quand sa mère mourut. Elle demeura seule avec son père, puisque ses frères s'étaient engagés dans l'armée. Elle évoluait sans contrainte, son père n'exerçant aucune surveillance sur elle. Elle se plaisait beaucoup à l'école. Une religieuse de Sainte-Croix, une femme hors pair – une sainte, disait-on –, sœur Sainte-Émilienne, l'avait remarquée et lui accordait beaucoup d'attention. Augusta termina le cours secondaire de l'époque et obtint son diplôme, qui correspondait au brevet B, avec grande distinction. Elle décida alors d'entrer au noviciat des sœurs de Sainte-Croix. Elle n'y fit pas long feu, ne pouvant supporter le dressage du noviciat : obéissance aveugle et discipline gratuite. Après quatre mois, elle revint dans le monde, à la maison familiale, avenue de Châteaubriand. Elle voyait un peu plus sa sœur Malvina, car son beau-frère Alfred organisait des parties de poker à l'arrière de son restaurant. Le jeu la passionnait. Elle n'avait aucun talent pour la tenue de maison. De ses années d'études, elle conserva le goût de la lecture et le désir d'aider les autres à sa façon. Elle était l'écrivain public de sa famille et de son quartier. Elle opta pour l'enseignement à la CECM et fit la classe à des petits pendant quelques mois. L'immobilisation de son père, à la suite d'un accident, l'amena à travailler à proximité de chez elle, dans une buanderie.

Augusta et Augustin s'étaient mariés à l'église Sainte-Cécile. Elle avait vingt-cinq ans et lui, vingt-trois. Ils partirent en voyage de noces à Québec, comme c'était la coutume pour des gens modestes. Ils partirent, mais n'y parvinrent pas. Parents et amis les accompagnèrent à la gare Jean-Talon. Dans le train, Augusta dit à Augustin :

« C'est fou d'aller en voyage de noces alors qu'on a un beau logement à étrenner. On n'a jamais voyagé. Qu'est-ce qu'on va faire à Québec ? Demain, il y a une bonne partie de baseball au parc Jarry. »

Augustin, joueur de baseball lui-même, se laissa séduire par la perspective du match et se rangea à l'idée de sa femme – ce qu'il fit toute sa vie. Tous deux descendirent à la gare Windsor, prirent un taxi et rentrèrent rue Lajeunesse étrenner leur beau logement. Treize mois après, je vis le jour et fus baptisée dans la paroisse Sainte-Thérèse-de-l'Enfant-Jésus. Me suivraient, avec trois et sept ans de différence, mes frères Raymond et Robert. Encore là, Augusta se démarqua de son époque : elle ne donna naissance qu'aux enfants qu'elle désirait avoir.

De ma petite enfance, je possède peu de souvenirs qui me soient propres. On m'a dit que j'étais une enfant éveillée et précoce : j'aurais bredouillé mes premiers mots à six mois. Chacune, chacun se vantait que j'avais crié son prénom. J'aurais marché à neuf mois et parlé à un an. Sur la rue, j'envoyais la main à tout le monde. Le docteur Mousseau, consulté pour je ne sais quoi, avait été témoin de mes performances; il avertit mes parents qu'ils ne devaient pas me « forcer ». En fait, ils ne me forçaient pas, j'étais entourée d'adultes qui me sollicitaient sans cesse à leur sourire, à prononcer leur nom, à leur parler. Ils me transformaient en un petit animal savant. Je commençai à protester à ma façon vers ma troisième année. Mon père me conduisait souvent dans sa famille, tout en faisant sa livraison. Quand il s'arrêtait chez un client, il m'enfermait dans le camion. Une fois, il me retrouva en sang : j'avais pris un objet qui traînait et cassé la vitre de la portière. Une autre fois, il m'amena avec lui chercher le linge à laver. Il me donna la main pour traverser la rue. Soudain, je me dégage, je cours : je suis happée par un cycliste. J'en porte encore la cicatrice. Moi-même, je ne me souviens pas de ces légers accidents qui ont affolé mon père. Je doute qu'ils m'aient traumatisée.

Sa famille, c'était sa mère, sa tante Jeanne, l'oncle Raoul et leurs sept enfants. Tous m'adoraient : j'étais la première née de la nouvelle génération. La plus jeune de ses cousines, Claire, avait dix ans de plus que moi. Presque tous travaillaient ou allaient à l'école, sauf l'aînée, Lucienne, qui s'occupait de la maison avec sa mère. Quand les cousins rentraient de l'école, c'était des jeux à n'en plus finir. Ils m'entouraient et me cajolaient. Ma grand-tante Jeanne mourut alors que j'avais deux ans, et ma grand-mère Brisson, quand j'en eus trois. Je me souviens très peu d'elles. La grand-tante s'amusait à me tenir tranquille entre ses jambes croisées. Je me débattais comme une furie pour me libérer de cette entrave. Ma grand-mère, hémiplégique, m'appelait « Petite chose » pour m'attirer à elle. Elle n'arrivait pas à prononcer nos prénoms. Je trouvais ça étrange.

À sa mort, on suspendit un « crêpe » violet à la porte de la maison – une longue bande de tissu avec lequel on formait une boucle dont les pans volaient dans le vent. Cet objet indiquait la présence d'un « corps » dans la maison. On laissait la porte ouverte aux voisins et même aux passants qui voulaient « prier au corps ». C'était là une « bonne œuvre ». Moi, la vue du crêpe me terrifia. Je refusai de m'avancer, de faire un pas de plus. Je me mis à taper du pied, à crier : « Non, non, non ! » Mon père résolut de me faire entrer par la porte arrière.

À vingt-deux ans, Lucienne revêt le tablier de la maîtresse de maison et s'occupe de tout. Elle aime que papa vienne la saluer et me confie à elle.

Je suis la fille qu'elle aurait pu avoir. Elle prend soin de moi avec sollicitude. Peu à peu, elle s'improvise ma seconde mère. Après tout, n'exerce-t-elle pas ce rôle auprès de toute sa famille ? Ça me plaît d'avoir quelqu'un de très maternel qui veille sur moi. Ma mère l'est si peu. Depuis mes trois ans, mon petit frère Raymond prend ma place à la maison. Maman s'occupe de lui bien plus que de moi : elle le nourrit. Elle l'a fait pour moi, mais comment m'en souvenir ? Et le grand-père est toujours là qui l'appelle : il ne peut marcher. Ma famille, si modeste soit-elle, engagera une bonne. Simone Loranger était une fille de la campagne désireuse de travailler en ville – en pareil cas, les parents confiaient leur fille à une famille comme servante : celle-ci s'acquittait des tâches domestiques pour payer sa pension et on lui donnait en plus cinq dollars par mois. Je vais un peu moins chez mes cousins. J'accompagne Simone quand elle promène le petit Raymond. Je tiens le montant du *carrosse*. On aboutit chez mémère Hébert qui vend des bonbons à la *cenne*. Elle me donne toujours quelques petits outils en pâte chocolatée. Tout le monde s'extasie devant mon frère : « Qu'il est beau, ce bébé ! » Maman la première. Et moi ? On ajoute : « Marcelle est fine ! » Qu'on me conduise chez Lucienne : je suis l'unique, là ! Quelques mois après la naissance de Raymond, le grand-père Hétu meurt à son tour. Je n'aurai de souvenirs vivants d'aucun de mes grands-parents. Seulement de vagues images. C'est triste.

Un jour que je suis chez l'oncle Raoul, tante Purissima, la sœur de papa, vient rendre visite à sa cousine Lucienne. Elle est belle et gentille, tante

Purissima, comme papa, mais je ne la vois pas souvent, car elle est mariée avec l'oncle Théodore, un gros homme autoritaire qui fait du *tatting* à la maison. Oui, une sorte de dentelle. Il est très possessif et ne laisse pas beaucoup de liberté à sa femme. Enfin, cette fois, la tante est là. Pendant que je m'amuse avec quelques jouets, j'entends Lucienne qui chuchote dans la pièce d'à côté. Je l'entends prononcer le nom de ma mère. J'essaie de comprendre :

« Augusta n'est pas une bonne ménagère. Elle ne prend pas soin de sa fille qui est arrivée avec une robe tachée de confiture, achetée toute faite. Elle ne sait même pas faire de gâteaux. Elle lit une partie de la journée en buvant du coke. Elle joue aux cartes la nuit... avec des hommes. Pauvre Augustin, pauvres enfants ! »

Je me sens mal à l'aise, mais je ne sais pas à quoi riment ces affaires de lecture, de coke, de cartes. La seule question : ma mère m'aime-t-elle ? Mais je n'arrive pas à la formuler.

Un souvenir bien à moi remonte de mon enfance, une émotion ténue, subtile, pénible, que je tentais de fuir. Elle se manifestait quand je voyais des mamans caresser leur petit. Je détournais la tête, gênée, ou je m'esquivais. Peu à peu, j'éprouvai ce malaise même avec mes cousins dont je recevais tant de caresses ; je ne les leur rendais pas. Je sentais alors ma gorge se resserrer comme si j'étouffais.

Une fois, m'a-t-on raconté, je suis en visite chez eux où je dois dormir. Le soir, je me mets à pleurer à chaudes larmes. On a beau me donner ma *suce*, personne ne peut me consoler : je veux retourner chez moi. Mon cousin Antonio me hisse sur ses épaules et me ramène.

Au jour de l'An, la famille de mon père nous comblait de cadeaux, mes frères et moi. Le père Noël distribuait les présents avant le dîner. Que de gâteries ! Les souliers noirs en cuir verni de Lucienne, les bas blancs de Roger, les jouets des autres. Mais, l'après-midi, je me cachais dans le boudoir pour pleurer. Était-ce parce que ma mère ne répondait pas souvent à l'invitation, sous prétexte qu'elle n'avait pas de robe convenable. Moi, je le savais ; elle était déjà venue et on ne lui avait même pas donné une boîte de mouchoirs, le cadeau passe-partout du jour de l'An. Un cousin, une cousine, me découvrait dans ma cachette : « Qu'est-ce qu'il y a ? Pourquoi pleures-tu ? » Je ne savais que dire. Je rentrais mon émotion, j'essuyais mes larmes et j'allais jouer avec les autres.

Beaucoup plus tard, j'ai identifié ce malaise comme la tristesse de ne pas avoir eu une mère tendre. Et pourtant, elle était sensible, Augusta, mais elle ne savait pas exprimer ses sentiments. Par la suite, elle apprit avec mes frères, surtout avec Robert, le dernier de notre famille de trois enfants. Pour moi, il était trop tard. On aurait dit que ni elle ni moi n'arrivions à dire notre amour par des gestes ; elle me traitait comme une grande fille raisonnable. Ma situation était complexe, car, d'une part, j'avais une mère qui ne savait pas bien comment m'aimer et, d'autre part, Lucienne s'affirmait ouvertement comme ma seconde mère. J'acceptais l'affection de cette cousine, mais pas le rôle qu'elle se donnait auprès de moi. Lorsque je commençai l'école, je ne vis mes cousins que le dimanche. J'avais choisi ma mère à qui je pouvais m'identifier, au moins comme à une femme instruite.

Il me semble que la présence de mon père à la maison a atténué le caractère viril de ma mère. C'était un homme bon, aimant, attentif à nos besoins. Il débordait de joie de vivre. Mes frères et moi, nous attendions son retour, le soir. À la belle saison, nous guettions les voyageurs qui descendaient du tramway. Soudain : papa. De la main, il nous faisait signe de ne pas traverser la rue. Lui s'y engageait en sifflotant. « Papa ! papa ! » Nous le prenions d'assaut. Il nous embrassait, nous caressait ; il hissait le plus petit sur ses épaules tout en donnant la main aux aînés. Entrée triomphale à la maison où maman patientait en lisant un gros livre jauni. Il nous racontait sa journée, un récit parsemé d'anecdotes.

Mon père ne nous amenait pas uniquement dans sa famille, mais aussi au parc Lafontaine où nous nourrissions les canards avec des *peanuts* ou du pain, et il nous amusait de toutes les façons possibles. Il aimait prendre soin de nous, particulièrement quand on était malades. Il nous portait alors du lit à la cuisine pour qu'on mangeât au moins ses châteaux de pommes de terre pilées dans lesquelles il avait caché quelques morceaux de viande. Il cuisinait des tartes, des gâteaux et du sucre à la crème. Le soir, il nous racontait une histoire pour nous endormir : des récits d'aventures, de cow-boys du Far West, d'enfants volés ou abandonnés. Il était un merveilleux conteur à l'imagination prolifique qui savait manier le suspense avec art. Pas de conflits entre ma mère et mon père, si différents l'un de l'autre. Augusta se réjouissait, je le crois, qu'Augustin exerçât un rôle maternel dans le couple, et lui, que sa femme menât la barque.

L'image la plus lancinante de mon enfance est sans aucun doute la vision de ma mère entourée d'hommes, trônant à une table de jeux, dans une *barbote*. Les portes de ce lieu étaient bien verrouillées, les fenêtres hermétiquement voilées. N'y entrait pas qui voulait. C'était une maison close, la pratique du *gambling* étant défendue tout comme la prostitution. On n'y voyait pas de femmes, encore moins d'enfants. Sans doute, ma mère y avait-elle eu ses entrées par l'entremise de ses frères. Dès mes premières années, je l'accompagnais pour faire taire les critiques de la famille de mon père. Je la regardais, fascinée par sa puissance, l'égale des autres joueurs. Le silence enveloppait ce lieu ; on parlait par signes, avec les doigts, ou par monosyllabes : cinq, dix, trente sous, une piastre, une carte, deux, trois. L'atmosphère y était lourde, épaissie par la fumée des cigarettes comme par de l'encens. Une vraie chapelle. On y jouait son destin. À leur mine, j'identifiais les perdants. Ils ressemblaient à des orphelins, à des mal-aimés. Je finissais par m'endormir. Et quand ma mère me réveillait au petit matin, je pouvais deviner tout de suite quel était son sort... et le nôtre ! Si elle avait gagné, elle nous achetait des bottes pour l'hiver, elle payait les comptes d'électricité à la Shawinigan

Power, et nous retrouvions la lumière, elle réglait l'épicier, le boucher qui nous feraient encore crédit. Et si elle avait perdu ? Je lui disais :

« Tu pourrais vendre à madame Beauchamp ma robe verte avec le collet matelot... la mauve aussi, elle les aimerait pour sa fille... »

À la fin, ma mère ouvrait la bouche :

« N'en parle pas à ton père, je m'arrange toujours ! »

J'étais fière de partager un secret avec elle. J'étais grande, j'avais cinq ans. Ma mère, folle comme un dieu, m'initiait au hasard. Tout était-il vraiment joué pour moi ? Peut-être l'imprévisible trouvait-il déjà sa place dans ma vie, comme une promesse de bonheur.

La plupart du temps, au Québec, le jeu avait d'autres couleurs. Alors, on ne l'appelait plus *gambling*, on disait « jouer une partie de carte ». Dans mon milieu, on jouait beaucoup au 500, au joker, au rummy. Avant même d'aller à l'école, je connaissais à peu près tous les jeux que j'avais appris en regardant les adultes. Je me rappelle des parties de joker chez mon oncle Raoul ou chez ma tante Exilda : on contestait, on criait, on riait, on s'amusait ferme ! Après la guerre, le *gambling* s'étendit aux maisons privées. Les femmes jouaient davantage. Mais l'atmosphère en demeura toujours singulière. La Fortune planait sur les joueurs.

Une fois, un mal de dents me tenaille toute la nuit. Au matin, papa m'amène à l'hôpital Sainte-Justine. Le dentiste décide de m'extraire des dents de lait déjà gâtées. Il dit à mon père qu'on m'endormira pour que je ne sente rien. On m'étend sur une table. Mon père me tient la main. Arrive l'anesthésiste en blouse blanche. Il approche de ma figure un masque à l'odeur écœurante. Je bondis et me débats. On appelle à l'aide. Deux infirmières parviennent à me maîtriser. Je respire avec répulsion l'odeur envahissante du gaz. Papa a repris ma main. Je m'endors à la fin. Malgré moi. Je garderai toujours, et avec horreur, dans ma mémoire olfactive l'odeur du chloroforme. Je n'aime pas le sommeil, surtout forcé : je me tiens éveillée le plus tard possible. Et je me lève tôt. Je suis insomniaque. Est-ce parce que j'ai participé toute jeune à la vie des adultes, comme je l'ai longtemps pensé ? Peut-être que l'anesthésie au chloroforme y est pour quelque chose. Des gens disent : « Quelle chance ! il est mort dans son sommeil. » Moi, j'aimerais voir venir la mort en face... et sans chloroforme !

La figure de Réal émerge de mon enfance. Il a dix ans, moi cinq. Il porte les journaux à domicile. Je l'accompagne dans sa tournée. Je suis amoureuse de lui. Je me rappelle, lui et moi assis sur les marches de l'escalier extérieur qui monte chez lui. Mon bras se tend derrière lui pour l'étreindre. Est-il trop court pour que je le rejoigne ? Est-ce la gêne qui me paralyse ? Est-ce que je répète alors le geste si souvent avorté de mon être qui se tend vers ma mère ? Je n'ose le toucher... Toujours avec lui, la livraison des journaux nous entraîne rue de Castelnau ou Faillon, près de Lajeunesse. Sur la place, un abreuvoir où les chevaux se rafraîchissent. Très impressionnée, j'en observe un. « Puis-je boire à mon tour ? » Réal acquiesce. Et je bois avec grand plaisir. J'ai raconté cet incident aux adultes, ils se sont moqués de moi. « Réal a voulu rire de toi, on ne boit pas avec les chevaux, ce n'est pas propre. » Je demeure perplexe. Réal le savait-il ? M'aimait-il vraiment ? Pouvais-je avoir confiance en lui ? La faillite de notre restaurant et notre déménagement laissèrent en suspens la question que je me posais à propos de mon premier petit cavalier. En tout cas, c'est alors seulement que j'ai cessé de réclamer ma *suce*. J'en ai eu longtemps honte !

La ronde des déménagements

Chaque année,
mon cadeau de fête :
un nouveau logement.

On a beaucoup parlé de la manie qu'ont les Montréalais de déménager presque annuellement. Ils aiment le changement, ils tentent d'améliorer leur sort, d'agrandir leur logis. Il faut dire que la majorité des Canadiens français de la métropole étaient – et sont – des locataires. Mes parents et amis qui possédaient leur maison ne l'auraient pas quittée de bon cœur et y ont passé presque toute leur vie. Au moment de la crise, les gens déménagent encore plus. Les chômeurs n'arrivent pas à payer le complément du loyer dont l'État règle la moitié. Comment une famille avec trois enfants qui reçoit, par semaine, cinq dollars et quarante cents en secours direct peut-elle s'acquitter d'un loyer de vingt dollars ? Le seul recours du propriétaire : ne pas renouveler le bail. De 1928 à

1934, mes parents avaient habité trois logements, alors qu'ils travaillaient l'un et l'autre. De 1934 à 1940, pendant la crise, ils en habiteront huit. Oui, il y eut les deux taudis que nous avons dû quitter avant le 1er mai : le Bureau d'hygiène les avait déclarés insalubres.

En 1934, la croissance repart dans les hautes sphères de l'économie. La population n'en ressent pas les effets immédiatement. C'est alors que mes parents entrent dans la crise et le chômage. Ma mère avait très honte de notre condition auprès de sa belle-famille. C'était elle qui avait encouragé mon père à quitter la buanderie Villeray, qui n'avait pas fermé ses portes pendant les années 30. Elle avait en tête d'ouvrir un restaurant avec une table de jeu à l'arrière. Ses frères l'y encourageaient. Chez elle, comme chez eux, le sang amérindien parlait. Elle ne pouvait subir le sort commun de la majorité, accepter l'autorité d'un patron, l'intégration dans une institution. L'aventure plutôt que le conformisme ! Mes parents ouvrirent leur restaurant et firent faillite six mois après. Trop de ventes à crédit. J'entends encore les critiques des Brisson : « Abandonner une *job steady* pour un commerce, un restaurant... en pleine crise. Une idée folle. Pauvre Augustin, pauvres enfants ! » Mes parents s'éloignèrent de leur famille. Pendant deux ans, ils louèrent des logements au nord du boulevard Crémazie, sur Saint-Denis et sur Lajeunesse. Ils reviendraient assez vite dans leur ancien quartier : rue Boyer, rue Saint-Hubert (près du tunnel), rue de La Roche, rue Clark, rue de Fleurimont, avenue Christophe-Colomb. De tous ces logements, je me souviens avec une certaine nostalgie. Ils se composaient ordinairement de deux « salons doubles », deux pièces largement ouvertes l'une sur l'autre que l'on pouvait séparer à l'aide d'un paravent : chambre et salon, salle à manger et cuisine. Nous avions toujours une salle de toilettes avec bain, que nous n'utilisions pas habituellement faute d'un système à eau chaude. Bien plus tard, de retour à Montréal après treize ans d'absence, j'ai voulu revoir les maisons de mon enfance. Hélas ! la plupart n'existaient plus ; elles avaient été démolies pour faire place à un espace vert ou à d'autres maisons plus solides.

Seule ma mère souffrait des déménagements ; sauf pour le jeu et les sports, elle n'aimait pas bouger. C'était une sédentaire. Mon père prenait donc la responsabilité de nous trouver un toit et d'organiser le transport de nos meubles. Il louait ou empruntait une voiture avec un cheval et, aidé de ses cousins, il y entassait nos affaires, qui se résumaient à bien peu de choses, le strict nécessaire : un grand lit, un canapé ouvrant, une table, cinq chaises, deux commodes, des boîtes pour la vaisselle, la literie, les vêtements. Je me suis rappelé beaucoup plus tard que nous n'avions jamais eu de fauteuil en ce temps-là. Bien des objets demeuraient épars dans la voiture, quelques chiffons suspendus à un balai – le drapeau des gueux –, tenu par un enfant tout heureux de « faire un tour », des instruments ménagers qui n'entraient pas dans les boîtes, de vieux capots de fourrure, mille choses hétéroclites sorties du hangar et qu'on n'avait pas réussi à vendre au *guenillou*. Et le cortège se mettait en marche pour entrer dans la procession des déménagements du 1er mai. Le déménagement était alors un événement joyeux. Ma mère faisait pour tous des sandwichs que nous dévorions avec du KIK, en racontant des histoires de... déménagements. Nous espérions toujours un logement plus beau et de nouveaux voisins gentils. Nous, les enfants, nous nous adaptions bien et nous nous faisions vite des copains qui adoraient notre père, ce conteur d'histoires et cet inventeur de jeux. Ma mère restait plus sur son quant-à-soi. Comme on la voyait beaucoup lire et discuter, on la consultait pour un conseil, une lettre à écrire, un problème d'école. Elle acquérait rapidement du prestige auprès des voisines, qui, de leur côté, lui rendaient des services ménagers. Ma mère n'était pas femme à parlotter ni à bavasser. Son entourage le réalisait et ne la tirait de son livre que pour des choses importantes.

Rue Lajeunesse

Le 1er mai 1935, nous voici installés dans la paroisse du Christ-Roi. Des champs à perte de vue, des maisons seulement près des rues perpendiculaires. La campagne, le bout du monde.

Le restaurant est liquidé, nous n'avons plus rien, pas même de crédit. Ici débute cette période de chômage qui se prolongera jusqu'en 1940. Mon père et ma mère tenteront de l'apprivoiser. Pour l'heure, ils se demandent comment survivre.

Augustin devient un habitué du tramway 24, le Sault, qui le ramène auprès des siens ; il repeindra les maisons des uns et des autres avant l'hiver. Il se bouche les oreilles pour ne pas entendre leurs discours moralisateurs et les critiques sur Augusta.

Ma mère, qui n'aime pas la campagne, s'ennuie. Que faire dans une maison ? Elle voit des voisins, des Italiens surtout, qui s'approprient des espaces dans les champs pour les transformer en potager. Elle les imite tout en leur demandant conseil. Elle aussi bêche, sème, sarcle, arrose. Raymond et moi, nous l'accompagnons souvent quand papa n'est pas là. Tout en enlevant quelques mauvaises herbes, nous regardons les gens travailler et les légumes pousser. Pas assez vite à notre goût. Enfin, salades, radis, tomates, concombres sortent de terre pour garnir notre assiette. Parfois, avec le pain, ils nous empêcheront de mourir de faim. Les autres cultivateurs improvisés nous donneront aussi des légumes plus caloriques.

En septembre, ma mère m'inscrit au cours préparatoire de l'école publique dirigée par les petites sœurs de l'Assomption. Je me sens toute fière de marcher, seule, rue Lajeunesse jusqu'à l'église. Les classes des enfants sont installées dans le sous-sol. Je dois traverser les rues Chabanel et Lajeunesse. Je n'ai pas peur : maman m'a montré comment être prudente. J'adore l'école. Il en sera ainsi jusqu'à l'université. J'aime apprendre. C'est comme un jeu pour moi. Ma mère se réjouit de mes résultats. Forte stimulation pour être une première de classe : je gagne ainsi son amour. Je suis vive et turbulente. Les maîtresses préfèrent aux élèves brillantes les enfants dociles qui s'accrochent à leurs jupes. « Des bébés ! » Et je me moque d'elles. J'éprouve alors ce sentiment de gêne comme devant les échanges affectueux entre un enfant et sa mère – ah ! maman, ce que tes caresses m'ont manqué ! Sans plus d'analyse, je me vante de ne pas être collée à la sœur, moi ! Après quelques mois, la maîtresse fait venir les parents à l'école. Elle rassure ma mère sur mon apprentissage de la lecture et de l'écriture, du calcul aussi.

« Imaginez, je lui demande de me rapporter dix bons points parce qu'elle parle avec une compagne, et voilà qu'elle m'en remet cinquante en me précisant que je peux garder le reste : les quatre autres bavardages seront payés d'avance. »

Ma mère se contente de rire :

« Les bons comptes font les bons amis ! En tout cas, elle sait déjà bien calculer. »

Je connais cette anecdote par le récit qu'elle en fit à mon père, le soir, alors que j'étais au lit. Augusta ne commentait pas l'évaluation du comportement et de la conduite. Des broutilles. Il est vrai aussi que je ne fis jamais d'excès dans mes écarts de conduite. L'amour de l'étude m'en empêchait.

Toujours à l'automne, je vois une installation de tentes dans les champs. Les gens ignorent de quoi il s'agit.

« Qu'est-ce que c'est ? dis-je à ma mère.

Elle le saura, elle :

« C'est une fête juive. Je pense que les Juifs célèbrent le passage de la mer Rouge quand leurs ancêtres fuyaient les Égyptiens. À ce moment-là, ils ont campé dans le désert. Je te montrerai le cimetière juif, un peu plus loin que l'église. »

Quand ma mère me parle des Juifs et des Italiens, elle ne porte aucun jugement de valeur. Elle m'informe.

Un jour de février, tempête de neige avec tourbillons de vent. Ma mère me dit : « Tu n'iras pas à l'école aujourd'hui, il neige trop. » Je pleure tant et tant qu'elle se décide à m'habiller avec passe-montagne, foulard et mitaines. Ainsi emmitouflée, je suis prête à affronter vent et poudrerie. J'avance péniblement dans la neige déjà accumulée. Soudain, du balcon, la voix de ma mère : « Marcelle, reviens. » Je ne me fais pas prier. Je réalise la difficulté de la marche dans la bourrasque. Mais, surtout, la sollicitude de ma mère me touche. Mes yeux s'embuent de larmes. Plus de tendresse que de froid.

Après l'hiver, le printemps. C'est la première fois que je remarque le cours des saisons. En 1936, à la fonte des neiges, les égouts débordent dans les rues de la paroisse. De l'eau jaillit de partout, les gens circulent en chaloupe. Nous aussi avons un lac ! La campagne à la ville. Pas pour longtemps.

Cette année-là, où nous étions loin de la famille et des clubs de cartes, je fus plus proche d'Augusta. Elle était peut-être malade ou déprimée. Elle avait beaucoup maigri, quoiqu'elle fût enceinte de mon frère Robert. Elle ne se plaignait, ni ne se confiait. Du moins, je n'ai rien entendu. Le docteur de la famille nous avait mis au monde, Raymond et moi, à la maison, avenue des Belges. Les coutumes changeaient. Robert, lui, est né le 19 avril 1936, à l'Hôpital Sainte-Justine.

Chose étrange, je n'ai aucun souvenir de mon père rue Lajeunesse. Ma mère prenait toute la place. Peut-être courait-il les petites annonces à chercher du travail ? Il en était au début de son chômage. Sans doute acceptait-il déjà n'importe quel travail qui se présentait : nettoyage, peinture, déblaiement de la neige. Et nous étions à plus d'une heure de tramway du centre-ville. Pourtant, il était bien là. Car, plus tard, on rappelait que ma mère avait eu un « goût » pendant la grossesse de Robert, celui des huîtres, et que mon père parcourait les rues de Montréal pour lui en trouver ! Une façon de parler : il fallait bien qu'il gagnât l'argent pour les acheter !

Rue Boyer

Après la naissance de Robert, nous sommes revenus dans la Petite Patrie, rue Boyer, un peu plus haut que Jean-Talon. Dans ce temps-là, nous n'employions pas l'appellation « Petite Patrie », ni même le mot « quartier ». Nous désignions le lieu de résidence par le nom de la paroisse. Ainsi, nous avons retrouvé la paroisse Saint-Arsène, la famille de mon père et nos amis. Nous fréquentions une cousine Brisson, Exilda – hors du clan –, que maman aimait beaucoup et avait choisi comme marraine de mon frère Robert. Son mari, comptable, était partiellement au chômage. Exilda se débrouillait bien dans la cuisine et nourrissait tout son monde, trois enfants plus vieux que nous. Elle nous invitait souvent à souper sous prétexte de continuer la partie de cartes, sans doute aussi parce qu'elle devinait notre indigence. Il y avait dans le salon un piano mécanique. Je m'y installais et jouais pendant des heures. Mon père se rendait presque journellement dans sa famille, accompagné d'un des garçons qui n'allait pas encore à l'école. Il le leur laissait pour leur faire plaisir. Lui, il ne restait qu'un moment : il était hyperactif et toujours à l'affût d'un petit boulot. Moi aussi, j'allais seule après l'école dire bonjour à mes cousins. Lucienne, l'aînée, toujours elle, m'offrait un gros morceau de gâteau avec un verre de lait. « Mange, ma petite, t'es bien maigre. Il te faudrait un tonique. »

Cette année-là, le tonique ce fut l'hostie de la première communion. Le seul souvenir que j'en garde, c'est la gifle cuisante que sœur Marie-Immaculée m'avait donnée, lors d'un exercice dans l'église, parce que je n'avais pas laissé la distance réglementaire d'un banc entre l'élève précédente et moi. Ah ! j'oubliais le cantique : *C'est le grand jour...* Je le connais encore par cœur. Les rites religieux, comme les leçons de catéchisme, ne me pénétraient pas. Il en sera ainsi jusqu'à la fin de mon adolescence. Comme ma mère, je garderai une distance entre les sœurs et moi, entre la religion et le savoir.

Je découvris la beauté des arbres qui bordaient la rue Boyer. À l'automne, les feuilles tourbillonnantes m'enchantaient. On saute, on danse dans le vent qui les balaie. On joue à les attraper, à choisir les plus colorées, à s'en faire des guirlandes. Une fête ! À l'été, j'avais repéré les cerisiers de monsieur Villemure avec les autres enfants. Nous allions dans ce jardin pour y voler des cerises sauvages. Nous les mangions avec du sel pour en tempérer le goût amer. Pas de regrets alors, ni même maintenant. Hélas ! je n'écrirai pas une belle page d'anthologie, comme saint Augustin dans *Les Confessions*, pour regretter les seuls larcins de mon enfance.

L'année ne se termina pas sans une grosse peine : je cessai de croire au Père Noël. J'aimais beaucoup ce gros bonhomme aux joues rouges de froid qui venait du Pôle Nord pour nous distribuer des cadeaux. Il passait chez mes cousins au jour de l'An, vers onze heures du matin. Un parent l'accueillait à la porte arrière et le conduisait au salon. Le son des cloches le précédait et nous nous mettions à chanter « Père Noël, apporte-nous des bebelles » et une autre chanson en anglais. Quelqu'un lui donnait un verre d'alcool : « Il faut vous réchauffer, Père Noël, après un si long voyage. » Nous, les enfants, nous avions les yeux fixés sur son sac de cadeaux. Quand, lisant mon nom, il m'en donnait un, je m'avançais, timide. Il me prenait sur ses genoux et me questionnait : « As-tu été sage ? As-tu de belles notes sur ton bulletin ? Récite-moi un petit compliment. » Toute fière, je m'exécutais : « Les bébés blonds, les bébés roses… » dont je ne me rappelle que du dernier vers : « en riant se sont endormis ».

Une fois, il m'a semblé que le Père Noël avait la voix de l'oncle Théodore. Or celui-ci était retenu à la maison par une bronchite. Ce fut le commencement de mes doutes. L'année de ma première communion, en décembre, alors que j'étais chez mes cousins, je découvris derrière le *chesterfield*, dans une grande boîte, la paire de patins que j'avais demandée au Père Noël. Quelle joie de les voir si beaux, en cuir noir avec des lacets jaunes ! Une certaine tristesse m'envahit : le Père Noël n'existe pas. C'est un rôle, joué par un adulte.

Je l'entends encore rire : « Ha, ha, ha ! » Moi aussi je continuai à jouer mon rôle avec les grands pour que les petits y croient encore.

Rue de Fleurimont

En mai 1937, nous nous sommes un peu éloignés de Saint-Arsène. Nous habitions, rue de Fleurimont, près de Saint-Denis, un grand sept pièces où nous sommes demeurés deux ans. Nous hébergions un couple dont la femme, Juliette, avait été une amie de ma mère et l'homme, Zéphirin, un comptable, était chômeur. Tous deux aidaient à payer le complément de loyer. Juliette et Zéphirin logeaient dans le salon double à l'avant. Raymond et moi dormions sur un sofa dans une pièce près de la leur. À l'arrière, il y avait aussi une cuisine-salle à manger et la chambre de mes parents. Le petit Robert dormait avec eux. Il n'y avait que le poêle de la cuisine pour réchauffer ce grand appartement. L'hiver, mon père venait la nuit nous couvrir de son paletot. Justement à cause du froid, nos locataires laissaient leur porte ouverte, laquelle donnait sur l'entrée, tout comme une petite fenêtre intérieure de notre chambre. Or, en passant dans l'entrée pour aller à la toilette, j'avais aperçu Juliette assise sur les genoux de Zéphirin qui la caressait. Peu habituée à voir de semblables scènes, j'avertis mon frère et, régulièrement, nous installions une chaise près de la fenêtre intérieure où nous grimpions à tour de rôle pour les surprendre. Nous chuchotions : « Ils se regardent dans les yeux, elle le chatouille, ils s'embrassent... »

Nous étouffions nos rires. Ça n'allait jamais plus loin. C'étaient nos petites *vues*, d'autant plus étonnantes que nous ne surprenions jamais nos parents dans de pareilles scènes. Mais notre plus grand plaisir, notre meilleur film, c'était encore l'histoire que notre père nous racontait chaque soir pour nous endormir : « Il était une fois... »

Cette année-là, je fus mise en face de la misère des gens pendant la crise. Il y avait sur notre rue, près de Saint-Vallier, une soupe populaire. Je voyais des hommes – pas de femmes – faire la queue longtemps à l'avance. Ma mère m'expliqua que ces malheureux étaient plus pauvres que nous. De toute façon, même si nous n'avions rien à manger, nous n'irions pas faire la queue. Elle n'acceptait pas non plus les « boîtes » de la Saint-Vincent-de-Paul. Elle ne voulait pas dépendre de la charité publique. Elle se débrouillait dans les épiceries environnantes avec le crédit qu'elle assurait en donnant en acompte une partie de l'allocation de chômage. Chaque matin, j'allais avant l'école chez le boucher Poissant acheter un os pour la soupe, que maman cuisinait le midi et dans laquelle elle plongeait des pâtes. Le soir, elle faisait une fricassée avec les quelques bouchées de viande de l'os et beaucoup de patates et d'oignons. Papa avait renoué avec la famille de son frère Armand qui habitait près de chez nous. Une cousine nous apportait à l'occasion un plat de sa mère pour qu'on y goûtât. Je me rappelle aussi que certains jours de disette, nous avons mangé les échantillons des produits Catelli que papa tentait de vendre.

Un souvenir terrible, les rats. Notre immeuble en était infesté. Qu'est-ce qui les attirait? La grande cantine où on cuisinait la soupe populaire? La proximité de la voie ferrée et des silos à grains? Les rats habitaient nos hangars. Ils rôdaient sur les galeries à l'affût du sac d'ordures. On en vit même sur les cordes à linge, sur les fils électriques. L'arrière de la maison était leur domaine; leur manège, notre cirque. Papa ne pouvait résister à la gloire qui s'offrait à lui – il était le seul à ne pas en avoir peur. Souvent, il en attrapait un par la queue, l'étourdissait en le faisant tournoyer dans les airs et le lançait sur les toits des maisons à deux étages de la rue de Saint-Vallier. Nous suivions le numéro en frissonnant et nous applaudissions papa comme un héros. Les situations les plus sordides, il savait les transformer en jeu. Les cinq garçons des Tassé, nos voisins d'en bas, y étaient allés aussi d'une invention. Ces petits sadiques entassaient les rats vivants dans une cage et les présentaient en spectacle moyennant cinq sous. Ils m'en offrirent la primeur gratuitement sans me dire qu'il s'agissait de rats. Une vraie cage aux horreurs! Les rats s'entre-dévoraient. À chaque déménagement, nous retrouverions des rats fureteurs, gourmands, qui tenteraient d'envahir notre espace. D'avance, nous en étions terrorisés.

Je fus inscrite à l'école Morin et Raymond au cours préparatoire à côté de l'église Saint-Édouard. Maman s'était réjouie de revoir les sœurs de Sainte-Croix chez qui elle avait fait ses études; elle me laissera entre leurs mains tant que j'étudierai malgré les pérégrinations ultérieures dans les paroisses voisines. J'ai beaucoup estimé l'école publique de mon enfance et les maîtresses que j'ai eues. Elles étaient compétentes. Peut-être n'en était-il pas toujours ainsi dans les écoles de village ou dans les couvents, avec un redoublement en famille des prières et des exercices religieux. J'excellais dans toutes les matières, même en catéchisme. Contrairement à mes compagnes, les commentaires de la religion et de la morale ne me troublèrent pas. Je n'étais pas scrupuleuse. Des cours de catéchisme, j'avais retenu qu'on faisait un péché mortel seulement s'il y avait matière grave, en parfaite connaissance de la « chose », et avec une réelle volonté de la faire. Cette compréhension me libéra pour toujours d'une conscience chrétienne convenue, mais pas pour autant d'une conscience individuelle que j'allais développer en me personnalisant, ni du complexe de culpabilité, cet « héritage de l'Œdipe » dans la famille occidentale. À l'école publique, l'institutrice répétait plusieurs fois son enseignement pour les élèves distraites et pour les « grandes queues d'en arrière », celles qui doublaient et redoublaient leur année. Après avoir compris la leçon, mine de rien, je m'abstrayais de l'environnement, faisais mes devoirs ou lisais, quand je ne parlais pas avec une voisine de pupitre ! Ainsi, je ne perdais pas trop mon temps, ni surtout mon intérêt pour l'école, comme il arrive souvent aux enfants qui apprennent vite. Heureusement, car l'école fut pour moi presque le seul lieu d'apprentissage, puisque ma mère n'excellait pas dans les tâches ménagères et que mes parents ne pratiquaient aucun métier. Ce fut l'école qui m'offrit aussi mes premiers livres de lecture. Inutile de le spécifier, nous n'avions pas de bibliothèque à la maison !

Dans la classe de deuxième année B où on m'avait placée en arrivant à l'école Morin, il y avait à l'arrière une grande armoire fermée à clé avec une fougère sur le dessus. La sœur Saint-Gabriel l'ouvrait une fois par semaine pour qu'on y choisît un livre de lecture. Je dévorai mon premier livre en deux jours, le lisant sans arrêt, même en marchant sur la rue Saint-Vallier, de Beaubien à de Fleurimont. Je l'échangeai avec celui d'une élève, j'en demandai d'autres, je recourus à toutes sortes d'astuces pour me procurer des livres. Pendant tout mon cours élémentaire, l'école a été ma principale pourvoyeuse. J'y ai trouvé Geneviève de Brabant, Fabiola, la reine Astrid et plusieurs livres de saints, beaucoup de biographies, des histoires comme celles de la comtesse de Ségur, de grands albums français d'aventures et d'autres que j'ai oubliés.

Ma passion se satisfaisait dans l'ambiance familiale où on lisait les journaux. Même pauvres, nous achetions à crédit, au restaurant-dépanneur, deux quotidiens : *La Presse* et *Le Canada*. Mon père étalait les journaux le matin et le soir pour voir les manchettes, les photos, pour y scruter surtout les petites annonces. Il n'avait fait qu'une troisième année d'école, mais il n'était pas analphabète. Et à lire ainsi par nécessité, il prit le goût de lire davantage. Quant à ma mère, la lecture lui était habituelle, celle des journaux mais aussi de gros romans populaires qu'elle échangeait dans une librairie pour une somme modique. Et rue de Fleurimont, Zéphyrin lisait des livres scientifiques, bien reliés, qui lui appartenaient, et Juliette, *La*

Revue moderne. La fin de semaine, Raymond et moi, on se battait pour lire les *comics* du *Petit Journal* ou de *La Patrie*. À la maison, pas de livres, mais des lecteurs.

Puis-je dire qu'il en était ainsi généralement dans les familles canadiennes-françaises ? Non. Dans les milieux modestes, on lisait plus les journaux qu'aujourd'hui, certes, puisque la télévision n'existait pas et que tous n'avaient pas la radio, mais pas autant que chez nous. Chez mes tantes et oncles, chez les gens qui pratiquaient des métiers ou avaient des commerces, des petites entreprises, chez qui j'ai gardé les enfants le soir – à partir de mes onze ans –, il n'y avait pas de bibliothèque. J'arrivais parfois à trouver un livre dans un placard ouvert par hasard. Je ne voyais jamais autre chose qu'une revue ou des journaux. Ce fut une chance exceptionnelle que d'être encouragée à lire par une mère qui lisait beaucoup, ou plutôt, d'avoir commencé mes études au moment où elle lisait encore beaucoup, la passion du jeu n'étant pas alors l'unique ressort de toutes ses activités comme elle le devint par la suite.

À l'âge de neuf ans, alors que j'étais en quatrième année A, mademoiselle Granger, une laïque, avait interrompu la classe en disant : « Vous allez me faire une rédaction d'une page sur "ce que vous pensez maintenant". » Elle avait insisté sur le « maintenant ». Je me dis aussitôt qu'elle a parlé, le « maintenant » s'est envolé. Comment peut-on saisir le moment qui passe ? Qu'est-ce que je fais « maintenant » ? Je cherche à capter le moment qui passe, mais aussitôt que je crois le tenir, il n'est plus. Et moi, est-ce que je passe ainsi ? Ma rédaction exprimait une grande anxiété devant l'impossibilité de retenir le présent. La maîtresse m'avait calmée en m'expliquant que la question concernait un présent plus étalé comme, par exemple, l'heure de la classe, la journée. Elle me donna une très bonne note. Ce qui ne réglait pas mon problème ! Dans la suite, j'ai compris : ce questionnement était double. C'était celui des présocratiques, d'Héraclite en particulier : l'être n'était-il que changement ? Celui aussi du « temps » qui toujours me passionna. À dix-huit ans, je lirai Bergson avec ardeur et découvrirai son concept de « durée » dont le rythme singulier forme notre moi unique : « Le changement constitue la substance même de la réalité telle que nous pouvons l'expérimenter. La durée naît de l'attention à ce changement en soi et dans le monde ! » Je me demande aujourd'hui si la recherche de l'instant n'était pas alors une tentative pour me ramener à la réalité de ma vie quotidienne, une fracture dans la vie imaginaire que je créais avec mes lectures et les histoires de mon père. Mais je ne voulais pas pour autant d'un présent linéaire, historique. Cette recherche engendrera la question de l'instant qui passe « comme une série de moments absolus ».

Je n'étais donc pas déphasée par rapport à la réalité. Je jouais avec les autres élèves à la récréation et avec les petits voisins après l'école. J'aimais les rondes, la corde à danser, la marelle, la cachette, la tag, le brench et brench.

Parfois j'imitais les grands. J'aimais me promener seule sur la « Plaza » Saint-Hubert avec Prince, le chien de mes cousins. Il m'arrivait de rencontrer l'oncle René qui m'offrait quelques sous s'il avait gagné au jeu. Un jour, il me donna vingt-cinq cennes. « Allons nous payer un *banana split* », dis-je à Prince. Nous entrons chez Apollo – un des nombreux restaurants grecs de la rue – et nous nous installons à une table, le chien sur la banquette en face de moi. La serveuse prend ma commande en souriant et nous apporte le *sundae* à la banane. Je partage avec Prince : une bouchée pour lui, une pour moi. La « grande » demeure une petite fille qui ne respecte pas les usages. Les gens nous regardent, amusés. La serveuse m'apporte l'addition : trente-cinq *cennes* ! Je suis confuse. Je sors mon « trente sous » qui n'était que vingt-cinq *cennes.* Je n'ai jamais compris pourquoi. Elle appelle le gérant qui me sermonne ; il me faudra faire la vaisselle pour les dix sous qui manquent. J'acquiesce : « Et mon chien, lui ? » Le gérant se met à rire et nous renvoie.

Vers onze ou douze ans, je passerai du club des maigres à celui des grosses : je ne jouerai presque plus. Un événement marqua ce passage. Par un jour de pluie, Raymond et moi improvisons un jeu de saute-mouton avec des chaises dont le dossier est incliné au sol. Et hop, je saute une chaise après l'autre. À la dernière, je m'enfarge et m'étends sur le plancher. Je crie : « Rita, viens voir ce qui m'arrive. » Un genou écorché. Je n'ai pas vraiment mal. Je me relève. Le sang coule sur mes jambes. Je m'affole. « Regarde, Rita, je dois être blessée. » Rita dit à ma mère que ce sont sans doute mes règles. Ma mère m'amène à la salle de bain, m'explique que j'aurai du sang ainsi chaque mois et qu'il me faudra mettre un linge pour protéger ma culotte. C'est comme ça pour les femmes. On n'en parle pas aux garçons. Point. Pas d'explications sur le lien entre menstrues et enfantement ou entre développement corporel et éveil sexuel. Je m'éloignai des jeux. Mon corps m'embarrassait. Je n'évoluais plus spontanément. Je me voyais marcher, courir, agir parmi les autres. Je me sentais gauche. D'active et nerveuse, je devenais plus passive et lymphatique. C'est alors que la passion de la lecture dévora une bonne partie de mes soirées et même de mes nuits.

Avenue Christophe-Colomb

À la fin de mon cours élémentaire, ma vie changea du tout au tout. Ma maîtresse de septième année, sœur Saint-Haldas, avait incité ma mère à m'envoyer dans un externat de sa communauté pour y commencer des études classiques. Les frais en étaient modiques : cinq dollars par mois. C'était quand même le prix de l'allocation de chômage d'une semaine, mais rien de comparable à la pension des collèges où l'on devait s'inscrire ordinairement pour accéder à l'université. L'externat pour les filles ouvrait une porte d'accès dans l'institution privée des cours classiques; il était un pas vers la démocratisation. Il n'existait d'ailleurs que pour les quatre premières années. Ma mère, devant mon désir, n'hésita pas un seul instant : j'irais à l'École supérieure Sainte-Croix. C'était un grand bâtiment de briques brunes, entouré de champs, à une centaine de mètres du boulevard Saint-Laurent, en face du parc Jarry où la famille allait voir les matchs de baseball. Chacun son territoire : mes parents et mes frères sur le terrain de sport, moi, dans la maison d'études. Mais une égale passion nous enflammait. À ce moment-là, nous avions fini nos pérégrinations au nord de la ville. Nous habitions, tout près de Jean-Talon, un logement modeste sur la belle avenue Christophe-Colomb. Cette avenue était très large, y circulait au centre le tramway 35. Il y avait des arbres, des pelouses, des fleurs. L'hiver, la neige s'accumulait sur les parterres. Nous aimions y sauter du deuxième étage. Les maisons avoisinantes étaient beaucoup plus spacieuses et cossues que la nôtre, d'où nous ne bougerions plus. La maison paternelle était à cinq minutes de là, sur la même rue.

C'est à mon père que nous devions notre relative prospérité et... à la guerre, déclarée en Europe en 1939. Augustin cherchait toujours un emploi stable. Jusque-là, il n'était pas arrivé à en trouver un. Il disait : « Je vais m'enrôler comme volontaire. Il y aura l'allocation pour la famille. » Maman, les parents, les amis l'en dissuadaient : « Attends un peu, l'ouvrage va reprendre. » Par une belle journée de printemps, papa est arrivé en habit militaire. Il avait signé son engagement dans le régiment Maisonneuve, le régiment de Montréal. Le premier vrai emploi depuis qu'il avait laissé la buanderie Villeray en 1934. Allocation mensuelle de quatre-vingt-dix-neuf dollars pour la famille, sans compter la solde du militaire. Pauvre papa ! Ce qu'il a dû peiner à courir les *jobines* pendant six ans pour nourrir sa famille. J'en ai les larmes aux yeux. Et lui, il ne se décourageait pas : il ne se jeta pas dans la boisson comme bien d'autres, il ne s'enfonça pas dans la paresse et la déprime. Il gardait sa bonne humeur et s'occupait de nous. Mais il saisit à bras le corps cette première occasion de gagner sa vie et la nôtre. *Canadian soldier* : tout était en anglais dans l'armée, même l'hymne national. En tout cas, on ne peut pas dire que, pour s'enrôler, il ait subi l'influence du milieu canadien-français. La plupart des nôtres cherchaient plutôt comment échapper à la guerre. Je me rappelle ces nombreux mariages conclus à la va-vite et même bénis collectivement par un évêque juste avant la loi sur la conscription. On ne voulait pas mourir pour notre colonisateur. Les Anglais s'enrôlèrent en grand nombre. Ils se considéraient encore comme des Britanniques au service du roi et de la reine d'Angleterre. Des francophones accomplirent, dans les mêmes conditions, le même geste que mon père. Gabrielle Roy en témoigne à sa façon dans son roman *Bonheur d'occasion*. D'autres, sensibles aux idéologies, se portèrent volontaires pour combattre le fascisme et le nazisme, déjà à l'œuvre en Pologne et en Autriche, et dont les troupes envahirent la Hollande, la Belgique et la France. Certains, que l'aventure stimulait, s'engagèrent comme mes oncles l'avaient fait en 1914. L'idéologie dominante canadienne-anglaise soutenait l'enrôlement et en montrait les avantages. Partout, sur les affiches, aux *vues*, dans les publicités, on voyait des images de soldats, de marins et d'aviateurs représentés comme sauveurs de la nation. Et, à cette époque, je le reconnais aujourd'hui, l'uniforme en imposait encore. On nous photographia avec papa en habit militaire et avec le petit Robert, qui avait sept ans, en costume d'aviateur. Nous étions fiers d'Augustin. Parfois, je croisais une soldate, une CWAC, et lui souriais. C'est pendant la guerre, je crois, que l'armée s'ouvrit aux femmes. On regardait les soldates de travers : ne vivaient-elles pas – ne couchaient-elles pas ! – avec les soldats ? J'aimais coiffer les dames dont je gardais les enfants. La mode, c'était de faire un immense rouleau du haut de la tête jusque sur la nuque, en forme de V pour victoire. Papa commença son entraînement à Farnham et l'acheva à Valcartier. Des amis nous amenèrent le visiter à ces deux endroits. Mes premiers voyages. Lui s'embarqua en 1942 pour l'Angleterre. Je suis étonnée de ne pas me rappeler les émotions que j'ai ressenties lors de ce départ. Comme maman, je ne pouvais pleurer, alors que des cousins manifestaient leur peine. À ce moment, le travail de guerre battait son plein, même les femmes y participaient. « Si Augustin avait attendu... », murmurait-on, surtout dans sa famille. Nous, maman et les enfants, nous étions partagés entre la peine et l'orgueil de voir Augustin affronter les armées hitlériennes. Peut-être que ces sentiments opposés nous permettaient de refouler l'excès de notre chagrin.

D'Europe, mon père nous envoyait des lettres et des cartes postales auxquelles nous répondions ma mère et moi. Augustin incarnait pour moi l'homme rêvé, le héros que présentait le soir la suite radiophonique *La fiancée du commando.* Aussitôt que j'entendais la marche *Sambre et Meuse* qui ouvrait l'émission, je me précipitais vers l'appareil. Je suivais papa de près : d'abord en Angleterre, puis en France – dans le combat de la plaine de Caen –, en Belgique, en Hollande et en Allemagne. Son régiment a touché le continent juste après le débarquement de juin 1944 et a participé à la libération de l'Europe. Partout où mon père passait, il prenait contact avec les gens du cru et se faisait des amis – tiens, comme je lui ressemble ! Des photos et une correspondance l'attestent. De Montréal, nous poursuivions la relation entamée par lui en envoyant à ses amis lettres et colis. L'échange fut particulièrement régulier avec la famille Gilles, que j'ai voulu revoir à Caen lors du cinquantenaire du Débarquement. Odette Gilles me raconta que mon père conduisait un camion d'approvisionnements de l'armée et qu'il passait quotidiennement par Caen où il lui laissait un litre de lait pour son nouveau-né. Comment mon père était-il venu en contact avec des Caennais qui s'étaient cachés, pendant les bombardements des alliés, dans des carrières profondes où le bébé de madame Gilles était né ? Ce serait une longue histoire. Après avoir visité les lieux beaucoup plus tard, j'en ai déduit qu'il faisait le trajet du port artificiel d'Arromanches, où il chargeait son camion de vivres, d'armes et de fuel, jusqu'au lieu du combat, dans la plaine de Caen. Il semblerait que mon père n'ait jamais porté les armes. Il était plus vieux que les conscrits, avait des enfants en bas âge et, surtout, il était si bon qu'on ne le voyait pas avec un fusil. Il a été ordonnance d'officiers supérieurs dont il prenait soin comme de ses enfants « quand ils avaient trop bu », nous racontait-il. Lui, il ne buvait pas une goutte d'alcool. Il a été aussi infirmier. Il aurait accompagné un général en Afrique, sans doute comme ordonnance, vers la fin de la guerre.

Pendant ce temps, ma mère travaillait pour une compagnie de lampes décoratives dans le gros. Sa charge : assurer la propreté du *showroom* et la surveillance des clients. Notre appartement se transforma lui-même en *showroom* de lampes et de petits cadeaux que nous vendions aux voisins. Son salaire, ses profits de vente, ajoutés à son allocation lui auraient permis de faire des économies. Pas du tout, elle reprit les parties de poker. Souvent, je devais la dépanner dans le mois avec l'argent de poche que je gagnais en gardant les enfants. Cependant, elle assurait notre quotidien en payant tous les mois, avec l'allocation de l'armée, le loyer, l'électricité et les comptes chez l'épicier et le boucher. Elle jouait aussi moins régulièrement, car elle faisait des « promesses » – à qui ? – de ne pas jouer pour que mon père revienne de la guerre. Mais le fait est là : elle jouait et ordinairement le jour de sa paie. L'histoire suivante l'atteste :

« Imaginez, raconta-t-elle à des amis, j'ai dit incidemment à une employée de Metalcraft que j'avais perdu ma paie le soir même où je l'avais reçue. Le lundi, qu'est-ce qui m'arrive ? Le contremaître s'avance vers moi, suivi des employés, et me dit : “ Pauvre madame Brisson, vous avez perdu votre paie. Au nom de vos camarades qui se sont cotisés et au nom de Metalcraft qui a fait sa part, je vous offre un nouveau salaire. ” Que vouliez-vous que je lui réponde ? J'étais très émue, j'avais les larmes aux yeux. Je ne pouvais leur dire la vérité ! Tiens, j'irai pas jouer cette semaine ! »

Incorrigible, elle ne tenait jamais ses promesses longtemps !

Lectures et rêves

Qu'est-ce que je devins pendant ces trois années ? Ma mère m'astreignait – sans s'en rendre compte – à une tâche très lourde. La plus facile fut de réussir dans mes études. J'aimais tellement apprendre. Je me passionnais pour la littérature française, la composition – dans laquelle Louise Maheux, future écrivaine elle aussi, me disputait la première place –, le latin et même les mathématiques. Je continuais à faire en douce mes devoirs pendant que la sœur expliquait une deuxième fois, et je maintenais une moyenne aux environs de 90 %. À onze heures trente, je me précipitais chez moi sous prétexte d'attraper à la radio l'émission de midi, *Jeunesse dorée*. Aussitôt arrivée, j'ouvrais l'appareil à tue-tête. Mais il me fallait surtout préparer le repas, et rapidement, pour mes deux frères, pressés de rejoindre leurs camarades pour quelques joutes sportives. Parfois, il y avait des restes à faire réchauffer. Nous n'avions pas de cuisinière au gaz. Vite, une attisée dans le poêle pour réchauffer les aliments. La plupart du temps, je faisais des sandwichs avec des tomates, du *baloney* – une vile mortadelle –, des bananes. Un jeu inventé pour les jours de disette : qui arriverait à tartiner le plus de tranches de pain avec une seule banane ? Je retenais mes frères avec de telles astuces. Parfois, ils ne patientaient pas : ils mangeaient alors quelques biscuits avec un verre de lait. J'accomplissais toutes ces tâches en écoutant les problèmes d'une *Jeunesse dorée* et en rêvant avec *Histoires d'amour.* Et quand j'entendais la chanson *Tout va très bien, madame la marquise*, thème musical de l'émission de Jovette Bernier, je courais prendre le premier de mes trois tramways, le 35, dans lequel je n'avais qu'un coin de rue à parcourir. Aussi, souvent, si je ne le voyais pas venir, je marchais jusqu'au second, le 95, rue Bélanger ; je descendais au boulevard Saint-Laurent pour prendre le 55 jusqu'à Jarry. Avec plus que trois minutes d'attente, j'étais nécessairement en retard. C'était assez fréquent, de cinq à dix minutes. Mes compagnes souriaient : elles pensaient que c'était à cause de la radio ! Elles n'avaient pas tout à fait tort. Moi-même, je ne m'avouais pas que j'étais acculée à une tâche impossible !

Une anecdote dont je me souviens. Une fois, elles saluent mon retard d'un éclat de rire. Pas chic, ça ! Je me rends à mon pupitre dont le dessus est relevé : livres et cahiers s'y entassaient pêle-mêle. Ma voisine m'indique le tableau. La maîtresse qui me sourit y avait écrit : « Chez elle – l'ode –, un beau désordre est un effet de l'art. » (Boileau.)

Chère sœur Marie-Madeleine, pour elle tout était prétexte au savoir, à la culture. Elle me donnait une petite leçon en plaisantant. Ce que je retiendrai avant tout avec les élèves, c'est la caractéristique de l'ode chez Boileau que nous venions d'étudier.

Ma mère rentrait pour le souper. Il me fallait donc aussi, après l'école, prendre soin de mes frères qui ne m'écoutaient nullement, toujours pressés de jouer avec leurs copains. Je veillais à l'essentiel : qu'ils ne traversent pas comme des chiens fous l'avenue Christophe-Colomb, si large avec ses deux voies de tramways. Parfois, je devais, l'hiver, rallumer la fournaise qui s'était éteinte : d'abord enlever les cendres, mettre du papier, du petit bois, ensuite, du charbon aussitôt que le feu était bien pris. Et quand il n'y avait plus de bois coupé ? Avec une hache, je coupais une bûche en quelques morceaux. Le problème, c'étaient les rats, car bois et charbon se trouvaient dans leur repaire, le hangar attenant à la cuisine. Le plancher de ce hangar était en très mauvais état, les rats passaient par les trous et les interstices. Ce qui me terrifiait. Ma mère redoutait aussi ces petites bêtes. Comme elle, je cognais dans la porte, les rats se précipitaient sous le plancher et je coupais le bois. Je n'avais pas le sentiment d'être l'héroïne d'un mélodrame. J'étais tellement heureuse d'étudier, de m'ouvrir à la culture et même d'avoir une mère qui n'était pas une banale ménagère. Mon frère Raymond n'aimait pas l'étude. Il n'acceptait pas non plus que maman ne fût pas comme nos tantes, une femme d'intérieur, que l'odeur des gâteaux chauds dans le four et de la confiture qui frémit sur le poêle ne l'accueillent pas le soir en rentrant de l'école. S'il voyait les frères de sa classe passer devant notre modeste maison, vite, il se précipitait sur le riche parterre du voisin pour faire accroire qu'il habitait là ! Dans les jeux et les sports, il tentait sans doute d'oublier. Le soir, après souper, je gardais encore les enfants, mes frères ou ceux des voisins. J'adorais raconter une histoire aux petits pour les endormir. Et lorsque la maison s'enveloppait de silence, je me livrais avec délices à ma passion : la lecture. Je le réalise maintenant, j'accomplissais les tâches domestiques que mon père assumait avant d'entrer dans l'armée. Je prenais aussi la relève de son métier de conteur auprès des enfants. Et à moi, qui raconterait des histoires ? Tous ces romanciers que je me suis mise à lire avec ardeur.

Quand elle ne sortait pas, ma mère se couchait tôt, et les garçons aussi. Moi, c'était entendu, je repassais mes leçons avant de la rejoindre au lit. Mais surtout, je lisais, lisais jusqu'à tomber de sommeil. Une nuit, alors que je finissais un roman dans la cuisine, un tremblement de terre me projeta par terre. Effrayée, je rejoins ma mère qui se réveille à peine : son lit a bougé. Elle identifie vite le phénomène et me rassure. Elle remarque l'heure et me voit habillée. Pendant quelques jours, elle s'efforça de me surveiller de plus près, mais le sommeil la gagnait très vite et je repris mes lectures nocturnes. Elles nourriront et ébranleront ma vie plus qu'un tremblement de terre !

Qu'est-ce que je lisais au juste ? Il était bien passé le temps de l'école élémentaire avec les vies de saints. J'encourageai maman à s'abonner à la bibliothèque municipale. C'est moi qui choisissais ses livres, en tenant compte de ses goûts – et des miens. Mais j'obtins rapidement ma propre carte d'abonnée chez les adultes grâce à une lettre de sœur Sainte-Pauline qui répondit de ma maturité. Je bénéficiais donc d'un double abonnement : deux romans et quatre livres sérieux – littérature, histoire, biographies. J'aimais m'instruire, mais le déroulement d'une fiction me captivait davantage, surtout à la fin de la soirée. Je m'imposais un certain temps pour les lectures dites sérieuses, les classiques – Corneille, Racine, Molière –, dont nous étudiions en classe les pièces édifiantes : *Esther*, *Polyeucte*, *Le Cid*, ou les comédies purgées de leurs excès. J'aimais aussi les littératures étrangères – Shakespeare, Dante, Goethe – et les livres d'histoire. Je me souviens entre autres de L'Histoire de la Russie de Brian Chaninov – Ah ! je me rappelle le tramway 35 que je prenais avec Jeannine pour aller changer nos livres à la bibliothèque municipale. Bien assises à notre place, nous lisions à haute voix des scènes de *Roméo et Juliette*, de *Phèdre*, du *Malade imaginaire*. Nos voisins, indulgents, nous prêtaient l'oreille. J'adorais le théâtre. Jeannine se prêtait à mes jeux. Et les romans ? Quelles délices ils m'ont procurées. J'ai lu les romanciers de l'entre-deux guerres : Mauriac, Maurois, Duhamel, Martin du Gard, et à peu près tout Dostoïewsky. Mais, hélas, je me suis adonnée à des lectures beaucoup moins nobles ! Je ne veux pas parler de la *Dame aux camélias*, dans la collection Nelson, que j'avais dénichée dans un placard chez ma tante où on ne lisait pas. Ce livre n'était-il pas d'un grand auteur, Alexandre Dumas ? Non, je lisais des romans à l'eau de rose, comme ceux de Delly, Magali, Darty, et combien d'autres plus osés que ma mère prisait beaucoup et qu'on qualifiait de populaires. Quelques auteurs : Eugène Sue, Michel Zévaco, Paul Féval.

Aujourd'hui que la hiérarchie des genres a éclaté, ces derniers auteurs figurent dans la littérature tout comme les polars que je ne lisais pas du tout alors. Mais on dénonce encore les Harlequins, héritiers de la bibliothèque rose, pour les stéréotypes masculins et féminins qu'ils reproduisent et la pauvreté de leur imaginaire. Justement, si mon esprit se formait, si mon vocabulaire et mes connaissances s'enrichissaient, mon imaginaire risquait, lui, de s'appauvrir dans la fréquentation des romans roses. Heureusement, je découvris la poésie vers ma quinzième année : Beaudelaire, Verlaine, Rimbaud, Jammes, Péguy, Claudel, et bien d'autres. Aux beaux jours, j'enfourchais ma bicyclette, l'*Oiseau du paradis*, un cadeau de papa épargné sur sa solde. Je parcourais la campagne de Saint-Michel encore peu peuplée, m'arrêtais dans un champ désert et, sous un arbre, comme le Nathanaël de Gide ou « la fiancée en fleurs » de Claudel, je me livrais, fervente, à la jouissance de la poésie. Transformée par les mots et les images, je rêvais à un monde autre. J'aimais aussi me laisser aller à la beauté des choses, humer les senteurs que dégageaient le sol et les plantes, voir un accord secret entre mes différentes perceptions. Je pénétrais au plus profond de moi, là où je me fondais dans la nature, prenant naissance dans l'origine du monde. Je vivais des moments d'extase. De ces expériences, je ne disais mot.

Mon zèle pour la culture était tel que je m'inscrivis, cette même année, à deux cours que l'Université de Montréal offrait le samedi matin aux étudiantes de Marie-de-France qui préparaient le bac de lettres. L'un sur *Le Cimetière marin* de

Valéry, donné par le chanoine Sideleau, et l'autre sur *L'Histoire de France* par monsieur Houpert. *Le Cimetière marin* me comblait de bonheur. Je l'appris par cœur à haute voix :

> *Ce toit tranquille où marchent les colombes*
> *Entre les pins palpitent entre les tombes*
> *Midi le juste y compose de feux*
> *La mer, la mer toujours recommencée.*

En moi, affleura comme d'un puits obscur le désir de voir la mer. Mes frontières sociales et urbaines éclataient. Je communiais avec le monde et je commençais à souhaiter le parcourir.

Je continuais aux yeux de tous à mener la vie d'une bonne étudiante. Une seule incartade : après avoir vu deux films avec un adulte, mon cousin Antonio, je me passionnai pour le cinéma. Je lisais une revue sur les films français. J'achalais ma mère pour aller au cinéma seule. Là, elle était inflexible : à quatorze ans, j'étais trop jeune. Je faisais des scènes : « Comment, je ne suis pas trop jeune pour garder les enfants et le suis pour aller aux *vues* ! » À cette époque, je faisais un traitement d'un mois contre le psoriasis : je devais prendre un médicament en comptant les gouttes. Pas plus de dix. Une fois, à la suite d'une discussion, ostensiblement devant Raymond, je dépassai la dose et menaçai de la prendre. Mon frère courut le dire à ma mère ; elle me donna deux retentissantes gifles : « Ne recommence jamais cela. » Le chantage au suicide était pour toujours étouffé dans l'œuf. Il valait mieux désobéir que menacer d'en finir. C'est ce que je fis à la première occasion. La classe devait visiter la crèche de la Côte-de-Liesse – je n'ai jamais bien compris pourquoi nous visitions des crèches – et je trouvai un prétexte pour ne pas y aller. En plein jour, je pris le tramway 35 et descendis rue Saint-Denis en face du Stella où on présentait des films français. Je jetai un coup d'œil à droite et à gauche : personne que je connusse. La caissière me laissera-t-elle entrer ? Je m'étais coiffée pour me vieillir. Oui, ça marchait. Je pénétrai religieusement dans la salle, m'assieds en plein centre et contemplai Annabella et Jean-Pierre Aumont dans *La Citadelle du silence.* Pas un grand film. J'en ai joui comme d'un fruit défendu. Une belle histoire d'amour.

J'étais assez sociable, entretenant de bonnes relations avec mes compagnes de classe tout en gardant une certaine réserve, comme avec mes maîtresses. Je jouissais même auprès des élèves de quelque popularité ; j'avais appris dans des livres de psychologie la théorie des tempéraments, la lecture du caractère des gens d'après les traits du visage, quelques notions de graphologie et de prédiction de l'avenir avec les cartes. Je manifestais mes talents à l'occasion, comme lors de la campagne annuelle de la Fédération des œuvres de charité de Montréal, où j'avais installé un kiosque payant pour donner des consultations sur la personnalité des étudiantes. Ma fréquentation des romans et ma propre intuition me permettaient d'être assez vraisemblable. Je me concentrais sur la personnalité de mes compagnes dont j'esquissais les traits en devenir. À l'adolescence, on aime tellement se connaître à travers les images possibles de son moi. L'année suivante, toujours au bénéfice de la même œuvre, j'avais organisé une exposition de cartes postales et de souvenirs d'outre-mer que papa ne cessait de nous envoyer. J'avais demandé aux élèves de ma classe de se joindre à moi en apportant des objets de contrées lointaines. Être l'initiatrice de ces organisations ne m'empêchait pas de faire comme tout le monde la cueillette du papier journal et des boîtes de souliers vides chez les marchands, et de vendre des billets de tirage.

Le zèle qui m'animait m'aidait à vaincre une certaine timidité, une gêne que je ressentais du fait de mes rondeurs. À partir de ma puberté, je ne me sentais plus aussi bien dans mon corps. C'est peu dire. J'avais l'impression d'être une masse informe, dégageant des effluves de sueur, de sang, de crasse. Mon uniforme, une robe bleue toujours tachée, avec un col de satin blanc, jamais impeccable, mettait en évidence ma malpropreté. Ma mère ne consacrait pas beaucoup d'argent au nettoyage. L'hiver, notre salle de bain n'était pas chauffée et, comme bien des gens, nous n'avions pas l'eau chaude. Nous nous lavions dans l'évier de la cuisine. À partir de l'âge de douze ans, alors que j'avais grossi et que je venais de commencer mes menstruations, j'étais mal à l'aise de faire ma toilette devant la famille. J'étais accablée, j'avais honte. Quelle humiliation quand la sœur Sainte-Pauline demanda à rencontrer ma mère pour l'entretenir de mon uniforme. Une vraie gifle ! Comme si elle violait mon univers d'enfant pauvre – si j'avais eu deux robes, j'aurais pu en faire nettoyer une –, comme si elle perçait le secret de notre famille : ma mère n'était pas une vraie mère. Les gens qui la connaissaient bien – papa et moi –

nous ne le croyions pas : elle était différente, c'est tout. Le jeu, c'était sa passion... et son travail aussi. C'était uniquement par un coup de dés heureux qu'elle pouvait changer notre destin. Mais les conformistes, les bien-pensants ne pouvaient comprendre cela. Ce jour-là, maman répondit à sœur Sainte-Pauline qui la toisa de la tête aux pieds : « Ma sœur, je travaille à l'extérieur, moi, pour que ma fille puisse étudier chez vous. Ce soir, je n'ai pas eu le temps de me mettre sur mon trente et un. » La sœur Sainte-Pauline rougit, bredouilla quelques vagues remarques et salua ma mère. J'étais fière de la réponse d'Augusta, mais je n'en demeurais pas moins embarrassée de mon corps. Je ne jouais plus avec les jeunes du voisinage et les seuls sports que je pratiquais étaient la bicyclette et la marche. Peu à peu, je me pris en mains pour assurer la propreté de mes habits. À cette époque, sans le savoir, avec les études, la lecture, la culture, je me construisais une maison pour oublier mon corps, mon sexe, ma condition familiale et sociale, et surtout ma condition féminine.

Quel futur était réservé aux filles de mon voisinage ? Devenir des mères de famille exemplaires ? Accéder à la bourgeoisie par l'entremise de leur mari qu'elles seconderaient du mieux qu'elles pourraient ? Mesdames Gagnon et Blais, dont je gardais les enfants, en étaient de parfaits exemples. Être une bonne ménagère, trimer dur pour nourrir les enfants parce que le père n'assumait pas ses responsabilités, était paresseux ou buvait. Ainsi en était-il de madame Campeau, madame Jarry, madame Lambert à qui maman confiait ses lavages ou ses travaux de couture pour les aider... ce qui lui rendait bien service à elle aussi ! Être une fille-mère comme Simone ou ma cousine Estelle qui allaient porter régulièrement leur enfant à la crèche de la Côte-de-Liesse ? Il y eut bien sur ma rue quelques employées de bureau et quelques institutrices. Mais elles étaient rares ; elles renonçaient ordinairement à leur métier en se mariant. Il y eut aussi une certaine réussite, celle de madame Raymond (une anglophone) qui tirait les cartes. Énorme, rubiconde, échevelée, elle attirait une vaste clientèle. Parfois descendaient d'autos luxueuses, conduites par des chauffeurs, des dames riches qui montaient deux étages pour la consulter. Elle devait dire vrai ! Les hommes n'étaient pas tous des ivrognes, mais la crise avait rogné les ailes de plusieurs – jusqu'à 30 % de chômeurs à Montréal au moment le plus fort. La guerre n'arrangeait pas vraiment les choses même si elle apportait du travail et une certaine prospérité. Les femmes à la maison, souvent sans compagnon, devaient faire des prodiges pour subsister avec leurs enfants et colmater le tissu social.

Les prêtres, les religieux et les religieuses échappèrent au sort commun de la crise et de la guerre. Pour eux, pour elles, pas d'interruption du travail ni des études et toujours la sécurité d'un toit et de repas réguliers. Mais ils ne me faisaient pas envie pour autant. Surtout pas les religieuses. Elles étaient trop encadrées, dépendantes de l'autorité, de règles, de rituels. Elles payaient cher le savoir qu'elles acquéraient et la profession qu'elles exerçaient. Souvent, mes compagnes jouaient à la sœur et s'exerçaient ainsi à une future vocation. Moi j'avais un dégoût marqué pour cet avenir. Je n'ai pas porté souvent le costume de sœur que m'avait cousu ma cousine Lucienne. Il m'arrivait de faire une exception pour les sœurs missionnaires : elles voyageaient et jouissaient de plus d'autonomie. Mais après, je me reprenais : « Non, non, je ne veux pas être une sœur. Un point, c'est tout. » Quand on me questionnait sur mon choix de vie, je répondais : « Je veux être écrivain... peut-être journaliste pour gagner ma vie », même si cet emploi était fort aléatoire et plutôt réservé aux hommes. Je répondais donc par un choix de carrière comme le font les filles aujourd'hui. Mais, autrefois, elles auraient répondu : « Je veux entrer en communauté ou me marier. ». Quant au célibat, ce n'était pas un choix de vie, ni une carrière, mais un mauvais sort qu'on devait se faire pardonner en aidant les mères de famille et en étant le soutien de ses parents.

Au moment de clore cette évocation des femmes de mon entourage, avenue Christophe-Colomb, je revois Juanita, si belle, dont le destin fut tragique. Elle avait une vingtaine d'années quand je l'aperçus pour la première fois, alanguie dans une chaise longue sur le balcon ; elle était tuberculeuse. Comment était-ce possible, si jeune, si séduisante... Ses yeux m'avaient révélé la couleur pervenche que je ne connaissais que par les livres. La pâleur de sa figure avec les pommettes rosées par la fièvre témoignaient de son mal ; des boucles sombres tombaient sur ses épaules, enveloppant son visage d'une extrême douceur. Je rencontrais ses sœurs plus jeunes qui me donnaient de ses nouvelles. Parfois, elle allait mieux. Quelle ne fut pas ma surprise de l'apercevoir, un soir, au bras de monsieur Blois qui venait jouer au poker chez nous. On chuchota qu'elle était la maîtresse de cet homme marié, père de cinq enfants. Pas étonnant si elle se mourait de consomption ! Le bruit des mauvaises langues ne fit qu'accroître mon admiration. Juanita n'était-elle pas une version de Marguerite, la « dame aux camélias » ? Je la regardais, assise derrière monsieur Blois, suivant la partie de cartes, tout comme moi, à l'ombre de ma mère. Et lui, par moments, se perdait dans ses yeux. « La vie est un roman », pensais-je. À la fois, je sentais le désir de voir mes rêves s'incarner dans la réalité et je touchais chez Juanita l'impossibilité d'un amour si absolu qu'il avait violé tous les conformismes. Juanita s'éteignit doucement l'hiver suivant. « La femme peut-elle vivre sans s'éteindre intérieurement ? », me demandais-je alors. Ce portrait, je l'avais en partie esquissé comme un devoir de composition dans la deuxième année Lettres-sciences. La sœur m'avait interrogée au sujet de cette Juanita : « Qui était-elle ? La voyais-je souvent ? Me donnait-elle des marques d'affection ? » Je pensais alors que sœur Sainte-Pauline voulait me mettre en garde contre la contagion. Aujourd'hui, je crois plutôt qu'elle craignait pour moi une relation homosexuelle !

Le 8 mai 1945, les cloches sonnent à toute volée : c'est la fin de la guerre. Liesse générale. Attente de papa. Son régiment ne revint qu'au mois de novembre. La famille, les amis, tous nous sommes allés l'accueillir à la gare Windsor. La foule était là qui acclamait les survivants des régiments de Montréal. Maman le reconnut la première :

« C'est lui !

— Bien sûr que c'est moi. »

Papa était amaigri, mais toujours joyeux. Un buffet gigantesque nous attendait avenue Christophe-Colomb. J'étais loin de mon père. Malgré mes seize ans et ma taille plutôt forte, je passai sous la table pour être à ses côtés ! Sa présence m'aidera à me libérer de mes complexes.

À la maison, la vie reprit son cours. Mon héros de père redevint le fidèle serviteur de sa femme. Il y eut cependant un point d'interrogation. Mon père avait reçu une lettre d'Angleterre d'une femme avec qui il avait eu une aventure ou une liaison. Elle le relançait à Montréal pour l'inviter à la rejoindre. Augusta dit à Augustin : « Si tu veux vivre avec ton Anglaise, vas-y ! » Augustin décida de rester avec nous et ma mère n'en reparla jamais. L'épisode était clos. Mes frères ne le surent pas. Moi, l'aînée, j'avais vu la lettre et surpris la conversation. C'est aujourd'hui que j'apprécie cet aspect du caractère de maman : elle savait trancher dans le vif et oublier. Nous n'avons pas vécu au milieu des plaintes et des jérémiades. Jamais de disputes entre mes parents. Papa se fit colporteur ambulant à la campagne dans la région de Deux-Montagnes. Tous les matins, il remplissait sa camionnette de toutes sortes de produits et de vêtements qu'il vendait pendant la journée. Il était aimable, gai et causant. Les maîtresses de maison l'accueillaient à bras ouverts : elles lui offraient un morceau de gâteau, une tasse de café et achetaient. C'était la fête pour lui. Vite, il se rempluma et devint le coq en pâte de cette région. Je m'en réjouissais pour lui. Il s'aménageait un domaine où il était considéré, admiré et aimé. Il était fier de sa réussite professionnelle : il était un bon soutien de sa famille. Maman l'attendait le soir pour le délester de quelques dizaines de dollars : elle irait à son tour « travailler ». Oui, elle avait repris le jeu à un rythme plus intense.

L'atmosphère familiale était très vivante : il y avait souvent de la visite. Le jour, beaucoup de jeunes femmes que la présence de ma mère stimulait à être elles-mêmes ; le soir, des parents et des amis. On se racontait des histoires. Papa aimait aussi le beau langage, les mots nouveaux avec lesquels il n'était pas familier. Il faisait alors, involontairement, des contrepèteries qui provoquaient nos rires, tout comme son imitation de Charlie Chaplin et des hommes politiques. Dans un autre contexte, quand le père Gélinas, par exemple, ou d'anciennes amies de maman venaient nous rendre visite au temps des Fêtes, la contrepèterie apparaissait comme une erreur de français. Maman tentait de la camoufler et, après le départ de la visite, elle incitait mon père, à parler avec des mots de tous les jours. Moi, je ressentais la même chose que ma mère et je l'imitais. J'en ai eu beaucoup de honte plus tard. Papa continuait à s'occuper de nous quand il était à la maison. Mais le temps des histoires s'en était allé avec la guerre et l'âge. Augustin participait aux pratiques sportives de mes frères et se faisait complice de mes désirs. Je n'avais qu'à lui raconter un projet pour qu'il m'encourage à le réaliser. En me donnant quelques dollars, il baissait la voix pour ajouter : « Ne le dis pas à ta mère ! » Ma mère finissait toujours par le savoir et n'en prenait pas ombrage. Elle était généreuse, elle aussi. Elle disait souvent avec bonhomie, en guise de bénédiction : « C'est la fille à son père ! »

Collège Basile-Moreau

Ailleurs ! toujours ailleurs ! Ivresse du voyage
Et c'est à peine si je sais quelques rivages.

SIMONE ROUTIER

Le départ... est une forme de suicide, ou plutôt son substitut. Celui qui part tue celui qui fut, pour appeler à la naissance celui qui doit être et sera.

MICHEL LEIRIS

À l'automne 1945, en même temps que le retour de papa à Montréal, je continuai mes études classiques au Collège Basile-Moreau, à Ville Saint-Laurent. Oui, encore une fois, les sœurs de Sainte-Croix firent acte de démocratie : elles ouvraient cette année-là les quatre dernières années du cours classique à des externes et, en prime, elles autorisaient leurs étudiantes de la troisième année Lettres-sciences qui avaient obtenu 90 % à la fin de l'année à sauter la Versification et à s'inscrire en Belles-lettres. Les filles de classe modeste pouvaient « rêver » d'aller à l'université.

Ces deux années, Belles-lettres et Rhétorique, me marquèrent profondément. Je dus travailler un peu plus pour rattraper l'année que j'avais sautée. J'apportais beaucoup d'ardeur aux lettres françaises et latines. Je m'enthousiasmai pour le grec que nous devions pratiquer à forte dose, devant subir le même examen que les garçons qui, eux, l'apprenaient depuis la Syntaxe. Les autres matières m'intéressaient moins. C'est à cette époque que je vécus une expérience nouvelle : pour la première fois depuis le début de mes études, je fis corps avec un groupe d'étudiantes avides, comme moi, de culture, d'ouverture sur le monde, d'Absolu. Ces filles de Belles-lettres et de Rhétorique venaient pour la plupart d'un milieu bourgeois dont elles critiquaient le conformisme et les valeurs : l'argent, la morale traditionnelle, surtout les rites et la hiérarchie de la religion, les privilèges accordés aux garçons. Certaines avaient dû lutter pour continuer leurs études classiques, alors que leurs frères y étaient obligés. Je ne pouvais pas me joindre personnellement à leurs critiques de la famille, moi qui n'appartenais à aucun milieu déterminé. La passion de ma mère pour le jeu nous situait hors normes. Justement, à les écouter, j'appréciais davantage ma condition singulière ; j'étais reconnaissante à Augusta d'avoir accepté sans hésitation que je fasse mes études classiques.

Au cours Lettres-sciences, ma boulimie de lecture m'isolait des élèves ; au Collège Basile-Moreau, elle me liait plutôt à celles qui devinrent mes amies. La guerre avait interrompu les exportations françaises. Cependant, certains éditeurs français donnèrent des licences à des maisons d'édition du

Québec pour qu'elles publient leurs auteurs en temps de guerre. C'est sans doute ainsi que nous avons pu lire *Les fleurs du mal*, *La Nausée*, *Les Nourritures terrestres*, que nous nous passions sous le manteau : ils étaient à l'index. En 1945, nous retrouvâmes, dans les circuits réguliers de l'édition française, Fournier, Psichari, Rivière, Claudel, Péguy, Bernanos, Bloy, Saint-Exupéry et les Maritain. Mais pas tous leurs livres. Ainsi, dans une lettre à ma correspondante de Caen, je lui demandais de m'envoyer *Le Mystère des saints Innocents* de Péguy.

Quelle révélation pour nous! Ces écrivains nous invitaient à être nous-mêmes par-delà les institutions et suscitaient en nous la quête d'un Absolu. Presque tous étaient croyants ou le redevenaient, mais d'une foi personnelle, ardente, mystique. Dans leur esprit, nous nous attaquions, nous aussi, à l'hypocrisie sociale et religieuse de notre milieu, où qu'elle se trouvât. Nous demandions à Dieu de nous donner la ferveur d'une foi vraie et aux arts, une expérience de la transcendance. Certaines parmi nous pratiquaient la musique ou le théâtre. Je pris des cours d'art dramatique chez Charlotte Boisjoli. Toutes, nous aspirions à l'écriture. L'esthétique nous apparaissait comme une voie privilégiée. La nature nous semblait la source de toutes les correspondances. Avec Beaudelaire, nous affirmions qu'elle était

> [...] *un temple où de vivants piliers*
> *Laissant parfois sortir de confuses paroles;*
> *L'homme y passe à travers des forêts de symboles*
> *Qui l'observent avec des regards familiers*

Comme de longs échos qui de loin se confondent
Dans une ténébreuse et profonde unité
Vaste comme la nuit et comme la clarté
Les parfums, les couleurs, et les sons se répondent.

Je revois mes amies d'alors : Solange, Denise, Aimée, Thérèse, Madeleine, Colette, Margot, Jacqueline. De quel enthousiasme étions-nous animées pour faire face à la vie et transformer le monde ! C'est dans cette atmosphère que je ressentis une émotion très vive qui me fit m'interroger sur le sens de ma vie et l'existence de Dieu : qu'il se révèle à moi s'il existe ! Je fis le pari de miser sur lui. Avant de rejeter la foi, je la pratiquerai encore, intensément, dans l'esprit d'un François d'Assise dont je venais de lire la vie. Position radicale : je cheminerai sur une ligne de crête entre la sainteté et l'athéisme – dans le Québec d'alors, peu de gens osaient s'affirmer athées, encore moins des jeunes filles. Cette position conféra un sens tragique à ma vie. Me singularisa-t-elle auprès de mes amies ? Leur en ai-je seulement parlé ? Elles me considéraient, je crois, comme une fille enthousiaste, toujours prête à aller jusqu'au bout de ses rêves.

Aucune de nous n'envisageait alors une carrière. Comme je l'ai déjà mentionné, pas d'avenir professionnel pour les filles, même de milieu bourgeois. Sans doute mes amies et moi, lutterions-nous pour nous réaliser dans un choix professionnel. Mais nous aurions les années de Philosophie pour prendre une décision. Ce que nous vivions alors, c'étaient les conditions de possibilité de ce choix : la libération d'un milieu étouffant et l'ouverture à l'autre, à ce « je » qui est « un autre », à la nature comme un Absolu qui se confond avec Dieu, aux pauvres, aux petits, aux gens de peu dont la bourgeoisie ne se souciait pas vraiment. Dans l'immédiat, l'autre était surtout le lointain, l'étranger, l'exotique même. Comme si d'un seul mouvement, nous quittions notre société repliée, fermée sur elle-même et nous nous plongions dans l'univers de tous les possibles. Et même retrouver la campagne, la forêt, devenait pour nous, citadines, une métaphore de ce double mouvement.

Que de voyages imaginaires nous avons ainsi élaborés ! Et nous en réalisâmes quelques-uns. Denise invita quatre jeunes filles parmi nous à séjourner une fin de semaine dans la maison d'été de ses parents au lac Nominingue. Le principal but était une longue promenade dans les bois, accompagnées d'un ermite, Ti-Louis, un Français qui vivait dans une cabane depuis des années. La nature inspirait à Ti-Louis un langage poétique qu'on retrouve chez les Africains. Il parlait aussi avec les arbres, comme François d'Assise, et ainsi s'excusait auprès de l'orme qu'il avait dû couper devant nous. Tantôt silencieux, tantôt enthousiaste, il prononçait des apophtegmes sous forme poétique. Il dansait avec les lapins, les lièvres, les chevreuils. Une ferveur intense nous envahit, un état de communion avec les êtres et entre nous. Cette expérience unique transcenda notre quotidien d'étudiantes. Comment la poursuivre ?

En juin, à la veille d'un examen, alors que le soleil brillait, nous avions décidé, une bonne partie de la classe, de déserter la salle d'études pour une marche à la campagne. Si nous allions dans les Laurentides ? Au lieu de préparer l'examen, nous avons donc *fait du pouce* à huit. Un cultivateur s'arrêta ; il nous fit partager l'arrière de son camion avec sa chèvre. Parvenues à Saint-Sauveur, nous avons marché trois heures dans la montagne, heureuses et libres, insouciantes des répercussions de notre acte. Mais quel savon avons-nous reçu le lendemain, juste avant l'examen – il y avait des pensionnaires parmi nous. Pour la sœur directrice, nous avions fait une entorse grave au règlement, manqué de sérieux et de sens des responsabilités et, suprême injure, nous avions profané l'uniforme du collège. Oui, nous, l'élite de la société, comme nos professeurs nous le rappelaient sans cesse. Cette semonce ne fit que renforcer à nos yeux la portée de notre acte : d'esthétique, il devint anti-institutionnel. Se creusait pour nous l'écart entre la vie banale du collège et les expériences singulières que nous inventions. Bien plus, nous le réalisions, le collège classique, que nous avions désiré ardemment fréquenter comme les garçons pour avoir accès à la culture et à l'université, s'avérait une institution bourgeoise. Avec le savoir, il distillait l'idéologie de la perpétuation des classes sociales et le sentiment que nous appartenions à l'élite. Nous devînmes beaucoup plus critiques à l'égard de nos professeurs. D'autres voix se faisaient entendre publiquement dans le Québec d'après-guerre et nourrissaient notre désir de prendre le large. Par exemple, celle du père Ambroise Lafortune, qui œuvrait à la Martinique, celles de Dupire, des Trudeau, Hébert, qui racontaient dans les journaux leur voyage en Chine. Plus près de nous, les frères des unes et des autres entreprenaient des routes lointaines auxquelles nous aspirions. Avec Rimbaud, nous rêvions de bateaux ivres, d'infini. J'entrepris moi-même de partir seule ou avec d'autres. Le souvenir de ces voyages demeure si vivace que j'aime encore l'évoquer : les premiers pas de ma marche vers l'Absolu.

À la fin des cours, en juin 1946 ou 1947, je partis avec Jacqueline et Denise pour faire *sur le pouce* le tour de la Gaspésie. Ce voyage, je l'accomplissais dans l'esprit des routiers de Folliet, à la quête de Dieu à travers la rencontre des gens du pays. Nous nous étions donné comme consigne de parler en toute confiance avec ceux qui nous accueilleraient dans leur voiture ou leur maison. Il fallait se débrouiller pendant dix jours pour nos repas et notre coucher avec très peu de sous : mes copines avaient une douzaine de dollars, moi, dix. Nous souhaitions une vie plus rude, plus austère, plus authentique, en communion avec la nature et les autres. Et moi, en plus, j'allais à la découverte de la mer que je n'avais jamais vue.

Ô que ma quille éclate !
Ô que j'aille à la mer !

Après la chair des mots, la réalité des choses. Notre projet initial : le camping. Premier essai près du quai de Berthier, nous pelons de froid. Moi, j'étouffe sous la tente. J'en sors à la pointe du jour. Je contemple le fleuve... déjà la mer. Nous décidons de renvoyer la tente à Montréal.

Dès Rimouski, nous avons réalisé que, contrairement à ce que nous avaient laissé entendre les copains, les notables ecclésiastiques et religieux ne nous accordaient pas l'hospitalité : nous étions des filles ! Ce que chez les garçons on appelle « aventure » et « expérience du milieu » est taxé de dévergondage chez les filles. Nous avons alors décidé d'aller chez l'habitant ou dans une chambre d'hôtel. Toutes les trois, nous logions ensemble par souci d'économie et pour nous protéger mutuellement. Après un repas à Sainte-Anne-des-Monts, chez des amis d'amies, nous sommes parties avec deux pêcheurs qui retournaient à Percé. Les journées sont longues vers le 20 juin. À nos hôtes qui les connaissaient bien, ils affirmèrent que nous serions arrivés avant la nuit et qu'ils nous trouveraient facilement un gîte. Je n'aimais pas ce voyage rapide au crépuscule dans les sites les plus beaux de la Gaspésie, mes amies non plus. Mais nous ne voulions pas être davantage à la charge de cette famille qui nous avait reçues à souper. Nous sommes parties avec les deux pêcheurs. Chacune de nous, à tour de rôle, prenait place à côté du conducteur. Le second pêcheur se trouvait à l'arrière, dans la partie ouverte de la camionnette, avec les deux autres filles. Ces pêcheurs buvaient. Je ne sais par quel hasard je fus seule à l'arrière avec l'un d'eux qui ne cessait de me harceler. J'avais toutes les peines du monde à le contenir. Aussi, ai-je été bien soulagée quand, à la nuit tombée, à une cinquantaine de milles avant Percé, ils décidèrent d'arrêter dans un petit hôtel de village. Nous avions encore peur, pensant que l'hôtelier pouvait être de mèche avec nos conducteurs. Nous avons traîné une grosse armoire en face de la porte et nous avons bien dormi. Le lendemain, le soleil resplendissait. Nos pêcheurs dégrisés furent parfaits ; nous avons pu nous laisser aller à la beauté du paysage : la baie de Gaspé, la côte, l'arrivée à Percé. Ils nous ont laissées devant une grosse maison « où nous pourrions nous loger », nous ont-ils dit. Ils nous invitèrent à les rejoindre sur les quais après notre installation : ils nous apprendraient la pêche au homard. Ainsi fut fait. Avant de les rejoindre, nous nous sommes précipitées vers l'océan pour le voir à loisir et nous y perdre. Contemplation infinie.

Ô récompense après une pensée
Qu'un long regard sur le calme des dieux.

Il nous faut suspendre notre rêverie. Vite, allons rejoindre nos pêcheurs. Ils nous « interprètent » les homards, leurs cages, les techniques de capture. Et comme prime, ils nous en offrent quelques-uns.

Des photos perpétuent cet événement et la tête de nos pêcheurs.

Nous avons marché à marée basse, jusqu'à la roche percée. Ce vaisseau d'or dans le soleil nous apparaît un roc géant à mesure que nous approchons de lui. Vestige somptueux de quelque Atlantide ? Nous avons escaladé le Pic de l'Aurore et les Trois Sœurs. Forte émotion dans l'ascension d'une de ses collines, côté village, alors que la pente est couverte de grandes herbes. À un moment, je glisse... mais je finis par retrouver prise avant de débouler jusqu'en bas. Nous ne nous lassions pas de contempler la mer. La mer, le tout dans lequel je me perds. Symboliquement le ventre de ma mère ? Le sentiment océanique à l'origine de l'expérience religieuse ?

Nous avons dormi deux nuits à Percé pour bien nous pénétrer du paysage. Au petit matin de la première nuit, je suis allée préparer le déjeuner de mes amies dans la cuisine tout en jasant avec notre hôtesse. Je me retrouvai dans une pièce où six hommes au crâne rasé épluchaient des légumes. La dame me dit en aparté : « Ce sont nos prisonniers, des gars qui font un mauvais coup à l'automne pour s'abriter l'hiver. Ils sortiront à la fin juin. N'ayez pas peur, ils sont gentils. Ils aiment travailler un peu, ça les distrait. » Nous étions à la prison de la ville ! Ça ne nous a pas coûté cher ! Ce jour-là, nous avons admiré les merveilleux oiseaux de l'île Bonaventure, les mouettes, les goélands, les fous de bassan, les cormorans, les pingouins. Le reste du voyage se déroula sans incidents. Nous avions peu à peu amélioré notre technique de l'auto-stop. D'abord, nous ne montions qu'avec un seul conducteur masculin, nous lui indiquions comme but une ville à une cinquantaine de milles, quitte à poursuivre la route avec lui s'il était correct. Nous ne voyagions pas en fin de journée. Cette façon de faire s'avéra efficace et elle nous servit à nous et à nos amis assez longtemps.

Je crois que nous étions parmi les pionnières à effectuer un tel voyage. Il avait fallu décider nos parents à nous y autoriser. Le fait que nous étions trois, notre sérieux, plaidaient en notre faveur. Nous avions aussi trouvé une astuce pour les rassurer. À chaque halte, l'une d'entre nous téléphonait chez elle, à frais virés, et demandait à parler à elle-même.

Ainsi, moi, à Percé, j'ai entendu la voix de ma mère répondre à la téléphoniste que Marcelle Brisson n'était pas à la maison, mais du coup elle savait où nous étions et téléphonait à son tour à la mère de Jacqueline et de Denise.

Nous avons été enchantées de notre expérience. L'année suivante, nous l'avons renouvelée au Saguenay-Lac-Saint-Jean. Je me rappelle la remontée du Saguenay, cette rivière sans fond, bien encaissée entre les caps. Arrêt au cap Éternité. Sentiment d'Absolu. Forte émotion. Je me rappelle aussi, au retour, la traversée du parc national. Nous marchions à notre habitude en attendant la voiture qui s'arrêterait ; nous étions déjà engagées dans la forêt. Un garde nous arrêta, nous avertissant qu'il était à la recherche d'un ours dans les environs – voulait-il nous faire peur ? – et que nous aurions intérêt à attendre une voiture à l'entrée officielle du parc. Je crois que c'est une dame Magnan qui nous a ramenées jusqu'à Berthierville avec son petit-fils ou neveu, Guy Rocher, le futur sociologue de l'Université de Montréal ; celui-ci travaillait comme garçon de table pendant ses vacances dans un restaurant de la région.

En 1947, je voulus célébrer la messe de minuit à la campagne après une marche symbolique dans la nuit. Mes complices se désistèrent à la dernière minute. Je n'abandonnai pas mon projet. Encore fallait-il obtenir l'autorisation de mes parents. Mon idée : prendre l'autobus d'Oka, m'arrêter chez nos amis les Lesage et les accompagner au village à la messe de minuit. Mais je gardais secret mon projet de marche. Mon père me conduisit à la gare pour prendre l'autobus d'Oka. Je descendis à

Saint-Eustache et, de là, je devais marcher environ onze milles jusqu'à la maison des Lesage. Une bonne route. La nuit n'était pas très froide, un peu sous zéro. J'étais habillée assez chaudement. Je suivais Vénus, l'étoile du soir, la première à se lever dans le sillage du soleil couchant. Elle serait mon guide parmi les constellations. Après une heure de marche, je m'arrêtai au monastère des bénédictines pour me réchauffer. Comme je m'engageais dans la montée, une étoile filante se détacha de Vénus, décrivit un grand cercle et disparut derrière le clocher. Un signe du ciel? Je ris : jamais je ne vivrais dans un lieu aussi fermé! Même si j'admirais la ferveur des contemplatifs. Je voyais ma vie comme une longue route par monts et par vaux. *Les Fioretti* de saint François d'Assise, dans une édition illustrée par le Greco, m'incitait à aller plus loin dans mon idée de la route. Le *Poverello* devenait mon modèle. Je serai la vagabonde de Dieu. Une « survenante ». Après une quinzaine de minutes de méditation, bien réchauffée, je poursuivis mon chemin. Le ciel était maintenant tout étoilé, la neige crissait sous mes pas, je méditais la naissance de Jésus. Ô la belle solitude! Lorsque je commençai à nouveau à avoir froid, j'avisai une maison de ferme et demandai l'hospitalité le temps de me réchauffer. On m'accueillit près du poêle, on me questionna. Non, je n'avais pas d'accident d'auto, je marchais volontairement pour imiter Marie et Joseph. Je n'avais pas peur, Dieu prenait soin de moi. Nous avons parlé du pays, des voisins, d'eux. Ma confiance les rassura. Les enfants s'étaient approchés de moi et m'écoutaient avec de grands yeux. Mais il me fallait arriver à temps à

Oka. Je les quittai et marchai encore environ une heure. J'étais dans la côte des trappistes, quand une auto s'arrêta. Le conducteur m'offrit de monter. Je lui expliquai le but de ma marche. Mais, protesta-t-il, il ne l'écourtera que d'un mille et demi, il devait tourner à droite au prochain carrefour. Je décidai d'accepter son offre. J'étais à sa merci dans ce lieu isolé. Il s'arrêta, comme promis, au carrefour où il tourna à droite. J'accomplis mes derniers milles dans l'action de grâces et frappai à la porte de mes amis vers dix heures trente. Madame Lesage m'accueillit chaleureusement :

« Pauvre petite fille, qu'est-ce qui t'est arrivé ? »

Je fis le récit de ma route, à elle et à ses enfants.

« Pauvre petite fille...

— Mais non, je suis très heureuse de ce pèlerinage. N'en parlez pas à mon père, ça l'inquiéterait. »

Je voulais garder sa confiance pour d'autres expéditions. J'accompagnai donc la famille à la messe de minuit. Je fus émue des chants, de la ferveur des gens. Mais je ne me sentais pas fervente comme j'avais espéré l'être : je tombais de sommeil !

Avais-je seize ou dix-sept ans au moment de cette marche dans la nuit de Noël ? Depuis quelques mois, je suppliais Dieu - s'il existait - de se manifester à moi. Qu'il me donnât la foi, comme à Psichari, à Claudel, à Péguy ! De mon côté, je continuais mon pari : vivre avec ferveur l'Évangile jusqu'à ce qu'il se manifestât.

À l'instar de bien des adolescentes, j'étais avide de me consacrer corps et âme à un Absolu ou de vivre une passion. Le retour de mon père, avec sa tendresse, me donna peu à peu confiance en moi comme femme. Je réalisai que je pouvais plaire aux hommes. Je m'amourachai d'un voisin, monsieur Lussier, dont la femme, une Française, était malade. Je gardais à l'occasion ses trois fillettes. Je cherchais à le voir chez mademoiselle Vachon, le restaurant-dépanneur d'à côté, où plusieurs voisins se rencontraient pour jaser tout en buvant un coke. Il s'en aperçut et fut flatté, je crois. À l'occasion, nous faisions de grandes promenades romantiques la main dans la main. Un soir, pendant l'été, alors que sa famille était à la campagne, il me demanda si j'accepterais d'aller chez lui. Je devinais ce qu'« aller chez lui » signifiait. Je répondis naïvement : « Non, je suis prête à vous aimer face au monde, à vous embrasser devant ce ciel étoilé... » Et je joignis l'acte à la parole. Mais son étreinte se resserra et il m'embrassa avec sa langue. Ça me fit tout drôle... je sentis le besoin de respirer. Il comprit, je crois, que mes paroles dépassaient mes intentions et nous rentrâmes tout doucement chacun chez soi. Comme je repassais cette scène étendue sur mon lit, je conclus : « Ce doit être ça un *french-kiss.* Oui, sa femme est française ! » Pas de remords, pas de crainte du péché, mais je n'étais pas prête à aller plus loin. Pour moi, le rêve en amour dépassait encore de mille coudées la « chose ». J'aurais bientôt plus d'occasions de me mesurer à la mixité des sexes.

Dans l'après-guerre, au Québec, c'était encore la sainteté qui concordait le plus avec l'Absolu. Or je rejetais d'emblée la vie religieuse. Où trouver alors des modèles d'identification, surtout pour des femmes ? Peut-être du côté de l'Action catholique étudiante ? L'Action catholique jéciste m'était familière. J'avais côtoyé les membres de ce mouvement au cours de mes études secondaires. Plusieurs de mes camarades de collège en avaient fait partie. Je m'étais même retrouvée avec ma classe dans de grands rassemblements nationaux au *stadium* de l'est de Montréal. La JEC formait alors des élites laïques qui ouvriraient le Québec aux sciences et aux techniques sociales. Elle avait un aspect révolutionnaire à cette époque. Même les filles y jouaient un rôle important. Les noms de Simone Chartrand et d'Alec Pelletier circulaient. Cependant, je ne ressentais aucun attrait pour les mouvements d'action, ni pour la vie de groupe et l'organisation hiérarchique qu'elle suppose.

Ma personnalité s'exprimait surtout dans le rêve, la pensée, la contemplation. Pourquoi pas l'écriture alors ? Cette pratique n'aurait-elle pu m'offrir une voie privilégiée d'accès à la Vérité, à l'Être, à l'Absolu ? Léon Bloy à travers ses livres se disait « pèlerin de l'Absolu ». N'y aurait-il pas un accord entre ma vocation à la route et l'action d'écrire ? Jamais je ne l'ai pensé à ce moment-là. Pourtant, j'aimais écrire, et j'écrivais des poèmes, des lettres, des analyses. L'écriture comme métier, pour moi – comme pour bien d'autres Canadiens français – était toujours remise à plus tard. Après des études littéraires... quand je serai journaliste. Un halo d'irréel enveloppait le métier d'écrivain. Je vois à cela plusieurs raisons. Nous ne connaissions pas la littérature canadienne-française, si ce n'est quelques noms : Fréchette, Crémazie, Aubert de Gaspé. Nous ignorions les milieux littéraires montréalais. Nous percevions notre littérature comme régionaliste et limitée. Les collèges classiques ne nous l'enseignaient pas ; ils nous acculturaient à la littérature française. Contrairement à certains collèges de garçons, nous, les collégiennes, ne rédigions pas de journal de groupe. Nous nourrissions le sentiment que nous devions rattraper les Français et leur culture pour pouvoir vraiment écrire. Même instruits, nous nous sentions toujours des colonisés dans notre pays. Les cours de l'abbé Lionel Groulx, que nous suivions une fois par mois au Collège Saint-Laurent, nous ennuyaient. Oui, je l'avoue. Nous avions un peu plus d'intérêt pour les conférences de Maurice Gagnon sur l'art. Et nous nous passionnions pour les Compagnons de Saint-Laurent dont le répertoire était français. Il ne nous offrait pas une stimulation à l'écriture théâtrale. Ce qui nous emballait était la découverte de l'univers, l'ouverture au monde, plus l'ailleurs que le tout près. Cité libre n'existait pas encore.

En même temps que je vis des expériences de voyage, j'aspire à me couper radicalement de ma famille. La vie fervente l'exige. Mais je confonds la cause avec l'effet. En réalité, je me sens de plus en plus étrangère chez moi. Ma mère étend aux sports sa passion du *gambling*. Dans ce domaine, elle fait même œuvre utile. Elle organise, à mesure que mes frères grandissent, des clubs de hockey et de baseball junior. À la maison, on ne parle que de jeux. D'argent aussi. Il en faut beaucoup pour satisfaire les ambitions de ma mère. Elle continue à vendre des cadeaux à la maison. Depuis le retour de mon père, je dors sur un fauteuil-lit dans la pièce avant, où s'étalent lampes, cendriers et bibelots. Il arrive parfois qu'un voisin vienne, le soir tard, pour choisir un cadeau. On allume alors le néon au-dessus de ma tête. Quelle gêne j'éprouve ! Aucune intimité pour moi. À peine une place pour dormir. Je ne proteste pas. Je ne pense même pas à suggérer à mes parents de déménager. Il est vrai qu'à cette époque, les enfants s'entassaient les uns sur les autres, trois ou quatre dans une seule chambre. Ils étaient plus nombreux que chez nous. Je développe en dehors d'eux mon propre univers, celui de l'esprit et, encore plus, celui du spirituel. En ce temps-là, seule une raison noble, en dehors du mariage, autorise les jeunes filles à quitter la maison. La plus fréquente est « la vocation ». Je n'attribuerai pas « ma vocation » à l'exiguïté de l'espace dont je jouissais chez moi, mais cette condition a pu m'y prédisposer. Et, sans doute, accéléra-t-elle inconsciemment mon besoin de tout quitter. Cependant, aucune lumière particulière ne m'indique la voie à suivre. Je n'ai que dix-sept ans ; il me faut patienter.

À l'automne 1947, l'Université de Montréal offrait, aux étudiants des cours classiques qui avaient passé leur bac de réthorique, la possibilité de s'inscrire directement aux facultés de philosophie et de sciences pour faire leur baccalauréat ès arts en un an. Les examens passés, le diplôme n'était délivré que l'année suivante, après une seconde année de philosophie, soit la première de licence. La faculté de philosophie augmentait ainsi ses inscriptions sans trop nuire aux collèges. Cette possibilité me séduisit. La professeure au collège préparait elle-même sa licence à l'université. Et elle enseignait la doctrine thomiste avec le manuel de Grenier – aussi bien aller puiser à la source ! Les dominicains, qui régnaient sur la faculté, jouissaient d'une bonne réputation. Ils avaient le mérite d'initier à saint Thomas dans les textes. L'université me permettrait plus de liberté. J'y rencontrerais des gens des deux sexes et de plusieurs facultés. Je pourrais mieux discerner mon avenir intellectuel et ma vocation.

Université de Montréal

En septembre 1947, je commençai chaque jour, après avoir pris trois tramways, à grimper les cent quarante-quatre marches qui me donnaient accès à ma salle de cours sur le mont Royal. Plus d'une heure de route et d'ascension pénible. Ma vie à l'université fut pleine à craquer, intense, joyeuse. Que d'expériences! Études différentes, contacts multiples avec les étudiants, proximité de la nature sur le mont Royal, vie spirituelle alimentée, la seconde année, par la messe du matin et la direction de l'abbé Jean-Paul.

La première année fut plus ardue et me laissait peu de loisirs. Il me fallait maîtriser les matières scientifiques du bac. Pas de problème pour l'arithmétique et la chimie. Par contre, la géométrie et la physique s'avéraient plus difficiles, car j'avais raté leur initiation dans cette classe de Versification que j'avais sautée. En tant qu'ex-première de classe, je n'étais pas portée à quémander des explications à mes camarades. Je demandai au professeur de géométrie de m'indiquer un manuel avec des problèmes supplémentaires. Pourrait-il me les corriger? Fernand était étudiant en doctorat et donnait ce cours comme assistant.

Un Français extrêmement timide, pas très clair dans ses explications, il bégayait par moments. Il accepta de m'aider et s'offrit de venir me porter le manuel à domicile.

Un soir, il sonne à ma porte. La maison est envahie par des voisins. Je lui propose une promenade dans un endroit tranquille où j'ai l'habitude de me réfugier pour lire, comme je l'aurais fait avec une amie. Après ses explications, tout à la joie de la découverte de cette campagne entre les quartiers Villeray et Saint-Michel, peu construits alors, il me suggère de poursuivre notre route. Ce que nous faisons. Il me prend la main gentiment, puis le bras et, à la fin, il place sa main sur mon épaule. Je me dis : « C'est plus commode pour lui, il est tellement grand. » Ça ne me gêne pas. Nous parvenons à un petit pont au-dessus d'un ruisseau ; nous regardons l'eau couler. La nuit tombe, la lune apparaît. Je frémis à ce paysage du soir nouveau pour moi. Soudain, je sens sa moustache et ses lèvres humides à l'arrière de mon cou. J'ai peur ! Je me dégage rapidement et me mets presque à courir. Il me rejoint, s'excuse. Nous revenons côte à côte, mais avec un pied de distance entre nous.

Je ne me rappelle plus si Fernand continua à corriger mes devoirs supplémentaires. Si oui, ce fut à l'université. Est-ce le sentiment d'avoir une vocation particulière ou la crainte de la sexualité qui me retenait d'aller plus loin dans une relation amicale ? En tout cas, je réussis tous mes examens de sciences-mathématiques et gardai d'excellents contacts avec certains étudiants : Bernard, Jacques, Roger, Lascelles et Rodolphe. Je me souviens encore des bons moments que nous avons passés ensemble.

J'allai à la philosophie avec beaucoup plus d'enthousiasme qu'à la science. Je portais intérêt à tous les problèmes qui se présentaient, même en logique. Ainsi en témoigne cette discussion avec monsieur Martinelli, un sulpicien. Il affirmait, avec je ne sais quel philosophe, que le « trou » est un être de raison. Moi, je soutenais que c'est un être réel, car le trou n'est pas seulement un vide, une absence, il est déterminé par un contour, des limites et y circulent l'air et la poussière. À moins que l'on ne parlât d'un trou absolu, du néant. Et encore ! Je me retrouvais ici, sans le savoir, dans la pensée de Sartre : « L'être est et le néant n'est pas. Ce néant qui n'est pas tire son peu d'être de l'être. » Nos professeurs nous exposaient la doctrine de saint Thomas d'Aquin. Nous pouvions nous référer au texte original, la *Somme théologique*, dans une édition de petit format latin-français. J'ai oublié le contenu de la scolastique, mais je me rappelle la forme de l'argumentation de saint Thomas. Le docteur angélique expose d'abord la pensée des philosophes grecs, surtout d'Aristote, puis celle des pères de l'Église et de son prédécesseur, Anselme, qui a introduit la dialectique dans la théologie, et il les analyse en les opposant les unes aux autres : *Sed tamen*. Enfin, il avance sa propre théorie : *Respondeo*. Nos professeurs accueillaient volontiers nos questions qui allaient dans le sens d'une élucidation plutôt que d'une critique. Parfois nous nous hasardions à des questions en dehors du contexte thomiste. Apparemment naïves, ces questions étaient souvent tendancieuses : elles mettaient à l'épreuve la rigueur philosophique de nos maîtres quand celle-ci semblait contredire le dogme chrétien. Que pensaient-ils de la théorie de l'évolution ? S'opposait-elle au créationnisme de la Genèse ? Pourquoi Pie XII menaçait-il d'excommunier Teilhard de Chardin s'il publiait ses écrits philosophiques ? Nos professeurs étaient ouverts aux nouvelles théories scientifiques tout en étant soucieux d'orthodoxie catholique. Le père Lachance en profita pour nous initier à l'épistémologie des sciences dont les critères du vrai sont différents de ceux de la religion. Le point Alpha du commencement de la vie ne contredit pas la Genèse, ni le point Oméga, la fin des temps de l'Apocalypse. Seuls les langages différaient. On ne parlait pas encore des genres littéraires de la Bible. Le père Lachance, toujours temporisateur, nous invitait à respecter les lenteurs du Vatican : « L'Église évoluera comme elle l'a toujours fait dans le passé. Prenez Galilée... » L'exemple était mal choisi. Des étudiants étouffèrent de rire. « Ça peut prendre du temps ! » On commençait à douter de l'infaillibilité du pape sur les questions laïques.

L'existentialisme devint entre nous notre sujet préféré de discussion. Quelques camarades recevaient de Paris des lettres enthousiastes de copains qui étudiaient à la Sorbonne. Après avoir suivi leurs cours – très académiques –, ils fréquentaient les cafés de Saint-Germain, surtout le Flore où Jean-Paul Sartre et Simone de Beauvoir avaient chacun sa table. Arrivés tôt, les deux philosophes y travaillaient à longueur de journée. Après le déjeûner, ils causaient de deux à quatre heures avec des amis. Vers la fin de l'après-midi, des écrivains, des éditeurs venaient au Flore boire un pot. Des artistes, des poètes y passaient : Giacometti, Mouloudji, Adamov, Éluard, Queneau, Jean-Louis Barrault, Jean Vilar. Le soir, on fêtait chez les Vian ou les Leiris, on écoutait du jazz au Tabou : l'orchestre de Vian ou les chansons de Juliette Gréco. On dansait, on se défoulait, on se libérait. En même temps, on s'interrogeait sur l'homme de l'après-guerre. Des livres nous parvenaient en douce. Je me rappelle avoir lu *La Nausée*, de Sartre. Le livre me tomba des mains : trop noir et trop pessimiste. Des extraits de *L'Être et le Néant* me captivèrent davantage. De Camus, je dévorai *Le Mythe de Sisyphe*, *L'Étranger* et *La Peste*. Encore plus que les textes auxquels nous avions peu accès, ce qui nous fascinait, c'était la vie des intellectuels à Saint-Germain. La philosophie n'était plus un travail élaboré en bibliothèque ou dans la solitude d'un bureau. Elle avait prise sur le quotidien, sur le vécu. Elle était existentielle : « l'existence précédait l'essence », selon la formule de Sartre. Elle s'écrivait non seulement dans des traités, mais dans des romans, des pièces de théâtre, des chansons, de la littérature. Quelle ouverture pour nous qui aspirions à l'écriture tout en aimant la philosophie !

Nous n'osions pas trop parler ouvertement à nos professeurs de notre engouement pour les existentialistes. La plupart de leurs livres étaient à l'index. Et quelle liberté de mœurs ils affichaient ! Il y eut sans doute des fuites. La faculté nous offrit un cours d'initiation aux existentialismes avec Jacques Lavigne, un étudiant au doctorat. Madame Nicolas nous initierait, quant à elle, aux philosophies orientales. C'était une première ouverture aux laïcs dans la faculté – et à une femme en plus – même s'il ne s'agissait que de charges de cours. C'était aussi la possibilité d'enseigner des matières en dehors du cursus de la scolastique.

On devine le succès qu'eut Jacques Lavigne. Nous apprîmes à connaître, en plus de Sartre, Gabriel Marcel qui l'avait précédé en France, Jaspers et Heidegger, en Allemagne, et bien d'autres. Nous avions entre nous de longs débats sur les existentialistes croyants ou athées, français ou allemands, selon les catégories dont nous disposions à l'époque. Notre jeune professeur nous invita à suivre de près Emmanuel Mounier dans son livre *Introduction aux existentialismes* (1947) – je ne sais comment il se débrouilla pour nous en procurer rapidement des exemplaires. Le philosophe y présentait la généalogie du mouvement sous la forme d'un arbre aux ramifications variées avec des racines multiples. Pour ma part, je me suis mise à lire Bergson qui y figurait comme une branche maîtresse. Je reconnaissais en lui ce philosophe qui exerça une si grande influence sur mes auteurs : Péguy, Rivière, Psichari, les Maritain et la pensée française au tournant du siècle. Je m'acharnai à comprendre ses livres : *Essai sur les données immédiates de la conscience*, *Matière et Mémoire*, *L'Évolution créatrice*. Bergson nous ramène au moi, à l'existence, à la vie. Il fait la part belle à l'expérience sous toutes ses formes et même aux théories scientifiques, dont l'évolution. Pour lui, le réel et l'immédiat sont des données avant tout concept. Même l'Absolu que seul un moi attentif découvre en rentrant en lui-même :

> *L'absolu se révèle très près de nous et dans une certaine mesure en nous. Il est la durée qui fait la substance de tout ce qui existe.*

Le concept de l'intuition permet d'exprimer intellectuellement cette durée dans le cours de la vie comme dans l'exercice de la liberté :

> *Nous sommes libres quand nos actes émanent de notre personnalité entière, quand ils ont avec elle cette indéfinissable ressemblance qu'on trouve parfois entre l'œuvre et l'artiste. Ainsi dans la création de soi. Pour un être conscient, exister consiste à changer, changer à se mûrir, se mûrir à se créer indéfiniment soi-même.*

De Bergson, Péguy a dit qu'« il avait introduit la vie spirituelle dans le monde ». Il en fut tellement ainsi que je confondis son influence avec mon propre cheminement religieux et j'occultai pour ainsi dire les formes précises de son action sur moi. Peut-être que si j'en avais été plus consciente, j'aurais cherché davantage l'absolu en moi-même.

Je travaillai sur d'autres sources de l'existentialisme : Kierkegaard et Nietzsche, mais pas d'une façon aussi approfondie qu'avec Bergson, car peu de leurs livres étaient disponibles à Montréal – faute de traduction ou à cause des lois de l'index qui rejoignaient éditeurs et libraires ? De Kierkegaard, je lus *Crainte et Tremblement.* Je retins la notion de foi comme un saut en Dieu. Elle fut déterminante dans ma vocation. Son concept d'angoisse m'imprégna et m'accompagna dans mon premier choix de vie. Chez Nietzsche, c'est la passion de la vie qui me fascina : elle exprimait ce que je ressentais dans la nature. Je fis un mémoire sur son idée de surhomme, la comparant à celle de sainteté chez Thérèse de Lisieux.

En fait, des existentialistes eux-mêmes, j'empruntai peu, faute de textes de première main, surtout pour les Allemands. La métaphore de l'*Homo viator* chez Gabriel Marcel rejoignait mes aspirations à la route, et le jeu des concepts, l'être et l'avoir, nourrissait mes méditations. C'est Camus, le moins rigoureusement existentialiste, qui m'influença le plus. Probablement qu'il en fut ainsi pour mes camarades. Je me sentais écrasée par le sentiment de l'absurde, angoissée par le poids du destin qui pèse sur les hommes : « L'existence humaine est une parfaite absurdité pour qui n'a pas la foi en l'immortalité. » Mais justement, moi, j'avais fait le saut dans la foi, je croyais en un Dieu bon et sauveur. Je voulais délivrer Sisyphe et ses disciples, les imaginer heureux. Je lus de plus près Camus. Lui non plus n'abandonne pas les hommes à leur sort. Déjà, la découverte de l'absurde est une victoire. « L'homme absurde [...] reconnaît la lutte, il ne méprise pas la raison et admet l'irrationnel. » Camus le montre clairement dans *La Peste*. Son héros, le docteur Rieux, combattra l'épidémie sans poser de questions. C'est l'action et, pour des intellectuels, la création d'une œuvre qui permet de survivre à l'absurde. Camus s'engage dans l'écriture de son œuvre. Et moi ? Je consacrerai ma vie à l'Être que j'appelle maintenant mon Dieu et mon Tout, qu'il délivre Sisyphe de son destin ou, du moins, qu'il en allège le poids ! Comme j'ai vite fait l'économie de l'humain. Ce cours sur l'existentialisme nous confronta aux difficultés de trouver au Québec les livres nécessaires à nos recherches. Nous rêvions de parfaire en France notre culture artistique et littéraire.

Nous vivions à plein l'idéologie de « rattrapage », telle que définie par le sociologue Marcel Rioux. Paris était notre principal pôle d'attraction. La guerre nous avait mis en contact avec le monde. Qu'est-ce qui pouvait sortir de bon du Québec ? N'étions-nous pas voués à la grande noirceur ? Duplessis, le clergé, la famille, quel enfermement ! Mais il nous fallait encore un peu plus de temps, d'études et, peut-être, ce passage presque obligé par la France pour que nous nous révoltions, nous nous engagions et trouvions notre identité. À l'université, nous faisions, après le cours classique, l'expérience d'une certaine liberté.

Je revois mes camarades d'alors, de première et de deuxième année. Il y avait aussi ceux qui nous précédaient d'un an ou deux à la faculté de philosophie après avoir obtenu leur baccalauréat dans un collège. Des noms me reviennent sans aucun ordre : Jean-Paul Collard, Jean-Louis Lescouarnec, Paul Legault, Jean-Pierre Sénécal, Adèle Lauzon, les jumeaux Jules et Jean-Louis Léger, Raymond Beaugrand-Champagne, Réal Daoust, Jacques Parent, Raymond-Marie Léger, Michèle et Yves Lasnier, Hubert Aquin, Raymond Charrette, Noël Pérusse, Michel Roy, Jacques Giraldeau. Fernande Saint-Martin, déjà en rédaction de thèse, passait parmi nous telle une étoile filante. Certains étudiants de droit ou des sciences sociales et politiques venaient, par goût et curiosité, entendre des professeurs de philosophie ou des conférenciers invités. Ils se joignaient à nous dans nos discussions de corridor. Je me souviens des Blain, de Jean-Marc Léger et de Rodolphe de Repentigny. Les uns sont devenus célèbres, d'autres sont connus. Nous n'étions alors que des amateurs férus de culture avec des rêves pleins les bras ; rien n'annonçait encore l'engagement et la carrière de chacun. Nous n'étions pas non plus des révolutionnaires ; j'en ai la preuve à notre peu de réaction au manifeste de Borduas, *le Refus global*, publié en août 1948. Je ne me rappelle pas que nous en ayons parlé ensemble avec enthousiasme ou que nous l'ayons analysé, que nous ayons pris partie pour ou contre lui. Ainsi, Hubert Aquin écrit dans son journal : « Moi, faisant ma philosophie, je n'étais pas un être conscient des problèmes sociaux et politiques du Québec. » Michèle Lasnier précise : « C'était l'époque de Borduas, mais il [Aquin] ne s'est préoccupé ni du *Refus global* ni vraiment de monseigneur Charbonneau et de la grève d'Asbestos. » Borduas, lui, était plus âgé que nous. Surtout, il avait fait des choix : la peinture et l'enseignement des arts. De 1928 à 1932, il avait beaucoup voyagé aux États-Unis et en France. Il avait pu se rendre compte de la liberté nécessaire à l'artiste et de la difficulté d'en jouir au Québec. Déjà, il avait dû lutter contre l'establishment des milieux des arts et contre les peintres académiques. Il se devait d'inventer une peinture originale en marge de contemporains, comme Pellan. Quoiqu'il fît, il se heurta aux diktats de l'idéologie conservatrice et religieuse du Québec. D'où cet immense cri du *Refus global* qu'il lança comme un prophète, d'abord, pour lui et pour les signataires du manifeste, à la fin, pour nous tous. Si, à ma connaissance, le *Refus global* n'eut pas de retentissement dans nos classes, il rejoignit un de mes camarades avec qui j'étais très liée : Paul Legault. Celui-ci peignait. Il passa l'été 1949 à Saint-Hilaire avec le groupe de disciples de Borduas. Mais il ne fit pas carrière dans les arts plastiques. Après un séjour à Paris, il fonda, dit-on, une compagnie de cinéma. Je ne l'ai jamais revu.

Je me demande si Rodolphe de Repentigny avait réagi au *Refus global* : je le voyais peu à cette époque. Je l'avais connu dans mes cours de sciences. C'était un esprit pénétrant qui s'interrogeait sur de multiples sujets. Il se passionnait alors pour l'astronomie. Il m'invitait à contempler le ciel étoilé dans un télescope à Notre-Dame-de-Grâce. Il était modeste et solitaire. Quelle ne fut pas ma surprise, quand je revins à Montréal en 1962, de découvrir son rôle de critique et d'animateur de l'art contemporain dans les années 1950 ! Le peintre Jauran, qui avait signé le manifeste des plasticiens, c'était lui. J'ignorais qu'il eut étudié les arts dans son adolescence. Est-ce lui ou Paul Legault qui m'avait introduite dans le groupe des alpinistes de monsieur Labedan, champion olympique, qui nous initiait à la varappe ? Je pense à Rodolphe... Il partit à Paris, tout comme Paul, alors que moi aussi je m'éloignais... et s'inscrivit à la Sorbonne en philosophie. Il fit l'Italie à pied pendant une année. Un pèlerin de l'Absolu comme moi. Sauf que pour lui, l'Absolu, déjà, c'était l'art. Rien – sauf peut-être sa curiosité et son ouverture – n'avait laissé prévoir ce choix de carrière. Il en fut ainsi pour plusieurs d'entre nous. L'évolution lente mais certaine des années 50, l'éclatement suscité par l'avènement de la télévision, la fondation de Radio-Canada, provoquèrent plusieurs vocations médiatiques. Même si ces vocations n'étaient pas prévisibles en 1949, elles furent cependant en harmonie avec notre goût pour la culture et sans doute avec la personnalité de ceux qui les choisirent. Rodolphe, lui, n'avait pas abandonné l'alpinisme. J'appris qu'il mourut dans un accident dans les Rocheuses, à Banff, le 25 juillet 1959.

Rêver de Paris ne nous empêcha pas de regarder du côté de New York. Ainsi, Raymond Charrette organisa-t-il pour la faculté un voyage dans la mégapole américaine. Quatre jours à New York, dont deux nuits dans l'autobus. Sans aucun doute, voyage culturel. Mais aussi, comme souvent dans ces occasions, petite libération sexuelle ! Quelques couples qui s'étaient formés à l'université avaient besoin d'échapper au milieu pour « s'éclater ».

Comme il se doit, nous avons vu le Rockefeller Center, Radio City et le Planétarium, la Cinquième Avenue, le Metropolitan Museum, Central Park et, sans doute, l'Empire State Building. Pas de souvenirs précis. Ces images se sont fondues avec celles que je rapportai de voyages ultérieurs à New York. Par ailleurs, je revois encore ces *quick lunchs* avec des colonnes de tiroirs nous offrant pour un ou deux *nickels* un repas modeste, chaud ou froid. C'étaient les premiers distributeurs ! Ils réglaient nos problèmes de restauration : mauvais, rapide, pas cher. Avec quelques amis, je passai beaucoup de temps dans les *book shops*. J'achetai même une douzaine de livres sur les quanta, la relativité, la bombe atomique et ces questions qui nous passionnaient alors. Je me rappelle avoir aperçu la lune comme un trait d'union entre deux gratte-ciel. Je ressentis alors une forte émotion poétique. La nature peut surgir même dans un monde de béton. J'étais à l'affût de toutes ses épiphanies.

Ma vie à l'université ne se bornait pas à la faculté de philosophie. Le midi, je dînais chez Valère d'un sandwich et d'un café. Valère ressemblait au héron de La Fontaine, sans le bec : longues jambes, longs bras, long cou. Efficace, gentil, avec un rythme et un style qui lui étaient personnels, il s'identifiait à la cantine de l'université. Des générations différentes d'étudiants se rappellent de lui. Là, je dînais ordinairement avec des étudiants d'autres facultés : Jacques Henripin, des relations industrielles, Gilles Sénécal, de médecine, et Marie-Laure Charette, Luce Dionne, Jeanne Sauriol, des filles de diététique et de service social. Partout nous discutions. J'en étais parfois un peu lasse. Je m'esquivais alors pour une longue promenade sur le mont Royal. La montagne était mon lieu de ressourcement spirituel. J'aimais me recueillir dans le silence de cette forêt claire, y retrouver la nature. Je m'approchais de certains arbres, je les étreignais, ma peau contre leur écorce dont j'éprouvais avec volupté le lisse ou la rugosité. Je me collais à la pierre des rochers, je faisais corps avec elle, à l'écoute de sa préhistoire, remontant le temps jusqu'à cette époque où le mont Royal était un volcan sans nom, résidu d'une masse glacière. Cette sensibilité au minéral, j'avais commencé à la ressentir en Gaspésie et sur les bords du Saguenay. Je l'éprouvais maintenant dans la pratique de la varappe dans les Laurentides. Il me fallait m'ajuster à la pierre, percevoir ses creux, ses anfractuosités, et monter ainsi, pouce par pouce. Non sans un certain risque : celui d'être suspendue dans l'espace, car nous montions en cordée !

L'hiver ne me rebutait pas. Je m'engageais dans des promenades sur le mont Royal, même si les sentiers n'y étaient pas toujours dégagés. Je ressentais un vif plaisir à m'enfoncer les pieds dans la neige jusqu'aux genoux, après en avoir fait éclater dans un craquement sourd la mince couche givrée. J'étais à l'affût des premiers bourgeons, des premières pousses. Je me rappelle avoir fait l'école buissonnière pour aller en auto-stop admirer, avec François, les pommiers en fleurs à Saint-Hilaire. Toujours, je m'extasiais dans la nature. Mais sous l'influence de la philosophie, la nature devenait, pour moi, de plus en plus l'Être dans sa totalité. Comme François d'Assise, je disais : « Mon Dieu et mon Tout. » Je me souviens avoir terminé un poème sur un arbre par ce verset : «Ô! immanence de l'Être. Jésus, lui, sera l'effusion de l'Être divin. » Cependant, j'aspirais toujours à vivre la route comme un Absolu. Combien de saints ne l'avaient-ils pas fait avant moi ? Jésus et ses disciples ne parcouraient-ils pas à pied la Galilée et la Judée, toute la Palestine ? Mais je ne tenais pas clairement ce discours. L'appel que je ressentais demeurait vague.

En même temps, j'éprouvais de l'attrait pour un camarade, François L... Lui et moi, nous nous asseyions côte à côte pour suivre les cours et, quand sur la tablette-écritoire son bras frôlait le mien, je frémissais. Nous nous entendions à merveille. Il avait déjà une amie qu'il me présenta, ainsi que les deux frères de celle-ci : des artistes en herbe. Nous allions tous ensemble faire de la varappe ou voir des expositions. Un jour, François me parla de ses projets d'études à la Sorbonne avec son amie. Il laissa un peu de flou dans la conversation, comme une invitation. Je ne voulus pas m'immiscer dans sa vie de couple. De plus, l'esquisse de son projet me piqua au vif : moi aussi, j'avais un « idéal ». Je m'ouvris à lui de ma vocation singulière à la route. Il en avait deviné l'essentiel et se demandait si je n'avais pas une vocation religieuse. Je protestai. Il évoqua alors les pèlerins du Moyen Âge dont nous avait entretenu Gilson lors de ses conférences à Montréal. Il m'avertit de la visite de monsieur Folliet, un laïc français qui avait fondé une association de routiers et que je connaissais par un de ses livres. Nous allâmes l'entendre ensemble. La spiritualité de Joseph Folliet correspondait à mon rêve d'errance et de don total. J'obtins un rendez-vous avec lui et lui racontai mes expériences et mes désirs. Il m'écouta avec beaucoup de gentillesse et me fit remarquer qu'une vie solitaire, sans abri fixe, serait difficile pour une femme, surtout pendant l'hiver au Québec. Pourquoi ne pas me suggérer alors un compromis entre la vie errante et la vie sédentaire ? Ni lui ni personne n'en a eu l'idée. Et si Jack Kérouac était passé à Montréal à ce moment-là, aurait-il pu m'entraîner dans quelque aventure de la *beat generation* ? Et le père Ambroise Lafortune, quel conseil m'aurait-il donné ? Ce fut un père du Saint-Sacrement que je rencontrai sur mon chemin : il devint mon directeur spirituel. Après quelques conversations, il me suggéra d'interpréter d'une façon symbolique cette vocation à la route. Sans doute avait-il en partie raison. Quelques mois après, il me conseilla, sans exercer de pression, d'entrer dans la vie religieuse contemplative. Je réfléchis tout en passant mon baccalauréat de philosophie.

J'essaie de cerner aujourd'hui de plus près ce qu'était alors la route pour moi. Elle correspondait, je crois, à mon désir de l'autre comme une totalité originaire. Ma mère ne m'attirait pas à elle, ne me cajolait ni ne m'embrassait. J'avais le mal d'elle. Alors, tout naturellement, je marchais les yeux et les bras tendus vers l'Inconnu. Mais toujours avec un arrière-goût a-mèr(e) et un désir avide de trouver à l'extérieur ce que je ne recevais pas d'elle. J'ai d'abord appelé « route » les rues, le quartier, les champs, toujours le plus loin à étreindre. Je me rappelle la joie énorme que je ressentis quand mon père acquiesça à mon désir d'avoir une bicyclette et que lui-même me l'offrit ; c'était pour moi la possibilité du « plus loin » à portée de pédales. Quelle liberté ! En fait, je ne fis que rarement des randonnées en dehors de Montréal. Non, ce que j'appréciais, et dont je profitais le plus, c'était d'aller dans les terrains encore vagues où poussaient les herbes et les fleurs sauvages. Enfin, la solitude, une chambre verte, à moi, et la poésie qui me donnait des ailes. Après, la route me sollicita dans les excursions et les voyages que j'ai déjà évoqués. Cette route s'accompagnait pour moi d'une certaine mystique, celle des bras qui se tendent vers l'Autre et l'Ailleurs avec des majuscules. À ce moment-là, elle n'impliquait pas tant le but du déplacement que son mouvement et son élan initial. De *l'Invitation au voyage*, de Baudelaire, que je connaissais par cœur, je retenais surtout « la douceur d'aller là-bas ». Je dois faire une exception pour un lieu, la mer. À elle, j'allais, mue par une obscure nécessité. Elle était mon lieu naturel, mon origine, ma source, l'archétype et la métaphore de toutes les naissances.

« Ma route » s'opposait aussi à l'enfermement, au piétinement, à la satisfaction de soi. Elle impliquait une mobilité intérieure, une capacité de rupture dans le quotidien et une ouverture à des horizons nouveaux. Elle pouvait être dérive ou errance. Elle s'enveloppait de solitude, mais pas d'isolement. Elle flottait dans l'atmosphère de l'Être.

Je n'occultais pas la matérialité du chemin à parcourir dans des conditions parfois difficiles, avec le problème du logement et de la nourriture. C'est ici, je crois, que précisément je passai de l'idée de l'Être par excellence à celle d'un Dieu bon qui veillait sur moi. Il était un père plein de sollicitude qui me connaissait, m'aimait et me protégeait. Jésus ne dit-il pas dans l'Évangile : « Ne vous inquiétez pas de votre vie, de ce que vous mangerez ou boirez, ni pour votre corps de quoi vous le vêtirez. La vie n'est-elle pas plus que la nourriture et le corps plus que le vêtement ? Regardez les oiseaux du ciel : il ne sèment ni ne moissonnent... et votre Père les nourrit. » Ma foi trouvait un appui sur la pauvreté de mon enfance.

Pendant des années, nous avions survécu avec presque rien. Combien Dieu veillerait-il encore plus sur moi si je me remettais entre ses mains : il serait mon père et ma mère.

Au début de l'année scolaire 1948, je fis la connaissance de l'abbé Jean-Paul, un étudiant en lettres. Il remplaçait, cette année-là, l'abbé Llewelyn comme aumônier des étudiants. Je répondais à la messe qu'il célébrait chaque matin. C'était un homme assez beau, avec des yeux noirs enfoncés dans leur orbite, qui lui donnaient un regard profond. Plutôt grand, un peu courbé, il ressemblait aux curés fervents de Bernanos. J'aimais parler avec lui ; il devint mon frère spirituel. Je lui confiai ma vocation à la route et l'interprétation que m'en avait donnée le père Gagnon. Il me suggéra de lire la vie de sainte Thérèse de l'Enfant-Jésus. Ce livre me nourrit substantiellement. Par sa voie d'enfance spirituelle, Thérèse me réconcilia avec le quotidien, les actions humbles et cachées, elle m'initia au dialogue intérieur avec un Dieu-Père. Elle m'ouvrit à une relation plus personnelle avec Jésus dans les mystères de sa vie sur terre, particulièrement le mystère de la Croix. J'acceptais les aléas de la pauvreté et de la route. Thérèse, elle, m'apprit le caractère rédempteur de la souffrance et du sacrifice. Sauver le monde devint mon désir le plus profond. Soudain, tout se précipita. En janvier, je décidai d'entrer au Carmel de Montréal. Je n'avais pas encore vingt ans ; il me fallait le consentement de mes parents. Mon père n'était pas prêt à me voir partir. Ma mère espérait qu'une promotion sociale couronnât mes études. Quelle déception !

Sur ces entrefaites, je visitai le Carmel de Montréal. La prieure m'y accueillit chaleureusement. Oui, j'avais sans doute une vocation contemplative, mais carmélite ? Ce serait à étudier. De toute façon, je ne pouvais entrer au Carmel de Montréal, car les sœurs avaient atteint le nombre limite de vingt-quatre. Il me faudrait chercher un Carmel dans une autre ville ou attendre. Le père Gagnon, à qui je fis part de ma déconvenue, me conseilla la vie bénédictine. L'unique monastère de femmes au Canada était l'abbaye Sainte-Marie des Deux-Montagnes dont je lui avais déjà parlé. À son avis, cette communauté conviendrait mieux à mon amour de la nature et à mon besoin de connaître. L'abbaye est située en pleine campagne, sur une colline, face à un lac ; on y chante l'office divin, le bréviaire des prêtres, et on y étudie les sciences religieuses. La spiritualité en est plus épanouie. Mais, justement, mon désir de sacrifice était tel à ce moment que j'hésitais à rentrer dans un ordre moins sévère que le Carmel. J'en parlai à mes parents. Ce monastère leur plaisait beaucoup plus que le Carmel. Papa, qui colportait ses marchandises dans la région, avait l'impression que de loin il m'y apercevrait chaque jour, maman, que mes études auraient servi à quelque chose. Par ses lectures, elle savait que l'ordre bénédictin, fondé par saint Benoît au VIe siècle, avait traversé l'histoire en Occident. Les monastères nombreux et souvent riches accueillaient les grands de ce monde. Elle pourrait s'enorgueillir d'avoir une fille bénédictine. Je me rendis à l'abbaye pour avoir plus d'information. La prieure, mère Scolastique, m'y reçut à bras ouverts. Elle-même avait obtenu son baccalauréat ès arts, ce qui était rare pour les femmes de son époque, et avait adoré la philosophie. Elle travaillait sur les pères de l'Église et enseignait le latin au noviciat – tout comme mère Maura, une Française diplômée de l'École normale supérieure de Sèvres pour les filles. Saint Benoît promouvait l'office divin et la *lectio divina* avec le travail manuel afin que les moines eussent toujours leur esprit élevé vers Dieu. Mais nous devions apporter une dot de deux mille dollars en entrant, car le monastère était pauvre. Les bénédictins ne sont pas un ordre mendiant : ils ne peuvent quêter, ni sonner une cloche comme les carmélites quand ils n'ont plus rien à manger. Je répondis que ni mes parents ni moi – pour le moment – ne pourrions offrir cette dot. Elle me dit de revenir voir l'abbesse : elle lui parlerait de moi.

Je croyais pouvoir me sauver de ce monastère, car c'était toujours le Carmel qui me fascinait. Je souhaitais la vie la plus austère qui fût. Je ne réalisais pas que je voulais m'identifier jusqu'au bout à Thérèse de l'Enfant-Jésus, tout comme je l'avais fait jusqu'à un certain point avec François d'Assise. Faute de modèles qui me convenaient dans ma famille, dans mon environnement, dans le Québec d'alors, j'adhérais à celui que me présentait l'Église des saints et des mystiques. C'était un monde de l'excès, une autre forme de mon désir d'Absolu.

Je vis l'abbesse qui m'interrogea sur ma vocation. Elle lui sembla sérieuse. Elle ajouta qu'une bienfaitrice paierait ma dot si je prononçais mes vœux. Hélas ! J'avais préparé une autre objection :

« Je chante faux.

— Qu'à cela ne tienne, ma fille, ce n'est pas un obstacle ! Seulement un lieu d'humiliation. C'est bon pour la modestie. »

Ainsi donc, tout semblait s'organiser pour mon entrée à Sainte-Marie. La volonté de Dieu se manifestait ainsi. Mais pourquoi ne pas différer, attendre au moins d'obtenir ma licence de philosophie, mes vingt-et-un ans ? D'ailleurs, les communautés exigent aujourd'hui cette épreuve du temps et un plus long contact avec les aspirantes à la vie contemplative. Comment ai-je pu faire en une année ce saut énorme dans l'institution, moi qui avais perçu mon avenir par-delà toute clôture ?

Je venais de vivre une année intense. L'étude de la philosophie me passionnait. Je m'ouvrais à la poésie, à l'amour, aux relations humaines. Mes expériences de la route s'enrichissaient : la marche à l'étoile la nuit de Noël, la varappe, la cordée. Le voyage à New York me profita en tant qu'activité universitaire culturelle. Même ma vie de foi s'affirmait. Pourquoi interrompre ce bel équilibre ? Pourquoi ne pas donner du temps au temps ?

Je pense à une réponse très terre à terre : je n'avais pas de lieu chez moi. À peine un fauteuil-lit pour dormir des nuits de six à sept heures. Je me levais très tôt pour faire ma toilette discrètement et je partais pour l'université. Je n'en revenais souvent que vers vingt-deux heures. La fin de semaine, travail à la bibliothèque, sorties et excursions avec les amis. Pas de heurts avec ma famille, nous suivions des voies parallèles qui ne se croisaient plus. Si, par hasard, je prenais la parole sur un sujet comme le sport, ma mère m'interrompait : « Tu n'y connais rien. » Mes frères riaient de moi : « Viens nous voir jouer au moins. » J'y étais allée souvent, mais ça ne m'avait pas donné pour autant droit à la parole. Et personne ne m'écoutait quand je parlais de mes activités, même de mon voyage à New York. C'était déjà trop loin de leurs intérêts. Pour eux, New York, c'était uniquement les clubs de baseball et de hockey qui venaient rencontrer les clubs de Montréal. J'avais encore quelques conversations avec papa qui, lui aussi, n'avait pas le droit à la parole. Mais il jouissait d'une fonction : il voiturait tout le monde dans sa camionnette et, surtout, pour les joutes sportives, il transportait aussi le matériel. Parfois, il me conduisait à l'université, ce qui me donnait l'occasion de lui parler. Je me sentais de trop dans ma famille.

Mes parents n'auraient jamais accepté que j'habite en dehors de la maison. La majorité était alors à vingt-et-un ans. Je n'y pensais même pas. Je n'avais que dix-neuf ans quand j'ai terminé ma deuxième année d'université. Ma mère me laissait très libre de mes journées : « Je te fais confiance », disait-elle souvent. C'était d'ailleurs plus commode pour elle de ne pas avoir à se soucier de moi ! Mais il n'aurait pas fallu que je découche. Je me rappelle être rentrée vers trois heures du matin parce que l'excursion en auto avec mes copines s'était terminée dans un fossé. Quel savon mon père m'a servi ! J'avais enlevé mes chaussures à la porte pour ne pas le réveiller. Il a dit : « Tu n'as pas besoin d'enlever tes souliers, je t'attendais ! » Je me couchai aussitôt en silence, n'expliquant ma conduite que le matin.

À l'université, j'étais plutôt heureuse malgré un vague malaise qui venait de ma famille : j'étais différente de la plupart des étudiants, de par le *gambling* encore plus que par notre condition modeste. Ce n'est que plus tard que j'ai accepté ma mère devant les autres. Je la cachais, en ce temps-là. Elle n'était plus la femme instruite qui lisait. Toute sa vie se passait à jouer. Elle misait sur mes frères comme joueurs ; ils étaient eux aussi ses chevaux de course. Pour le moment, je lui échappais encore. Les idées que j'exprime maintenant demeuraient confuses, mais elles nourrissaient la gêne que je ressentais dans mon milieu social. Je m'isolais à ces moments-là pour me plonger dans la nature ou dans l'étude. J'en sortais ragaillardie, illuminée, enthousiaste. Je sublimais mon mal d'être indicible par le truchement d'expériences esthétiques et par le travail intellectuel. Mon angoisse personnelle se fondait dans la difficulté à vivre que sécrétaient les écrits de Kierkegaard et des existentialistes. De plus, la discipline philosophique, par le passage du concret à l'abstrait, du particulier au général et par ses autres opérations, ne pouvait qu'accélérer le processus de sublimation. Particulièrement quand elle s'appelle philosophie hindoue. Je me rappelle avoir copié en ce temps-là un livre entier de Rabindranāth Tagore, *La Corbeille de fruits*, faute de ne pas l'avoir trouvé en librairie. Ma prière s'inspirait de lui : « Ô Maître-Poète, ma volonté se meurt de honte à tes pieds. Je ne veux faire de ma vie qu'une chose simple et droite comme une flûte de roseau que tu puisses emplir de ta musique.» J'aspire à mon anéantissement dans l'Être, à une perte fusionnelle en lui. L'appel à la route avait été la possibilité de toutes les rencontres et de toutes les communions avec la nature et les humains, sa sublimation en vocation contemplative entraîna une mise à mort symbolique de mon moi à peine éveillé. Et peut-être aussi une mise à mort de la mère historique pour retrouver la mère originelle, la source de tout Être.

Comme Augusta, moi aussi je mise le tout pour le tout. Mais c'est ma vie que je mets en jeu. Un suicide? En quelque sorte. Toutefois, avec la certitude d'une renaissance, la promesse d'une vie autre en ce monde et après la mort, de par ma communion à l'Être. Ainsi, ma vocation se transforme en désir de sainteté. En réalité, elle est un appel à la vie mystique. Mais personne n'est là pour me dire alors que les poètes dans la foulée de Claudel confondent souvent l'expérience poétique avec l'expérience mystique. Personne n'est là pour me suggérer une interprétation littéraire de mon appel au voyage. Plus tard, Claude Beausoleil écrira : «Je suis un voyageur que le langage invente.» Que ne l'ai-je réalisé alors!

Dans le catholicisme, l'Église doit éprouver la validité des itinéraires spirituels quels qu'ils soient : la preuve de leur authenticité est l'obéissance à ses représentants. Cette doctrine pratiquée par les saints était sans cesse rappelée dans leur vie. Je l'avais vu s'exercer dans *Les grandes amitiés*, de Raïssa Maritain, qui m'avait tellement fascinée : tous ces convertis, dont parlait Raïssa et dont elle faisait partie, s'inclinaient humblement devant l'autorité des représentants de Dieu. Ce sont donc des prêtres qui ont traduit, si je peux dire, ma marche vers l'Absolu en vocation monastique. Ils le firent subtilement en me conseillant telle et telle lecture. Ils m'encourageaient à poursuivre mon idéal comme ils me l'avaient traduit. Si je n'avais pas la vocation, l'autorité du monastère ne me retiendrait pas de force. Je me fiais à eux. J'entrerais donc à Sainte-Marie des Deux-Montagnes. C'est ainsi que je me laissai avoir par l'institution. Et peut-être ne pouvait-il en être autrement tant l'Église était fortement implantée au Québec : une aspiration à l'Absolu comme la mienne trouva son aboutissement normal dans un cloître, même si je ne l'avais jamais souhaité. En somme, le savoir, la culture, les règles de vie reposaient entre les mains de la hiérarchie catholique. Il me suffisait d'avoir fait du latin et du grec, de la philosophie pour que mon avenir fût déjà orienté dans le chemin de la perfection qu'elle nous présentait. En cela, je différais peu des jeunes gens et des jeunes filles dont la vocation avait été nourrie dans la serre chaude d'un pensionnat ou d'une famille catholique pratiquante. Quels que fussent notre milieu, notre évolution, notre marginalité, nous étions tous plus ou moins acculés à cette époque, à envisager la vie religieuse comme l'unique réponse à une quête de Dieu singulière. Il eut pourtant suffi d'attendre encore quelques années... Mais pas de vains regrets ! Car dans un monastère, même régi par une règle enveloppante, j'ai vécu une expérience si radicale qu'elle fit sauter mes barreaux et m'entraînât hors la clôture !

Ma mère organisa secrètement une immense fête à la salle McCaughan où elle convia parents et amis à venir me saluer avant mon départ pour l'abbaye Sainte-Marie. Je fus surprise et bouleversée. Ils étaient tous là : ceux qui m'avaient accompagnée depuis mon plus jeune âge comme ceux avec qui j'avais partagé mes recherches intellectuelles et spirituelles. Je les quitterais donc ! Adieu, mes amis, adieu tout ce que j'ai aimé : les discussions, les échanges, les longues promenades, les voyages, les émois amoureux. Le déchirement que je ressentis se mua en une joie intense – je sublimais si rapidement ! Non, je les emporterais avec moi, mes camarades et mes parents, dans ce lieu hors du temps qu'était le monastère, je les offrirais à Dieu qui répandrait ses grâces sur eux et leur donnerait sa joie. Je venais de lire *La Joie*, de Bernanos, et je me mettais à l'école de Thérèse de l'Enfant-Jésus : elle aurait parlé, elle, d'une pluie de roses. Ma spiritualité, inspirée par elle, devenait de plus en plus méditative. Je résolvais ainsi un problème que je ressentais fort depuis quelques années : trouver un équilibre entre la solitude et la communication. La lecture, les études, ma quête spirituelle, m'isolaient de ma famille et même de mes amis. Mais elles me rapprochaient également d'eux. Souvent, je me laissais trop envahir par leur présence et je m'éparpillais ; je le regrettais ensuite. Ainsi, en communiquant avec eux dans la prière, pourrais-je me garder dans l'unité sans les distractions du multiple. Ce soir-là, pour une dernière fois, pensais-je, je partageais le pain et le vin avec eux, je parlais, chantais, dansais. Après, dans le silence du cloître, seule la prière nous réunirait.

Le 14 septembre 1949, en la fête de l'Exaltation de la Sainte-Croix, je rentrai à Sainte-Marie des Deux-Montagnes. Plusieurs de mes amis m'accompagnèrent jusqu'à la porte de l'abbaye : ils avaient compris et accepté ma forme de communion à eux. Encore plus, ils la trouvaient précieuse. Pourtant, tous n'étaient pas fervents, loin de là, quelques-uns ne croyaient plus – ou laissaient leur foi en suspens –, mais ils admiraient la vie contemplative, l'excès dans le don, l'expérience mystique. Puis, ils m'aimaient bien.

DANS LE CLOÎTRE
(1949-1962)

Mon enfant, ma sœur
Songe à la douceur
D'aller là-bas
Vivre ensemble...

BEAUDELAIRE

Viens donc, ma bien-aimée,
ma belle, viens,
Ma colombe, cachée au creux des rochers,
en des retraites escarpées.

Cantique des cantiques, II, 13-14

Initiation

Yahvé est mon pasteur
Je ne manque de rien
Sur des prés d'herbe fraîche, il me parque
Vers les eaux du repos, il me mène
Il y refait mon âme.

Psaume 23 (22)

L'abbesse, madame Gertrude Adam, droite et solide malgré ses soixante-dix-neuf ans, m'accueillit chaleureusement à la porte du monastère et me remit entre les mains de la mère maîtresse. Celle-ci m'indiqua les lieux réservés au noviciat; nous ne devions avoir aucun contact séparé d'avec la communauté. Elle me montra ma cellule – je devais toujours dire « notre » pour les lieux et les objets à mon usage, car je ne possédais plus rien en propre; elle m'indiqua aussi la sienne, où je pourrais la consulter, puis la salle des conférences et des récréations. Elle me présenta à mère Marie-Jacques, la zélatrice, qui devait m'apprendre les coutumes du monastère et les rites liturgiques. Nous sommes retournées à « notre » cellule où je trouvai le strict nécessaire : un lit, une table de travail, deux chaises, un meuble prie-Dieu, dont toutes les parties avaient une profondeur, dans lequel je pouvais déposer les vêtements de nuit, le nécessaire de toilette et les livres de prières qui ne sont pas au chœur. Un pot à eau et une bassine pour la toilette complétaient l'ensemble. Mère zélatrice m'en expliqua les usages. On ne prenait son bain – avec sa chemise – qu'une fois par mois : il fallait donc utiliser la bassine tous les jours. Je retrouvai mon crucifix, un Fernand Py, que j'aimais beaucoup. Madame l'abbesse m'avait autorisée à l'apporter. Mon initiatrice remarqua que j'avais déjà ma robe de postulante, cousue par ma cousine Juliette, mais qu'il me fallait cacher mes cheveux. Elle me conduisit au vestiaire, confié à la dextérité de mère Marthe, une délicieuse petite vieille toute ridée qui me coiffa d'un bonnet noir. Pendant ces allées et venues, mère Marie-Jacques m'expliquait l'histoire de Sainte-Marie. Quatre mères françaises étaient venues en 1936, à la demande de mademoiselle Mathys, aider des Canadiennes à la fondation d'un monastère bénédictin. Monsieur Mathys avait offert le terrain, cette butte qui s'élève face au lac des Deux-Montagnes, qu'elle me montra d'une fenêtre. Mademoiselle Mathys, malade, avait dû quitter le cloître et trois des quatre mères françaises assumèrent la fondation et la direction de l'abbaye : l'abbesse, la mère maîtresse que je connaissais déjà, et la maîtresse des sœurs converses et tourières. Sainte-Marie des Deux-Montagnes appartenait à la congrégation bénédictine de France dont le centre est l'abbaye Saint-Pierre-de-Solesmes.

Quelques amis et moi aimions fréquenter Saint-Benoît-du-lac et Sainte-Marie. Nous préparions ainsi, dans la solitude, examens et articles au rythme du chant grégorien. Nous ignorions alors, nous du Québec, que l'abbaye de Solesmes, à laquelle se rattachent les abbayes québécoises, était très réactionnaire, c'est-à-dire royaliste, *Action française* et pétainiste. Paul Touvier, qui avait collaboré avec les Allemands pendant que ceux-ci occupaient la France, échappa à son procès après la guerre en se réfugiant dans des monastères de la Congrégation de France, entre autres à Fondcombault et Saint-Wandrille. Ce n'est que dans les années 90 qu'on le retrouva et qu'il fut condamné. Cette idéologie réactionnaire touchait-elle Saint-Benoît-du-lac, fondé bien avant Sainte-Marie ? Et qu'en est-il de mon ancien monastère, aujourd'hui que les mères françaises sont décédées ?

C'est avec l'ardeur d'une néophyte que je m'apprivoisai à la vie monastique. La journée se déroulait sans un instant à soi pour rêver. La part la plus importante en revenait au chant et à la récitation de l'office divin, le bréviaire des prêtres. C'est ainsi que nous consacrions par la louange toutes les heures du jour selon les anciennes appellations romaines : laudes, prime, tierce... Après m'être levée à cinq heures, je m'empressais d'aller au chœur pour le chant des laudes. Suivaient l'oraison, la récitation de prime avec lecture du martyrologue au chapitre, et à nouveau au chœur le chant de tierce et de la messe. Nous nous rendions au réfectoire individuellement après l'action de grâces pour le déjeuner que nous prenions debout. Après, chacune se dirigeait vers son lieu de travail. J'ai fait longtemps le ménage de l'escalier central. Tâche qui me plaisait, car elle m'offrait une saine détente après trois heures de prières. Je voyais alors défiler toute la communauté qui se mettait à l'œuvre. J'appris vite à reconnaître les visages, à saluer d'un joyeux *benedicite* les mères de chœur, d'un sourire les sœurs converses, dont le costume était un peu différent, et les sœurs du noviciat. Quand je fus habituée à ce rituel et à ma tâche, je m'appliquai à mémoriser des psaumes ou à méditer des passages de l'Évangile du jour afin de tenir mon esprit élevé vers Dieu. En époussetant le cadre d'une fenêtre, je contemplais le lac des Deux-Montagnes qui s'étirait à perte de vue : « Soyez béni, Seigneur, pour notre sœur l'eau, les sources, les lacs, les rivières, les fleuves et la mer ! » Le ménage terminé, je m'enfermais dans la cellule où, à genoux et pendant dix minutes, selon la règle, je lisais le Nouveau ou l'Ancien Testament. Après, je me plongeais dans les lectures spirituelles, surtout des commentaires de la règle et de l'Écriture. J'étudiais aussi les pères de l'Église, les traduisant en français pour bien comprendre l'office divin. Vers dix heures quarante-cinq, la mère zélatrice nous réunissait au noviciat pour nous initier au coutumier, à la vie des saints et aux cérémonies. La cloche sonnait alors l'heure de sexte que nous récitions au chœur. Nous nous rendions ensuite conventuellement au réfectoire pour le dîner. J'avoue que je me sentais affamée, mais les portions étaient limitées, sauf pour le pain, et nous n'avions pas de vrai dessert. Ordinairement, un fruit ou du fromage L'Ermite, quand l'abbaye Saint-Benoît-du-lac nous en envoyait. J'avais un besoin de sucre tel que je dévorais les carottes quand elles accompagnaient le plat. À ce régime, je perdis trente livres dès le premier mois, ce qui n'inquiétait pas outre mesure la mère abbesse ; elle me fit prendre comme tonique du Dubonnet, que je gardais sous le lit. Un petit verre avant le repas du midi. Mon appétit ne diminua pas, loin de là, mais je m'habituai assez vite et fus en mesure de respecter les jours de jeûne et d'abstinence. Une lectrice accompagnait le repas d'une page de la Bible le midi, d'un chapitre de la règle de saint Benoît le soir, et poursuivait avec un livre d'histoire, une biographie ou la chronique d'un monastère de la congrégation. La mère abbesse choisissait des livres d'histoire, car, avec raison, elle trouvait les Canadiennes bien ignorantes dans ce domaine. Du coup, elle s'efforçait de nous infuser l'idéologie royaliste et ultramontaine de la Congrégation de France avec la vie de Louis Veuillot, de dom Guéranger, du cardinal Pie, etc. Nous terminions le dîner au chœur en récitant les grâces, suivies d'une heure de récréation le midi et une petite demi-heure le soir. À la première partie de la récréation, nous nous promenions au jardin avec la mère maîtresse ou la zélatrice qui animait la conversation. Nous n'avions pas le droit aux apartés entre nous. Ainsi, nous ne pouvions parler de choses personnelles à une sœur, même quand elles concernaient notre vie spirituelle. Mère maîtresse adorait les rois et les reines et, à propos des chroniques, elle nous parlait beaucoup de l'impératrice Zita dont la mère et la tante étaient moniales à Sainte-Cécile-de-Solesmes. Elle nous défilait la généalogie des Bourbon, celle des Habsbourg, et nous, nous les apprenions par cœur avec bonne humeur. Comme un conte de fée. Souvent, elle nous provoquait à commenter une lettre que nous venions de recevoir, si elle y trouvait un certain intérêt pour le noviciat ou tout simplement pour surnaturaliser des liens encore humains. Ainsi, elle m'interrogea sur mon ami François qui m'avait écrit de Paris. J'étais confuse : je n'avais pas encore lu sa lettre, car j'employais scrupuleusement mon temps aux tâches qui m'étaient assignées et ne voulais pas me distraire de la prière avant de m'endormir. Je ne voyais pas trop quand je pourrais la lire. Je bredouillai alors quelques raisons sans dire toute la vérité de crainte qu'on ne m'admirât trop pour mon ascèse. Je m'empressai de la lire aux toilettes. Quelquefois, nous ne pouvions pas profiter de cette promenade au jardin. Certes, quand le temps était mauvais, mais aussi quand le noviciat était de corvée pour l'étendage du linge ou l'épluchage des légumes. De toute façon, la seconde partie de la récréation se passait dans la salle du noviciat, toujours sous la direction de l'autorité. Nous parlions tout en raccommodant nos bas. L'après-midi, chacune allait à ses obédiences jusqu'à trois heures. Moi, je travaillais à la buanderie ou à la lingerie. Les vêpres, précédées de l'heure de none, nous réunissaient à nouveau au chœur. Après, chacune terminait les deux heures de *lectio divina* prescrites au noviciat, ou l'heure de latin commencée le matin.

À cinq heures, nouvelle réunion du noviciat pour la conférence spirituelle de la mère maîtresse. À cinq heures trente, oraison, puis souper à six heures. Le soir, madame l'abbesse présidait la récréation du noviciat. Nous aimions bien être avec elle, car malgré son âge elle était très vivante et possédait tout un répertoire d'histoires drôles auquel j'apportais ma contribution : héritage de ma mère Augusta. Parfois, nous avions de la peine à retenir nos fous rires pour l'heure de complies qui suivait. À la fin, le *Salve Regina* plongeait dans « le silence de nuit » le monastère déjà très silencieux. Pas un mot, même nécessaire, ne devait être prononcé : il fallait l'écrire. Après une vingtaine de minutes de battement pour vaquer à quelques nécessités, comme de remplir notre pot d'eau pour la toilette du soir, à huit heures commençaient les matines qu'autrefois les bénédictins récitaient au petit matin. Le couvre-feu sonnait à neuf heures trente ou à dix heures, selon la solennité des fêtes. Parfois, je ne l'entendais pas : j'avais déjà sombré dans le sommeil. Rien de tel qu'un horaire très serré pour ne laisser aucune place au doute, au rêve, à l'interrogation !

Mais je m'éveillais tôt : environ une heure avant la cloche, dans la chaleur de quelques songes que je poursuivais mollement. Je flânais dans un temps qui échappait aux contraintes de la règle, un espace de liberté à la mesure de ma conscience qui me permettait de souffler un peu. Ainsi, l'ai-je pensé plus tard. Car je me contentais de le vivre à cette époque en laissant mon esprit voguer ou divaguer jusqu'à ce que la cloche sonne. Bien éveillée alors, je sautais à mains jointes dans le jour qui commençait, dans l'exercice de la règle et l'accomplissement de ma feuille de route. L'amour de Jésus me donnait des ailes. En un rien de temps, je me retrouvais au chœur, bien avant les autres, en profonde adoration devant le Très-Haut, dans l'offrande de ma vie en ce moment même du jour naissant. Peu à peu, la communauté s'était rassemblée sans que je m'en aperçusse, puis le signal de l'office de laudes me tirait de ma méditation. J'ajoutais ma voix à celle des autres dans la prière publique. La ferveur qui m'anéantissait devant l'Éternel trouvait à s'exprimer dans le chant des heures canoniales. J'ai toujours beaucoup aimé l'office divin. Encore plus que l'oraison solitaire. Pendant les multiples tâches de la journée, je m'efforçais aussi de garder mon esprit élevé vers Dieu par la méditation des mystères liturgiques. Dans l'action comme dans la prière, un feu unique me brûlait, celui de l'amour divin.

Le dialogue intérieur avec Dieu avait constitué le cœur de ma vocation, même sous sa forme première, celle d'une route dans et vers l'Absolu. En quoi consista-t-il au juste ? En une attention au divin, au sentiment d'être habitée par une présence, de s'éprouver en lien avec le monde. En fait, il s'agissait plus d'un soliloque que d'un dialogue précis, d'un état plutôt passif où la volonté n'intervenait pas. Lorsque l'extérieur pouvait me distraire de cette présence, je mémorisais des psaumes, je méditais des prières du temps liturgique jusqu'à ce que je la retrouve. Elle me conférait paix et sérénité avec, par moments, un sentiment très fort d'unité de mon être. Je me sentais un tout sans désir pour l'extérieur. À cette présence, je donnais le nom du Très-Haut, de Yahvé, de Jésus, selon les mystères célébrés. La vie bénédictine ajouta donc à mon dialogue intérieur la prière collective dans le chant de l'office. La voix qui s'exprimait parcimonieusement dans la parole au cours de la journée, s'accomplissait dans le chant grégorien. J'ai toujours cru que la récitation et, surtout, le chant des psaumes au chœur avaient enrichi ma prière et ma démarche spirituelle. C'est d'ailleurs pendant l'office au chœur que je jouis de grâces d'union particulières. La prière publique consacre à Dieu le temps qui passe, les heures et les jours, les nuits aussi. Elle me soutint dans une vie monotone sans communication réelle avec les autres et dont l'idéologie profane (royalisme, pétainisme, droite extrême) ne trouvait aucune résonance en moi. Elle m'aida à supporter et ma solitude et les nuits inhérentes à la vie spirituelle.

Il est de tradition, dans la vie bénédictine, de se référer à l'abbesse comme guide spirituel. Chez les jeunes, c'est la maîtresse des novices qui tient la place de cette dernière. Elle a comme charge principale d'initier les sœurs à la vie de la communauté et d'éprouver l'authenticité de leur vocation. Entre la mère Prudence et moi, il n'y avait aucune sympathie naturelle. Et c'est d'elle que je devais attendre le verdict sur la validité de ma vocation. Or, pendant que j'étais sous sa gouverne, elle recevait souvent dans sa cellule sœur Marie-Paule, très enthousiaste, mais dont la santé et les nerfs étaient fragiles. Quand une novice désirait voir mère Prudence, elle laissait sa carte avec son nom dans sa pochette pour un rendez-vous. J'avoue que je ne manifestais pas un désir ardent de me confier à elle et, est-ce un hasard, presque chaque fois que je laissais ma carte, mère maîtresse était débordée et prenait prétexte que j'étais déjà une moniale exemplaire pour accorder plus de temps aux autres, et surtout à sœur Marie-Paule. À vrai dire, je ne mettais pas en cause ma vocation. J'éprouvais une vague angoisse. Tantôt une espèce d'oppression dans ma poitrine, tantôt un certain flottement, comme si j'étais sans lieu. Cette angoisse, elle l'interprétait comme un signe de l'amour de Dieu qui me mettait à l'épreuve ; je devais donc continuer avec reconnaissance mon apprentissage de la vie bénédictine. Même réponse de l'abbesse que je voyais de temps en temps. Peut-être n'ai-je pas assez insisté pour expliciter ce nœud d'angoisse qui m'étouffait. Après un essai infructueux, j'avais pris la résolution de taire toutes les protestations de mon esprit à l'égard de l'idéologie du milieu. Oui, un jour, alors que madame l'abbesse prônait le retour de la royauté en France, j'avais protesté :

« Mais, madame, Pie XI n'a-t-il pas affirmé qu'en notre siècle la démocratie est la meilleure – ou la moins pire – forme de gouvernement ?

— Ah ! le Vatican n'est pas à l'abri de certaines erreurs. »

Que rétorquer après une affirmation aussi catégorique ? Pour elle, la vérité était tout d'un bloc, une et indivisible. Et cette vérité, même sous son aspect temporel, elle tentait de l'inculquer à ces « pauvres petites Canadiennes » si peu cultivées. D'où les lectures au réfectoire dont j'ai parlé et les conversations à la récréation sur l'impératrice Zita et la duchesse de Bourbon-Parme, devenue moniale à Sainte-Cécile-de-Solesmes. Elle jugeait en effet, à l'aune de ses connaissances en histoire, le savoir et la culture. Or, qu'y a-t-il de plus biaisé que l'histoire ? Même les faits y sont retenus ou occultés, et encore plus, interprétés selon les convictions philosophiques, politiques, religieuses des spécialistes. Ainsi, pour compenser nos lacunes réelles en histoire, nous imposait-elle la tradition historique de Saint-Pierre-de-Solesmes. Était-ce mieux ? Elle nous offrait un nouveau langage, mais sans instrument pour le relativiser et le critiquer. Concrètement, pour moi, ce discours – discutable –, qui se présentait comme une détente et la seule brèche sur le monde extérieur, à la récréation et pendant les repas, était plutôt le lieu d'une tension et d'une contestation muette. Il véhiculait une idéologie qui avait peu de prise au Québec et heurtait mon esprit critique. En tout cas, il me privait de possibilités de communication avec un monde plus près de moi et des autres Canadiennes françaises. Cet aspect de la vie bénédictine à Sainte-Marie contribua sans doute à mon angoisse. Mais pourquoi m'en être tue ? Je croyais pouvoir vivre uniquement dans le spirituel et le surnaturel. Plus ou moins consciemment, je percevais que je ne pouvais m'opposer directement à ce « monde » de la Congrégation de France parce que, dans ce cas, on ne me garderait pas au monastère. Pour l'abbesse, ce « monde », le sien, s'imposait et si nous ne le partagions pas, nous, les moniales et novices d'ici, c'était uniquement par ignorance. Or je croyais et tenais à ma « vocation ». Je n'aurais pas aimé être renvoyée pour des raisons que je jugeais humaines et qui rendaient ma vie plus ardue. En somme, l'argument de la volonté de Dieu à accomplir pendant les moments d'angoisse était aussi le seul que je pouvais entendre. J'étais déjà dans le cercle du discours unique, celui de Dieu qui me parle en tout par mes supérieurs. Peu importe ce qui m'arriverait, c'était Sa volonté !

L'attitude de la mère maîtresse à mon égard, du moins les premiers temps de ma vie à Sainte-Marie, pouvait aussi nourrir mon angoisse. Il y eut une occasion où elle se montra très dure avec moi. Un mal de dents me tenait éveillée depuis quelques nuits. Je n'arrivais pas à la joindre, malgré un SOS que je lui avais laissé dans la pochette de sa cellule. Sœur Marie-Paule avait une crise de dépression. Mère maîtresse vint chercher un plateau pour le repas de cette novice à la cuisine où je travaillais. J'en profitai pour lui glisser un mot sur mon mal de dents. Elle s'indigna : « Est-ce un endroit pour parler de ses petits bobos ! » Je me retins devant elle, puis une fois qu'elle fut partie, j'éclatai en larmes... Pourquoi était-elle si méchante avec moi ? Jamais personne ne m'avait détestée. Et soudain, je compris : sœur Marie-Paule était d'une famille riche d'Amos et moi... une bienfaitrice avait dû payer ma dot. Pour mère Prudence, férue de grandes familles, j'étais la pauvresse qui n'avait droit à aucun égard. Il me fallait observer la règle en silence. « Eh bien, mon Dieu, je me considérerai comme une bête de somme, un ver de terre, mais je serai toujours avec ton Fils qui souffrit jusqu'à la fin. » Encore une fois, l'amour divin l'emporta et sécha mes larmes. Je passai encore quelques nuits sans dormir, attendant la venue du dentiste. Beaucoup plus tard, je me suis demandé si je n'exagérais pas en évoquant ainsi la mère maîtresse. Or je revis, à Montréal, sœur Marie-Anne qui avait quitté le monastère avant ses vœux perpétuels. Elle était au noviciat en même temps que moi. Elle se souvenait de la façon « injuste » avec laquelle me traitait mère Prudence. Ce qui révoltait, paraît-il, le noviciat. Ainsi donc... Et moi qui ne me rappelais pas d'autres faits que celui que je viens d'évoquer et de la difficulté habituelle à la joindre. Il est vrai que, lorsque je commençai à faire la lecture à haute voix au réfectoire, elle se moqua de mon accent de « Mo(n)tréalaise » et m'ordonna de m'exercer à prononcer comme les Françaises. Pourquoi ai-je été la seule qu'elle gourmanda ainsi alors qu'avec mon bac et mes deux années d'université, j'étais la plus instruite du monastère ? J'avais d'ailleurs pris des cours de diction et de théâtre. Mais, pour elle qui n'avait que le certificat d'études, le parler français de la métropole tenait lieu de diplôme et de règle. Peut-être aussi voulait-elle m'humilier. Je ne l'ai compris que beaucoup plus tard, car, dans ma naïveté de novice, ça m'amusait de m'exercer à la lecture avec l'accent de la mère patrie !

Vêture et premiers vœux

Passerai-je un ravin de ténèbres
Je ne crains aucun mal
Près de moi ton bâton, ta houlette
Sont là pour me consoler.

Psaume 23 (22)

Les épreuves que m'imposait la direction boiteuse de mère maîtresse n'eurent pas raison de ma vocation. Au contraire, elles me stimulaient à me réfugier dans le mystère du Christ souffrant, mort et ressuscité. Je fus admise à la vêture huit mois après ma rentrée. J'avais encore vingt ans ! J'en fais le récit en puisant dans mon livre *Par-delà la clôture*, car le souvenir s'est presque effacé de ma mémoire aujourd'hui.

Par un bel après-midi de mai, le samedi dans l'octave de l'Ascension, mais pas si beau que le soleil qui brille en moi, je reçois l'habit monastique en compagnie de la petite sœur Johanne. Je dis « petite » non seulement à cause de sa taille, mais surtout parce que c'est la coutume des révérendes mères de chœur d'appeler ainsi les sœurs converses qui, assignées aux tâches les plus rudes du monastère, récitent un office plus court composé de *Pater* et d'*Ave*. Une forme de bonté condescendante. Pour moi, originaire d'un milieu modeste, je me sens mal à l'aise de constater la présence de classes sociales au monastère, d'autant plus que je suis maintenant du côté des privilégiées. Ainsi, un évêque se dérange pour la vêture d'une sœur de chœur, mais non pour celle d'une sœur converse. Par bonheur, ce jour-là, et grâce à moi, sœur Johanne peut profiter, si l'on peut dire, de mon évêque et être revêtue avec la même pompe qu'une sœur de chœur. Sa présence me donne bonne conscience : je me réjouis de tout partager avec elle, même le chant des antiennes, car sa voix est juste ! Selon la coutume, le convent des moniales nous conduit solennellement à la porte de clôture où nous attend le cortège épiscopal. Protégées par la houlette du pasteur, monseigneur Chaumont, sœur Johanne et moi – en toilette de mariée –, nous nous dirigeons dans le chœur extérieur où nous accueillent nos parents et amis : maman, papa, mes frères Raymond et Robert, tantes Purissima, Lucienne et Claire, des collègues et amies de toujours au Collège Basile-Moreau, des camarades de l'Université de Montréal. Maman avait informé un journaliste de nos voisins, monsieur Loiselle, qui, heureux du *scoop* (ce n'est pas tous les jours qu'une étudiante de l'université entre au cloître), ne cesse de me photographier avec sœur Johanne.

Monseigneur Chaumont, adjoint de l'archevêque de Montréal, préside la cérémonie accompagné du révérend père Beauchamp et de monsieur l'abbé Gagnon, mon père et mon frère spirituels comme je les appelais l'un l'autre. Leur présence me fortifie en ce moment si important de ma vie. J'avançe donc résolument devant monseigneur Chaumont, m'agenouille à ses pieds et, à sa question : « Mon enfant, veux-tu devenir l'épouse du Christ? », je réponds : « Oui », sans hésitation. Monseigneur me coupe alors les cheveux, symbole de beauté et de frivolité, et me revêt de la livrée monastique. Il me remet le scapulaire : « Reçois le joug du Christ. Il est suave et léger! » Tout en passant le voile : « Apprends à vivre cachée avec le Christ à qui tu appartiens désormais comme une épouse à son époux. » Et enfin, la ceinture de cuir : « Sois ceinte de justice et de sainteté. »

Ce rituel s'inspire de la cérémonie des noces chez les Romains. La jeune fille qui renonce au monde vise une union plus haute que celle du mariage charnel. Je m'étais nourrie de ce symbolisme avant la vêture. Ma spiritualité s'en était transformée. J'aspire au titre d'épouse du Christ, auquel la vêture me donne un droit initial. À son tour, sœur Johanne prononce les paroles qui l'engagèrent envers Dieu. Puis les moniales chantent le psaume des épousailles tiré d'Isaïe :

J'exulte de joie en Yahvé,
mon âme jubile en mon Dieu.
Car il m'a revêtue des vêtements du salut,
il m'a drapée dans le manteau de la Justice
comme un époux se met un diadème,
comme une mariée se pare de bijoux.

Les marraines, à l'instar des antiques matrones, ajustent alors nos vêtements nouveaux sous le regard recueilli des assistants, ainsi que nous le révéleront plus tard les photos de monsieur Loiselle.

Après avoir invoqué une dernière fois le secours divin, l'Évêque nous conduit jusqu'à la porte de clôture où il nous remet entre les mains de madame l'abbesse. Je me souviens encore aujourd'hui de la certitude intérieure qui m'habitait lorsque j'accomplis ce premier pas dans la vie monastique. Je me fiais à l'autorité pour décider de l'avenir de ma vocation, comme mon père spirituel m'avait conseillé de le faire. Dois-je ajouter qu'on est très entourées au moment de la vêture, un peu comme une vedette : cette attention de l'entourage réchauffe le cœur de l'aspirante-moniale et crée un état d'euphorie chez elle comme dans la communauté. C'est d'un pas ferme que je franchis ce seuil qui me sépare à jamais du monde, de mes parents et amis : « J'entrerai dans la tente admirable de la Maison de Dieu. Là est mon repos et ma vie », chantai-je avec sœur Johanne. Madame l'abbesse, à la tête du convent, nous accueille. Nous nous dirigeons en procession vers le chapitre où chacune des sœurs nous donne l'accolade. Dieu me gratifie d'une nouvelle famille pour accomplir mon pèlerinage vers la patrie céleste. Je me sens vraiment son enfant, comme me le signifie la présence de madame l'abbesse qui, tenant en sa main droite la houlette du Pasteur, me guide de sa gauche.

Le lendemain, je repris les activités du noviciat où je devais rester encore trois ans : un an avant les vœux temporaires et deux autres après ; ensuite, je passerais à la communauté pour y prononcer plus tard mes vœux perpétuels et y recevoir la consécration des vierges. La vie monastique se déroule toujours si régulièrement que j'ai déjà tout dit de ma vie au noviciat. Elle suivit son cours dans la foi, la confiance et la ferveur. J'acceptais de mieux en mieux la mère maîtresse comme une épreuve voulue par Dieu, en m'identifiant aux souffrances de Jésus. Je développai une dévotion à l'égard de la Vierge Marie, mère de Dieu : elle sera ma vraie mère. J'étais une personne joyeuse. Je me réjouissais de mes peines qui me rapprochaient de Dieu : je communiais au mystère de la Passion du Christ avec la certitude de ressusciter avec lui. Je ne pensais pas tant à la Parousie qu'à cette transformation de l'être souffrant en être glorieux dès cette vie : la sanctification. La pratique de la règle me devint habituelle comme celle de la charité ; le soliloque amoureux avec Jésus, de plus en plus constant. Des novices, qui n'étaient restées que quelques mois à Sainte-Marie et que j'ai revues plus tard, me considéraient comme la parfaite moniale. Imaginez : pendant la cueillette des framboises, je n'en mangeais aucune, alors qu'elles... Comment moi, si gourmande ? J'avoue que je n'y pensais même pas ! J'étais alors plongée dans une profonde méditation.

Avant de clore le récit de ma vie au noviciat, je souhaite évoquer mère Yvonne, ma professeure de latin. Sans doute à cause de l'affection et de la reconnaissance que j'eus pour elle. Mais aussi parce qu'elle était un personnage et, en quelque sorte, une note discordante dans l'unanimité du monastère. Cette esquisse, que j'emprunte à *Par-delà la clôture*, peut répondre à certaines questions que l'on se pose sur les religieuses depuis Diderot.

Je rencontrai mère Yvonne pour la première fois lorsque je vins à Sainte-Marie m'informer de la vie monastique. C'est elle qui me reçut à titre de prieure. Elle m'interrogea soigneusement sur ma vie et surtout sur mes études. La philosophie, dont elle avait la passion, établit un premier lien entre elle et moi. Je fus surprise, lors de mon entrée au monastère, de ne pas la voir à la stalle prioriale. L'on me dit que son mauvais état de santé l'avait obligée à donner sa démission. Quelques jours après, mère maîtresse vient m'avertir, avec beaucoup de circonspection, que je serais l'élève en latin de mère Yvonne : j'étais assez avancée dans la langue de Cicéron pour prendre, avec l'aînée du noviciat, sœur Anne, le cours sur la traduction des *Confessions* de saint Augustin.

« Les attitudes de votre professeure vous surprendront peut-être, ma sœur, ajouta mère maîtresse. La maladie de mère Yvonne se manifeste sous forme d'allergie aux odeurs. Elle fuit donc les lieux conventuels, car l'air qu'on y respire y serait “empesté”. »

Mère maîtresse prononçait ces mots avec beaucoup d'emphase, m'indiquant ainsi qu'elle ne croyait pas aux malaises de mère Yvonne.

« Vous ne la voyez plus au chœur, elle ne vient au réfectoire que pour son repas et elle quitte ce lieu parfois à la course, étouffée, les larmes aux yeux.

— Pourquoi n'est-elle pas avec la communauté pendant la récréation du midi au jardin ?

— C'est que le vent apporterait des fosses sanitaires certaines odeurs polluées sur les sentiers de la promenade. Mère Yvonne a toujours été une originale et elle a des maladies qui le sont aussi. Cependant, ma sœur, vous lui devez de la reconnaissance ; c'est elle qui nous a fait venir de France, avec mademoiselle Mathys qui a quitté le monastère depuis. C'est sa ténacité de Bretonne – ses parents ont émigré au Canada alors qu'elle n'avait que trois ans – qui a eu raison de toutes les résistances épiscopales. Tant qu'elle a pu, elle a suivi la règle scrupuleusement. Mais au fond, elle a un tempérament d'ermite. »

Les discours de mère maîtresse, débités très rapidement, me laissaient souvent perplexe : je les trouvais pleins de contradictions. Ainsi, mère Yvonne était-elle une malade ou une maniaque ? Était-elle une recluse ou une dissidente ? De toute façon, la communauté n'acceptait pas d'être ainsi fuie. Je remarquais que les sœurs qui la croisaient se regardaient avec un regard entendu, furtif : « voici notre lunatique ! » Mère Yvonne demeurait imperturbable, comme si elle ne s'apercevait de rien. Elle continuait son chemin, solitaire et décidée, se retirant toujours plus de la communauté.

Maintenant, je me rends seule à la cellule de mère Yvonne pour mes cours de latin ; mère Anne, qui a reçu hier la consécration des Vierges, ne viendra plus aux leçons. Je frappe à la porte de ma professeure. « Deo gratias ! » La porte s'ouvre juste assez pour me laisser passer et est refermée hermétiquement. J'ai eu soin de soulever la coulisse en forme de trèfle au centre de la porte, car la règle nous dit que l'on ne peut entrer dans la cellule d'une sœur – pour quelque nécessité – sans accomplir ce rite : les moniales n'ont pas la permission de communiquer ni de s'isoler à deux ou trois. Cependant, mère Yvonne, avec la permission de l'abbesse, avait collé un papier cellophane transparent dans l'ouverture en trèfle, de telle sorte que nous puissions être vues sans que l'air du corridor pénètre chez elle.

Mère Yvonne ouvre toutes grandes les fenêtres – même si nous sommes en février – prend quelques grandes aspirations. Je remarque qu'elle a calfeutré les blocs de béton dont le ciment s'effritait, ainsi que les côtés de la porte : sa maladie doit s'accentuer ! Elle revient à sa table de travail où je l'attends debout, selon le respect dû à une ancienne.

« Sœur Thécla, vous permettez que je vous embrasse, c'était votre fête hier ! »

Elle me donne deux baisers sonores sur les joues, comme l'a fait chacune de mes sœurs, mais elle me regarde tendrement avec des yeux humides d'épagneul et me retient près d'elle plus longtemps que la coutume ne l'exige. Je me sens un peu gênée, mais je n'ose protester. Maintenant, je suis la seule des élèves de mère Yvonne, le seul lien qui la rattache à la communauté. Rien d'étonnant à ce qu'elle me témoigne autant d'affection.

« Ma petite sœur, comment avez-vous aimé la cérémonie de la consécration ?

— C'est magnifique, ma mère ! Grâce à vous, j'ai compris à peu près toutes les formules du rituel.

— Quand ce sera votre tour, nous étudierons en détail ces antiques prières, puis les traités de saint Cyprien, de saint Ambroise et de saint Augustin sur la virginité. Pour le moment, vous n'en êtes qu'à la première profession. »

Le bras de mère Yvonne est appuyée sur le dossier de ma chaise : de temps en temps, il s'approche de mes épaules. Je me sens émue. Maintenant, il repose fermement sur moi :

« Ma chère petite sœur, comme je suis heureuse que vous soyez rattachée à notre ordre par les vœux. »

Le visage de mère Yvonne brille, je ne l'ai jamais vu aussi resplendissant, aussi chaleureux. Je rougis de timidité, je ne sais que dire, que faire... Puis tout en regardant ma professeure avec affection, je me dégage doucement. Je prends notre bréviaire et commence la traduction des leçons de l'office du jour. Mère Yvonne se ressaisit : elle est avant tout une bonne moniale et une intellectuelle rigoureuse. Le cours se déroule comme à l'habitude, sauf que par moments ma professeure s'approche de moi et je sens son souffle brûlant sur ma nuque.

Il serait donc vrai que mère Yvonne aurait une affection particulière pour moi ! Mère maîtresse, mes sœurs, avaient remarqué qu'elle m'aimait bien, mais pas de cette façon, car elles la croyait froide et sévère. Il me semblait qu'il ne s'agissait pas seulement de l'affection du professeur pour une élève douée. Je m'en doutais un peu, mais, aujourd'hui, j'en suis plus certaine. Devais-je parler de cela à mère maîtresse, à madame l'abbesse ? Je croyais que ni l'une ni l'autre n'aimaient mère Yvonne. Ce qui d'ailleurs me surprenait fort, surtout d'une personne aussi sainte que madame l'abbesse. Si je confiais mes inquiétudes à l'autorité, mère Yvonne en subirait sûrement le contre-coup : son isolement serait accru. Non, je me tairais, mais je prierais le Christ de purifier cette amitié, dont, pour ma part, je refuserais les manifestations extérieures.

En 1953, je passai à la communauté. J'en étais très heureuse. Non parce que j'étais délivrée de la mère maîtresse en qui je ne voyais plus que la présence divine, mais je voulais devenir un numéro comme les autres, parvenant ainsi à ce huitième degré d'humilité que décrit saint Benoît dans sa règle : « Ô Dieu, je ne suis qu'une bête de somme, mais je suis toujours avec toi. » Anéantissement de la créature devant son Dieu. Vertige de la disparition en lui. J'étais déjà la sainte du noviciat ! Les mères de la communauté avaient les yeux fixés sur les sœurs du noviciat pour qui elles devaient voter l'admission irrévocable dans l'ordre. Je sentais qu'elles m'aimaient beaucoup et m'admiraient même. Avaient-elles perçu l'attitude de mère maîtresse à mon égard ? Plus tard, j'ai compris que celle-ci ne faisait pas l'unanimité au sein de la communauté. Énervement causé par son agitation ? Jalousie de par sa proximité avec madame l'abbesse ? Les moniales revivaient-elles, à travers moi, leurs propres difficultés à son égard ? De toute façon, je souhaitais être oubliée. Ce souci d'être cachée, oubliée, perdue dans la communauté peut étonner : il ne correspond pas à ma personnalité. Justement, il témoigne de ce renversement qui s'opérait en sœur Thécla, si avide de communication. N'ayant pu en jouir au noviciat, elle y renonçait d'une façon radicale. Encore ici, elle se réfugie au plus profond de la présence divine qui l'habite. Il faut ajouter que les sœurs à la communauté, tout comme au noviciat, n'ont pas le droit de se parler. Elle désire s'enfoncer dans ce silence : c'est la règle du jeu.

Consécration et vœux solennels

Je suis noire et pourtant belle, filles de Jérusalem,
C'est le soleil qui m'a brûlée
Son bras gauche est sous ma tête
Et sa droite m'étreint
Mon bien-aimé est à moi, et moi à lui.

Cantique des cantiques
I, 5-6, II, 6-16

Je me préparai avec ferveur à mon dernier engagement. Madame l'abbesse m'aida de ses conseils. Mais elle me vit très peu. Toujours son âge et sa santé. De toute façon, mon état d'esprit la rassura. Elle insista sur le vœu de stabilité dans le monastère, que je devais prononcer en même temps que ceux de pauvreté, de chasteté et d'obéissance. Ce vœu est propre à l'ordre bénédictin. Certes, on peut en être relevé pour la fondation d'un autre couvent ou quelque nécessité importante, mais il indique bien le caractère du monachisme bénédictin. Au temps de saint Benoît, il y avait trois catégories de moines : les gyrovagues, qui erraient de couvent en couvent, les anachorètes ou ermites, qui vivaient seuls dans un lieu retiré, et les cénobites, qui optaient pour la vie communautaire dans une abbaye. C'est pour ces derniers que saint Benoît écrivit sa règle en 529 : il stabilisa la vie monastique dans un couvent, le Mont-Cassin, pour éviter les excès des gyrovagues et les difficultés de vivre en ermite. En prononçant mes vœux, je faisais donc le choix d'une communauté bénédictine où je passerais ma vie. Ce qu'ajoutait le vœu de stabilité aux trois autres vœux que je devais prononcer, c'est un caractère d'enfermement plus radical. Que j'étais loin de ma vocation première, *on the road* : l'errance ! Je vivrais donc toute ma vie bénédictine à Sainte-Marie des Deux-Montagnes ! Aujourd'hui m'apparaît mieux le type de sacrifice exigé de moi : celui de la communication avec l'extérieur, certes, mais aussi à l'intérieur, puisque les échanges spirituels avec les sœurs n'étaient pas autorisés. De plus, les conditions spécifiques de Sainte-Marie m'obligeaient à une solitude plus totale : une abbesse plus jeune voit davantage ses filles, un monastère plus ancien possède des lieux de recherche, des ateliers d'art, de broderie, une hôtellerie que fréquentent des habitués, amants de la vie monastique. Alors, sous la direction de l'abbesse, certains échanges se déroulent entre les sœurs et les hôtes. N'était-ce pas présomptueux de ma part de m'engager ainsi ? Peut-être, mais je pouvais mettre à mon crédit d'avoir, au noviciat, transformé mon isolement en une solitude intérieure contemplative. De toute façon, j'étais bien incapable en ce temps-là d'analyser les aléas du vœu de stabilité. Madame l'abbesse, elle, en était plus consciente, je crois. C'est ainsi qu'elle me confia l'enseignement du latin à deux novices, ce qui occasionnait deux heures de communication par semaine.

La révérende mère prieure m'avertit que je devais faire mon testament. Je protestai en riant que je ne possédais rien, mes parents non plus. Ah ! on ne sait jamais. Selon le conseil du notaire, je le fis au profit des héritiers légaux. L'héritage, cette vieille institution de la société patriarcale, avait enrichi bien des monastères sous l'Ancien Régime. Avec moi, l'abbaye Sainte-Marie risquait peu d'échapper à la bienheureuse pauvreté ! Cette formalité me rendit l'idée de la mort très proche. Je l'acceptais alors avec allégresse. Surtout, elle accentua le caractère inéluctable des vœux que je prononcerais.

Le 30 mai 1954, en la fête de sainte Jeanne d'Arc, patronne secondaire de la France, modèle de virginité, de courage et de fidélité, je m'engageai définitivement à Dieu et je reçus la consécration des vierges. La cérémonie est d'un luxe liturgique hors de l'ordinaire : elle célèbre les noces célestes du Fils de Dieu avec une créature qui meurt et renaît symboliquement, pendant que le mystère de la croix est actualisé dans le chant de la messe. Encore ici, j'ai recours à *Par-delà la clôture* comme à un document plus près de l'événement et du vécu de mes émotions que le récit que je pourrais en faire aujourd'hui.

Je vis d'une façon intense cette adhésion de tout mon être au mystère du Christ. La présence de mes sœurs, de mes frères en saint Benoît, venus en grand nombre, car la cérémonie est présidée par leur père abbé évoque la cour céleste des anges et des saints. Je me sens littéralement portée jusqu'au trône de la divine majesté. À la suite de Jeanne, comme le Christ, avec lui et en lui, je me livre à la flamme de l'Esprit : *in vinculo caritatis* (dans les liens de l'amour), c'est ma devise.

J'aperçois obscurément l'unité du lien qui va de Dieu à moi et de moi à Dieu. Le Christ est le nœud par lequel toute l'humanité est incluse dans ce lien, si bien que mon engagement en est un à la fois avec Dieu et avec les hommes. « Ô sainte Jeanne d'Arc, toi qui t'es consumée d'amour pour Dieu et la France, aide-moi à marcher sur tes traces, à sauver mes frères ! » Je pense à mes amis Paul, Jean, André et à tant d'autres attirés par le marxisme communiste, ou par l'existentialisme athée. Je pense à ceux qui souffrent, à ceux qui ont faim de pain, à ceux qui ont soif de tendresse, à tous les hommes, mes frères, et je me consacre à Dieu pour qu'ils aient la joie.

Moi-même, je me sens profondément heureuse : mon angoisse, qui m'a quittée en ce jour, prenait une signification de plus en plus précise. Elle est vertige en face de l'Absolu, mort agissant pour que la vie triomphe, souffrance pour le salut des hommes.

À la fin de cette journée, je dépose la couronne de roses dont ma tête est ceinte. L'anneau à mon annulaire gauche ne doit plus jamais me quitter : le nom de Jésus et le mien, Thécla, y sont gravés éternellement – du moins, je le crois !

Au lendemain de ma consécration, la vie continua comme avant, si ce n'est que j'y apportais une plus grande ferveur encore. Il est difficile de rendre sensible à qui ne la partage pas l'épaisseur du temps dans la vie monastique. Y contribuent les rituels du quotidien, la sclérose des gestes, l'usure de l'habitude. Grisaille, ennui, somnolence. Les heures liturgiques sont là pour rompre la monotonie des jours et transformer un temps répétitif en vie éternelle. Et encore! À la condition que les chants ne deviennent pas des rengaines. Seul, le jeu du dialogue amoureux tire l'âme de sa torpeur et de la léthargie ambiante. Là où il n'y a que répétition, il inscrit les marques d'un itinéraire spirituel. La moniale n'a pas le choix : ou la montée du Carmel ou l'inéluctable sédimentation des choses terrestres. À titre de mère de chœur, j'avais l'honneur de présider les offices pendant une semaine. Redoutable responsabilité pour quelqu'un qui chante faux! Avant chaque office, je pratiquais à l'harmonium. Hélas! les résultats n'étaient pas convaincants, sauf quand le *recto tono* était d'usage. Madame l'abbesse confia à une moniale le soin d'entonner doucement avec moi, ce qui fut plus efficace. Par ailleurs, elle me nomma officière de la buanderie, aide à la lingerie et à la cuisine pour le service du midi, et professeure de latin. Telle était ma feuille de route : mon temps à sanctifier.

À la récréation, on parlait beaucoup de la construction de l'église et de l'agrandissement du monastère. Madame l'abbesse voulait ainsi achever son œuvre au Québec. Pour elle, c'était très important, car l'église consacrée est le privilège des grands ordres; il y avait presque toujours une église consacrée depuis des siècles là où les moines et les moniales restauraient une abbaye désaffectée.

Le cardinal Léger approuvait le projet et cherchait des subventions. Les bienfaiteurs s'engagèrent à recueillir des fonds. Ma mère organisa parties de cartes sur parties de cartes au bénéfice des bénédictines et mit dans le coup madame Sauvé, la femme du député de Deux-Montagnes. Enfin, la construction démarra et, malgré certains retards, arriva à terme. Chez les moniales, la consécration s'accompagne de l'émission des vœux solennels que nous, nous n'avions pas pu prononcer faute d'avoir cette église consacrée. Les vœux solennels étaient les mêmes que les vœux perpétuels, mais les premiers impliquaient, au point de vue canonique, une consécration encore plus profonde à Dieu. Ainsi, seul le pape pouvait relever une moniale des vœux solennels.

Dans la vie bénédictine, je l'ai déjà souligné, le rituel des fêtes liturgiques et celui des cérémonies de passage – vêture, vœux temporaires, consécration des Vierges, bénédiction d'une abbesse – sont le principal ressort de la vie spirituelle. Quelle grâce que de pouvoir se préparer aux cérémonies de la consécration d'une église et au renouvellement de ses vœux sous la forme solennelle. Et qu'on ne pense pas qu'il s'agisse seulement de conformisme, de snobisme et d'esthétisme. Non, pour les moniales ferventes, un lien se crée entre les gestes, les mots et la vie intérieure. Cet accord profond caractérise la spiritualité bénédictine. Dans la célébration, l'Esprit survient et sanctifie le lieu physique, l'église, en même temps que les participants de l'office. J'étais donc très stimulée comme les autres moniales par l'étude du rituel de la consécration d'une église, que je faisais traduire à mes deux élèves de latin. Cependant, j'hésitais à renouveler mes vœux sous la forme solennelle. Une « nuit obscure » m'enténébrait. J'étais en proie à une crise d'angoisse presque insurmontable. Je me sentais indigne de tant de grâces. Mère prieure, à qui je me confiais, m'encourageait de toutes les manières possibles. « Qui est vraiment digne de l'appel divin ? Dieu est miséricorde. Pensez à votre devise, vous êtes dans les liens de son amour. »

Et quand je lui exprimais mon désir de renouveler mes vœux comme sœur converse, elle n'était pas du tout d'accord : l'office d'*Ave* et de *Pater* ne me nourrirait pas suffisamment et les travaux manuels dépasseraient mes forces. Non, elle était certaine de ma vocation de moniale. Elle fit tomber mes scrupules et, le 11 octobre 1956, avec le convent des sœurs de chœur, je renouvelai mes vœux. Je ne me rappelle pas bien de la cérémonie, ni même de la consécration de l'église qui l'avait précédée de quatre jours. À cette occasion, la clôture avait été ouverte : nos parents, nos amis, les voisins, avaient envahi le monastère. Je ne me souviendrais de rien si je n'avais vu des photos. Cette invasion de l'extérieur a brouillé mes souvenirs religieux.

Après ces événements, Dieu déversa sur moi une pluie de grâces. Mon oraison, déjà passive, consistait à me livrer à l'action de son amour. Jésus prenait de plus en plus possession de moi. Je me pliais à tous ses désirs ; un feu intérieur me dévorait et me portait au service des autres. Je ne m'appartenais plus !

Illuminations et extases

La gloire de Celui que tout émeut,
Dans l'univers pénètre et va resplendissant,
Plus d'une part et moins en autre lieu.

Au ciel, que plus de sa lumière prend,
Je fus et vis des choses que redire
Ne sait ni peut, qui de là-haut descend.

DANTE

En ces années-là, le révérend père Mayo, régent des études chez les dominicains et frère de mère Domitille, vint nous initier à la lecture de la Bible en tenant compte des genres littéraires, des découvertes des manuscrits de la mer Morte et des études des moines de son ordre dans ce domaine. Je retrouvais l'esprit de ses conférences dans la Bible de Jérusalem que madame l'abbesse m'avait autorisée à demander à mes parents et dont je me nourrissais presque exclusivement. La traduction, plus près du texte original avec la référence au mot hébreu, me donna le goût d'apprendre cette langue dont le père nous donna quelques rudiments. Un appareil thématique et des références aux lieux parallèles nous fournissaient des clés pour approfondir les liens entre l'Ancien et le Nouveau Testament. Certes, cette initiation exigeait un travail de l'esprit, mais après un certain effort, la parole de Dieu me pénétrait et ne cessait de me porter dans l'oraison et dans l'office. Ce fut un éblouissement qui donna lieu à des expériences spirituelles dont je parlerai plus tard.

Peu après, décéda notre révérend père chapelain, dom Flicoteaux. C'était un moine austère, très discret, un liturgiste distingué qui publia plusieurs livres. Je ne me rappelle pas lui avoir fait des confidences. Quant je suis entrée à Sainte-Marie, il n'y était pas encore. Le révérend père dom Jamet venait de mourir en laissant un souvenir inoubliable. Il était très près des mères françaises. Mais les Canadiennes l'aimaient aussi. Ne travaillait-il pas sur Marie de l'Incarnation ? Les spécialistes reconnaissent ses publications. Ce sont les moines de la Congrégation de France, particulièrement de Solesmes, qui avaient jusque-là assuré les services religieux à Sainte-Marie. Pour l'intérim, l'abbaye Saint-Benoît-du-lac nous offrait des remplaçants. J'aimais bien ces moines de Saint-Benoît qui, parfois, demeuraient des mois près de nous. Leur sensibilité et leur langage étaient plus près des nôtres que ceux des Français.

À la fin, le révérendissime père abbé de Solesmes nous envoya un moine d'une grande valeur, nous disait-il, un historien qui, à cause de ses travaux, ne vivait pas à Saint-Pierre. Le père Desmeules avait une personnalité très différente de notre précédent chapelain et de nos mères françaises. Très direct, il ne se gênait pas pour dire ce qu'il pensait. En peu de temps, nous connûmes ses opinions politiques et sociales : elles n'étaient pas celles de madame, mais comme il était plein de gentillesse et même de charme, notre abbesse ne l'en admirait pas moins. Il avait une vie spirituelle si intense ! Ses conférences, son ardeur, quand il célébrait les mystères, et ses conseils au confessionnal en témoignaient. Les Canadiennes s'aperçurent vite qu'elles pouvaient être elles-mêmes (accent et canadianismes y compris) avec lui et dans leur vie spirituelle. L'Absolu dans le sacrifice de notre affectivité et de notre personnalité n'était pas essentiel à la sainteté. Un grand vent de liberté souffla sur l'abbaye Sainte-Marie.

Or, voici que des événements se passent dans ma vie intérieure. Il ne s'agit plus de mon oraison quotidienne, même passive, ni de l'élévation de mon esprit dans le chant de l'office, mais d'une force extérieure qui m'attire hors de moi tout en m'enveloppant de ses rayons, et qui produit des effets même physiques : bouleversements, ravissements, illuminations, engourdissement du corps, suivis, après le repos, d'une légèreté qui rend difficile la concentration sur des tâches matérielles. Serait-ce une extase ? Malgré la joie que me confère cet état, j'en suis inquiète. Madame l'abbesse nous avait mises en garde contre les grâces extraordinaires : elles ne sont pas des signes de sainteté. Elles peuvent être « machinées » par l'Esprit mauvais et nuire à la vie commune. De toute façon, elles n'appartiennent pas à la tradition bénédictine de la Congrégation de France. Que faire ? S'en ouvrir à l'autorité ?

À la demande du père chapelain, je lui écrivis une lettre pour lui faire part des transformations survenues dans ma vie spirituelle et de mes inquiétudes. Je spécifiais que je m'adressais à lui du fait que madame l'abbesse n'était pas visible. J'espérais secrètement que madame ou la mère prieure, à la lecture de cette lettre, m'aménageât des rencontres avec le père chapelain, ou me donnât elle-même une direction spirituelle :

Révérend et cher Père,

L'irruption de l'Esprit dans ma vie se fit de cette façon. C'était quelques jours avant Noël, le 17 décembre précisément. Nous étions au chœur pour les vêpres... Au moment où, à la fin de l'office, notre mère entonna la première des antiennes Ô Sapientia, toi qui est sortie de la bouche du Très-Haut, il me semble que tout ce qui m'entoure disparaît, je suis comme ravie en cette Sagesse qui est le Fils même de Dieu, je perçois avec délices l'acte par lequel le Père engendre le Fils et je me sens prise dans le retour du Fils dans le Père. Retour ineffable, car la divine Sagesse s'étend d'une extrémité du monde à l'autre et dispose de toutes choses avec force et douceur, embrasse toute la création, tous les hommes et toutes les Églises, l'Orient et l'Occident, et je participe à ce divin embrasement.

L'impression est tellement forte que je perds contact avec ce qui m'entoure, mais pas au point que je n'accomplisse machinalement les mêmes gestes que mes sœurs, puis je reviens lentement et avec peine aux contingences du monde environnant. Après l'office, je fais oraison sur notre lit – vous savez que mon état de santé m'impose actuellement un repos relatif – et je me replonge par l'évocation dans le mystère que je viens de vivre si intensément. Je me contente d'en jouir dans l'action de grâces... La sœur infirmière vient me porter un médicament : « Sœur Thécla, comme vous êtes resplendissante... vos yeux brillent... brillent... » J'ai peine à prononcer quelques mots. Je lui souris en murmurant merci. Après, quand je dois descendre pour mon travail à la cuisine, je sens mon corps extrêmement léger, mais mon esprit est comme perdu, il ne peut être attentif aux menus de la cuisine, ni à rien de concret. Et c'est avec un effort inouï que j'arrive au bout de ma tâche quotidienne. C'est ce qui m'inquiète dans ces grâces d'oraison que je continue de recevoir : elles me transportent dans une réalité sublime et me rendent très difficile mon devoir d'état. Est-il nécessaire que je vous raconte d'autres grâces du même genre ? Peut-être pourrai-je le faire régulièrement au confessionnal quand je vous y demanderai ? Vous savez que cela me coûterait beaucoup de vous faire venir au confessionnal par l'entremise de la sacristine, d'être pour ainsi dire à la vue de la communauté, puisque le confessionnal est adjacent à l'église et au cloître. Je m'y résoudrais en toute humilité, mais je préférerais le parloir de madame, beaucoup plus discret. Dans une de ces grâces, c'était la fête du Saint-Nom-de-Jésus, au moment où le chœur chantait exinanivit semetipsum *(Il s'est anéanti lui-même), je me sentis prise moi aussi dans le mystère d'anéantissement du Christ. Peut-être devrais-je vivre l'humiliation à sa suite. Mes sœurs m'aiment et m'admirent sans doute un peu trop. En agissant à l'encontre de nos usages – même si j'en ai la permission – je risque de les scandaliser et de les heurter. « Mais soyons forte, sœur Thécla, vivons pour Dieu seul. »*

Ni madame l'abbesse ni la mère prieure ne s'offrirent à me diriger ni ne m'aménagèrent des rencontres avec le père chapelain. Je demandai donc à voir celui-ci au confessionnal en dehors de la confession de la communauté. Avant toute chose, le père me rassura :

« Vous êtes une bonne moniale, l'Esprit s'empare de vous : il vous incite à l'humilité et vous révèle un peu le mystère d'amour de la Trinité ; il vous invite à prier pour l'unité des églises. Tout cela, c'est la doctrine chrétienne. Pour le moment, vous ressentez ces grâces dans votre corps, mais peu à peu ces fortes émotions s'atténueront, vous les supporterez mieux. Vous volerez vers vos tâches quotidiennes comme la grande Thérèse vers ses fondations. »

Et il me parlait de l'amour du Christ pour moi, me commentant un passage de l'Évangile. Je lui répondais par une interprétation de la Bible qui lui en rappelait une autre. Comme les disciples d'Emmaüs, nous étions ardents dans notre évocation de Jésus présent parmi nous. Je crois qu'il voulait apprivoiser l'humain en moi : ma sensibilité, mon corps, ma chair. Et il est vrai que pendant ces entretiens, jamais rien ne me troubla, même si quelquefois notre ferveur commune pour le Christ était telle que je pensais que nos corps s'élevaient. Mais n'en était-il pas ainsi justement pour Thérèse d'Avila et Jean de la Croix ? J'étais si peu habituée à partager par la parole ma vie intérieure. Le feu que nous ressentions ensemble s'expliquait par l'objet de notre échange. Encore aujourd'hui, même si j'ai appris que la sexualité pouvait avoir eu part à notre eucharistie, je pense que nous la sublimions alors, et qu'il en aurait été de même dans une pareille rencontre avec la mère prieure.

Les effets en étaient bienfaisants pour moi, pour la communauté aussi : le père développait, à la conférence du dimanche, ce que nous avions échangé dans l'ombre du confessionnal. La paix revenait tout doucement dans l'abbaye. Je dis : « revenait », car plusieurs dépressions s'étaient déclarées depuis les travaux, la construction de l'église et l'émission des vœux solennels. Mère Huguette, une fondatrice française, avait dû subir une cure de sommeil de vingt et un jours dont elle se remettait avec peine. Une Sévrienne ! Elle était comme un zombi. Mère Marie-Berthe multipliait ses lubies. Avec une dispense temporaire du vœu de stabilité, on avait envoyé mère Camille et mère Marie-Antoine dans un monastère à Jérusalem, pour les aider à surmonter leurs difficultés nerveuses. Le tonus de la mère sous-prieure baissait également. Les crises d'asthme de mère Honorine se multipliaient. Mère Marina et mère Marcelle demeuraient dans leur cellule ; je rendais visite à la première pour écouter ses doléances : elle faisait une critique en règle du gouvernement de la communauté. Or, le père Desmeules accordait à toutes l'écoute qui leur convenait et répondait à leur attente spirituelle dans la conférence du dimanche. Un renouveau s'instaurait à l'abbaye.

Nuit obscure

Où es-tu caché
Mon Aimé ?
Où m'as-tu laissée
À pleurer ?

JEAN DE LA CROIX

C'est une chose rude et pénible
qu'une âme ne s'entende pas
et ne trouve personne qui l'entende.

JEAN DE LA CROIX

En ce temps-là, madame l'abbesse me fit venir à sa cellule. Elle avait entendu des sœurs se plaindre de mes visites au confessionnal. Elles en étaient scandalisées. Mais elle, l'abbesse, avait toujours confiance en moi. Aussi me demandait-elle, sans me l'ordonner, car le droit canon le défend, de ne plus chercher à voir le père chapelain au confessionnal en dehors des confessions régulières.

Je ne pouvais qu'obéir en bonne moniale que j'étais. J'offris au Seigneur le sacrifice qu'il me demandait. Je ne fis pas de drame, je refoulai ma peine. J'accomplissais mon devoir d'état, mais comme une automate. Le père Desmeules voulut intervenir ; je l'en dissuadai : je voulais mon obéissance totale. Une idée vint à m'obséder : l'autorité avait désavoué les derniers mois de ma vie ! « Pourtant, je ne voulais qu'accomplir Ta volonté, ô mon Dieu ! Pourquoi donc mes directeurs spirituels ne se sont-ils pas concertés pour me guider d'une façon claire ? » Je perdais pied, je ne savais où m'accrocher... Madame l'abbesse était toujours aussi absente de notre vie, la mère prieure ne pouvait la désavouer et j'avais refusé l'intervention du père chapelain. Je suis encore bouleversée quand j'y pense aujourd'hui : si je n'avais pas eu cette injonction de madame l'abbesse, si je n'avais pas été aussi absolue dans mon sacrifice, je serais encore au monastère, vivante ou morte – plusieurs de mes sœurs plus vieilles ou plus jeunes moururent du cancer dans la fleur de l'âge ! Je priais d'une façon presque désespérée.

Parfois, il m'arrivait à la nuit de retrouver en Dieu cet état de quiétude bienheureuse, mais, dans la chaleur du lit, je sentais mon corps s'agiter de telle sorte que s'opérait comme malgré moi un mécanisme masturbatoire qui m'effrayait. Parfois, l'image du père Desmeules s'imposait à mon imaginaire et suscitait mon désir de lui. Ce qui m'apparut une tentation encore plus redoutable. L'interdit provoquait ma sexualité, alors que la parole l'avait sublimée ! Je ne me laissai plus aller à la prière, même passive. Il valait mieux que je guérisse pour faire oraison ensuite. D'autant qu'il m'était arrivé une drôle de chose lors d'une leçon à matines. J'étais au pupitre, un énorme meuble de chêne qu'on arrivait à peine à déplacer même à deux, chantant un commentaire de saint Jean sur l'amour du Père qui vient faire sa demeure dans le croyant : *Amo Christum*. Je sentis alors mon corps vibrer fortement, s'élever, je m'agrippai au pupitre qui se balançait avec moi d'un côté à l'autre. À la fin, je me rendis péniblement à ma stalle. Encore aujourd'hui, je ne sais au juste ce qui m'était arrivé, ce que mes sœurs en avaient pensé. Le lendemain, j'interrogeai mère prieure : elle répondit évasivement. Cet incident me troubla singulièrement. Étais-je en train de devenir folle ?

En même temps, des officières ne cessaient de se plaindre de mon travail à la buanderie. C'était telle tache résistante sur le linge d'autel, telle autre sur les nappes des hôtes. Je n'y arrivais pas. Une machine cassa. Je me désespérais. Les propos désagréables de quelques sœurs persistaient. La surexcitation de la communauté, loin de diminuer, s'accroissait à nouveau. La nuit, je n'arrivais plus à dormir. Si je somnolais quelques minutes, des cauchemars me réveillaient : des femmes me poursuivaient, la mère maîtresse, ma mère. J'avais une diarrhée presque continuelle. J'étais exténuée. Mère prieure m'envoya à l'Hôtel-Dieu de Saint-Jérôme subir des examens. Au point de vue physique, je n'avais rien ! Que faire ? Et toujours les insomnies. On me soumit à un repos complet.

À ce moment de mon histoire, j'aime évoquer votre image sœur Angelina. Compagne de mon noviciat, vous fûtes, pendant ces quelques années qui me restèrent à vivre à Sainte-Marie, l'ange commis à ma garde. La charge d'aide à l'infirmerie vous y disposait, mais seul votre cœur vous fit l'accomplir avec une telle gentillesse, une telle énergie. Jamais je ne me sentis jugée par vous. Votre dévouement n'avait de limites que vos obédiences autres et l'office divin. Mère prieure avait décidé qu'une cure de repos s'imposait pour moi. Vous transportiez ma chaise longue et tout mon barda dans un coin du jardin. L'air ne pourrait que me ragaillardir. Il me fallait m'occuper pour ne pas céder au découragement. Je pelais des légumes, je pliais des cartes de Noël. Ma seule prière était de feuilleter des livres d'art représentant la Vierge Marie, les églises romanes, les cathédrales. Je pouvais me laisser aller au sommeil, m'avait-on dit. Mais impossible de fermer l'œil. Des rêves m'envahissaient... plutôt des cauchemars. Parfois, je ressentais un besoin de m'étendre sur l'herbe, de m'enfoncer dans la terre. Retrouver mes racines ou m'anéantir ? Ces états excessifs provoquaient chez moi une angoisse insupportable qui aboutissait à une vive critique de la communauté telle qu'elle fonctionnait alors. Mon soulagement immédiat, tout comme la règle l'ordonnait, était d'aller m'en ouvrir à la mère prieure. Je courais vers elle. D'une voix haletante, saccadée, je lui exprimais mes craintes pour l'avenir de Sainte-Marie, sans rien omettre des appréhensions à l'égard de son propre rôle : « C'est l'infirmière qui mène tout. Nous recevons pilules sur pilules, exemption à la règle sur exemption. Où en est l'observance ? L'abbaye est devenue un hôpital. » Après avoir épuisé tous mes griefs, je m'arrêtais à bout de souffle. Mère prieure m'approuvait jusqu'à un certain point. Modestement, elle avouait tirer profit de mes critiques, mais elle me reprochait de vouloir aller trop vite. Pour elle, nous passions par une crise de croissance et elle temporisait en attendant l'action de la Providence. À quoi je rétorquai :

« Mais vous ne pensez pas qu'il faille chercher l'origine de cette crise pour y trouver remède ?

— Je vis dans le présent de la tâche à accomplir. Vous, mère Thécla, vous voulez trop connaître les choses, scruter les mystères divins. Avant d'être malade, vous vous interrogiez sur les grâces dont Dieu vous comblait. Vous ne pouviez pas être heureuse, simplement, de son action sur vous. Il vous fallait comprendre l'Écriture, l'Évangile, la règle. Vous poussiez trop loin vos recherches.

— Pourtant, ma mère, ne m'étais-je pas abandonnée dans la quiétude de l'amour ? N'est-ce pas vous qui m'avez incitée à me confier au révérend père chapelain ? Je m'en étais remise à l'autorité pour l'authenticité de ma vocation, pour la rectitude de mon cheminement spirituel ; à la fin, cette autorité ne m'a-t-elle pas fait défaut ? »

Mère prieure m'interrompit et protesta : jamais elle n'aurait admis que madame l'abbesse se soit trompée ou que l'abbatiat à vie ne soit plus possible à notre époque

Une fois, alors qu'elle m'encourageait dans ma maladie, je lui dis :

« Je n'ai aucun mal physique, les examens ont révélé que ce dont je souffre doit être nerveux [on n'employait jamais le mot dépression]. Pourquoi ne me soigne-t-on pas pour cela ? N'est-ce pas ce que vous avez fait pour mère Huguette, une Française, elle, en consultant un neurologue ? »

Je ne ratais pas d'occasion de mettre en évidence les façons différentes de traiter Françaises et Canadiennes ! Cette fois-là, la mère prieure me promit de s'occuper de ma maladie ! En fait, le reproche que je lui adressais était de s'incliner devant l'impérialisme des mères françaises, beaucoup plus que de n'avoir pas fait venir un neurologue. J'avais bien constaté l'état d'hébétude de mère Huguette après ses vingt jours de sommeil : je ne souhaitais pas avoir le même sort !

La mère prieure tint promesse. Elle demanda au père Mayo, un psychologue, professeur à l'Université de Montréal, l'autre frère de mère Domitille et du régent des études, de venir me voir. Il se souvenait d'ailleurs vaguement de moi, car, dans le temps de mes études universitaires, la psychologie faisait partie de la faculté de philosophie. Après une conversation dans laquelle je le mis au courant de mon état, il me conseilla une thérapie à l'Institut du père Chamson, un jésuite, qui traitait beaucoup de religieux. « Jamais madame l'abbesse n'acceptera, elle se moque des psychiatres ! » Peut-être pas. La mère prieure obtint son consentement pour un traitement de dix séances, dont une tous les quinze jours. Ce fut ma chance.

Les mécanismes de la vie cloîtrée, ses rituels, sa régularité répétitive et, surtout, le rôle d'interprète unique de la parole de Dieu et de la règle qu'y joue l'abbé transforment le monastère en un lieu asilaire, un lieu où ne règne qu'un seul discours. Impossible alors pour une moniale d'inscrire sa différence. La sainteté consiste à être le reflet du milieu, à la lumière de l'enseignement abbatial. Après un certain temps, la moniale n'a plus d'idées personnelles, seulement des manquements à la règle générale. Pour que jaillisse de nouveau la source de la pensée, il lui faut entendre d'autres interprétations. Les pères Mayo et Desmeules nous en donnèrent le goût, même si leur enseignement n'était que des variations sur le même thème de la foi. Plusieurs sœurs en avaient été troublées, car elles n'arrivaient pas à établir un lien entre la version ancienne de l'abbesse et la leur.

Comment avoir accès à une pensée autre ? Seulement hors du monastère, car l'abbesse filtre tout ce qui y pénètre : les livres, la correspondance, l'information. Certes, on peut avec permission lire le journal, mais seulement après les vœux, alors que notre cerveau s'est habitué à interpréter le réel selon l'esprit de la communauté. La seule raison valable pour aller « hors les murs », c'est la maladie. Ainsi, mère Marina retrouva-t-elle un esprit critique après un long séjour en sanatorium. Mes sorties produiraient-elles le même effet ? Mon traitement ébranlerait-il mes certitudes ? À ce moment-là, aucune de ces idées ne me passait par la tête. Je n'avais qu'un désir : guérir, redevenir sainte sœur Thécla. Une telle idée m'eût-elle effleurée qu'elle aurait provoqué chez moi une crise. Depuis quelques mois, je développais une certaine paranoïa : je redoutais qu'on me fît passer pour folle afin de se débarrasser de moi. Maintenant que je n'apportais plus ma force de travail et de prière à la communauté, je craignais d'être rejetée du bercail ou, ce qui était pire, qu'on me laisse croupir avec mon voile dans un asile d'aliénés.

Au bout de moi-même

Rien d'« Autre » ne parle à l'âme
s'il n'y a pas un tiers pour l'écouter.

MICHEL DE CERTEAU

Le lundi 8 septembre 1959, je me rendis à l'Institut, accompagnée d'une tourière, sœur Marie-Louise, dans l'auto de madame Dubreuil. Je retrouvai avec plaisir ma ville : Montréal. Elle était méconnaissable en son centre. C'était le temps où l'on construisait la Place-Ville-Marie. Des grues mécaniques à l'œuvre un peu partout. Une circulation délirante. Nous devions marcher un peu après avoir stationné l'auto. Alors que nous traversions la rue Sherbrooke à l'angle du chemin de la Côte-des-Neiges, la lumière verte passa au rouge. Nous nous arrêtâmes au milieu, à l'abri de bornes de sécurité. Des sirènes sifflèrent : deux ambulances nous frôlèrent de près ; sœur Marie-Louise et madame Dubreuil étaient toutes tremblantes. Pas moi ! La ville, c'était mon élément !

Je m'y retrouvais étonnamment bien. Nous arrivâmes dix minutes en retard au rendez-vous. Pas d'inquiétude à avoir, la réceptionniste nous avertit que nous ne verrions pas le père Chamson avant une heure. Tant mieux. Je m'écroulai dans un fauteuil. Je ressentis alors ma fatigue, moi qui étais maintenant habituée à la chaise longue. Et comme j'avais faim ! Sœur Marie-Louise alla à ma rescousse et m'apporta un verre de lait avec des biscuits. C'était délicieux ! Je mangeai sans arrière-pensée et avec plaisir.

La réceptionniste m'appelle. On m'attend. Le père Chamson, grand et fort, avec des yeux noirs perçants, m'accueille gentiment. À sa demande, je lui fais le récit détaillé de ma maladie, puis je lui raconte l'histoire de ma vocation... C'est le début de mon roman vrai, mais combien j'en étais ignorante.

Comment j'occupe mes journées ?

« Ah ! c'est le grand repos, je n'arrive plus à dormir, je n'ai même plus de force pour éplucher les légumes, je plie des cartes de Noël. Je regarde des images d'art sacré – c'est ma prière –, puis je suis en train de faire, tranquillement, un dictionnaire de la Vulgate. »

Le psychiatre éclate de rire :

« Ma sœur, j'ai l'impression que vous vivez au septième ciel : vous êtes perdue dans la stratosphère. Redescendez sur terre, s'il vous plaît. Travaillez maintenant le plus possible. Sœur Micheline s'occupera de vous, en entrevue. Nous ferons le point, vous et moi, une fois de temps en temps. On commence par un traitement de dix rencontres. Ensuite, on verra si vous pouvez venir chaque semaine. De toute façon, il vous faudra prendre une nouvelle décision, soit que vous sortiez de votre monastère, soit que vous restiez. »

Cette phrase me bouleverse.

« Mais il n'est pas question que j'en sorte ! J'ai prononcé mes vœux solennels ! En tout cas, j'aime mieux ne pas être soignée plutôt que de perdre ma vocation !

— Il ne s'agit pas de la perdre, mais de savoir si vous l'avez. »

Au retour, j'aperçois le père chapelain, m'agenouille devant lui et lui demande sa bénédiction. Il fait une petite croix sur mon front. Je m'empare de sa main et la baise. Ma froideur et mon indifférence à son égard – même mes craintes – semblent évanouies. Je lui raconte ma visite d'une façon aisée, en plaisantant, comme si de rien n'était. Je ne me reconnais plus. Tout me semble permis... Je me sens si légère ! La révérende mère prieure m'accueille à la porte de clôture. Ouf ! ce que je suis fatiguée. Elle m'installe sur « notre » lit, me manifeste attentions et prévenances. Je lui raconte tout. Je sens obscurément, dans un mélange d'espoir et de crainte, qu'une vie nouvelle commence pour moi.

À la tombée de la nuit, je suis toutefois prise d'une nouvelle crise d'anxiété. Les entrevues avec le Centre de psychothérapie ne sont-elles pas un piège qui fait partie d'un complot plus vaste organisé par mon monastère ? Ne veut-on pas se débarrasser de moi d'une façon plus subtile en me faisant passer pour folle ? Je m'endors péniblement. Des images contradictoires s'entrechoquent dans mon cerveau. C'est tantôt le père Desmeules que j'embrasse non plus sur la main mais sur la bouche. C'est la réceptionniste de l'Institut qui me donne un verre de lait avec de la drogue ! C'est madame l'abbesse qui me menace...

N'était-ce pas le temps de mettre par écrit toutes mes réactions, ainsi que le père Chamson me l'a demandé ? Oui, mais si c'étaient là des pièces à conviction contre moi, pour me faire interner ? Il me passait des idées folles dans la tête, mais j'en étais consciente. De toute façon, je me sentais poussée à écrire. Or, depuis des semaines, je ne résistais plus à mes impulsions. Je pris donc la plume et commençai : « Mon Révérend Père... »

La première rencontre fut suivie de dix autres avec sœur Micheline qui conseilla à la fin l'intensification du traitement par un entretien hebdomadaire. Entre temps, les événements se bousculaient à l'abbaye Sainte-Marie. Alarmé de l'état de la communauté, le révérendissime père abbé de Solesmes vint y faire une visite canonique. Il m'interrogea longuement. Il décida de la nomination d'une abbesse coadjutrice. Mère Étiennette fut élue. On rappela le père Desmeules. Il devint procureur de sa congrégation auprès du Saint-Père. Un moine de Saint-Benoît assuma l'intérim avant la nomination d'un chapelain français. La nouvelle abbesse, dont une sœur était psychologue, misa beaucoup sur l'analyse pour ma guérison et celle d'autres sœurs, et elle autorisa la poursuite de ma cure.

Quand je pense à ma psychothérapie, je ne puis m'empêcher d'évoquer l'art du XXe siècle, sa quête de nouvelles images de l'espace par l'éclatement du cadre, l'abandon du point de fuite et de l'impression de réalité qu'il conférait à l'œuvre. Chaque semaine pendant quelques heures sautaient pour moi les limites de ma clôture, cependant qu'au-delà de l'effondrement de mes idéaux qui semblait entraîner la destruction de mon être, se dessinaient péniblement les coordonnées d'un nouvel espace. C'est vite dit. J'ai le souvenir d'une souffrance excessive, d'une angoisse vertigineuse. Et personne à qui parler dans le silence du cloître. Le vide absolu. L'intolérable dont je refoulai les excès – sans sédatif ni hypnotique. Comme la parturiente, j'ai oublié les douleurs de cet enfantement que fut pour moi l'analyse.

Le centre où j'étais soignée était de tendance freudienne, tandis que l'analyste avait une approche plutôt rogérienne. Le père Chamson avait formé à son école sœur Micheline pour aider les nombreux religieux et religieuses qui sortaient des communautés. Je n'étais pas au courant de ces laïcisations massives. Cette nouvelle me surprit, mais ne m'influença pas : la vocation contemplative est vraiment singulière. Sœur Micheline pouvait m'écouter pendant des semaines avec « empathie », se contentant de « refléter » mes sentiments ou mes paroles. À des moments que je qualifierais de « forts », elle me suggérait une interprétation que je refusais très souvent de prime abord, pour l'assumer par la suite quand elle avait réussi à ébranler mes résistances : une crise se produisait, ma propre analyse l'élucidait.

Ainsi, pendant les premières entrevues, je ne cessais de raconter par le détail ma vie quotidienne dans le milieu monastique, mes craintes et mes angoisses : « On veut me chasser du monastère, maintenant que je suis malade », lui répétais-je souvent.

Un jour, elle m'interrompit :

« Laissez-moi tranquille avec toutes ces histoires ! Vous faites une "projection", c'est vous qui voulez sortir du monastère. Mais comme vous ne pouvez pas encore regarder la vérité en face, vous la projetez sur les autres. Oui, vous prêtez à l'autorité vos propres désirs !

— Moi, vouloir sortir du monastère ?

— Oui, vous ! De toute façon, ce n'est pas grave : il est même normal d'envisager une telle issue au moment d'une remise en question de sa personnalité. Nous pourrions voir ultérieurement si vous avez la vocation, lorsque nous aurons étudié les conflits de votre enfance. »

J'en voulais beaucoup à sœur Micheline ce jour-là ; n'avait-elle pas partie liée avec l'abbaye ? Je ne sentais plus d'angoisse, uniquement de la colère contre elle.

« Vous vous êtes fâchée ? Mais c'est très bien. Votre agressivité est prise en paquet, elle vous étouffe. C'est pourquoi vous éprouvez de l'anxiété. Choquez-vous ! Vous serez moins angoissée. »

De fait, sa propre attitude, frustrante alors, réveilla mon agressivité. Du coup, je retrouvai une énergie nouvelle. C'est durant cette période que je peignis tous les bancs du jardin et les cinq cent quarante moustiquaires du monastère tout en me livrant à des travaux de reliure et en écrivant de longues lettres à ma psychothérapeute.

J'étais loin d'être prête à envisager la perspective d'une non-vocation. Un incident qui survint quelques mois plus tard mit en lumière mes craintes. Des revues me passaient entre les mains pour mon travail de reliure. Je les débrochais dans notre cellule. C'est ainsi que je lus la recension d'un livre intitulé *Et je franchis le mur*; c'était un livre américain dont je ne me rappelle pas le titre en anglais. Il s'agissait évidemment d'une sœur qui était sortie de communauté. Après avoir fini cette lecture, j'éclatai en sanglots :

« Ce sort va m'arriver », confiai-je à l'aide-infirmière qui entrait dans notre cellule à ce moment.

— Voyons, ma petite sœur, calmez-vous. Vous êtes soignée justement pour trouver la force de rester parmi nous.

— Je vous assure, ma sœur, j'ai un pressentiment que ce sort sera le mien, criai-je en pleurant. Et pourtant je veux garder ma vocation, je veux être fidèle à Dieu. »

Encore à ce moment, j'étais incapable d'assumer comme mienne la décision de sortir du monastère, et je voyais cette sortie comme un destin auquel je devais résister, même si je ne pouvais lui échapper. De telles crises me brisaient sur le coup, mais elles portaient beaucoup de fruits. Seul le travail pouvait me délivrer de ma prostration et me ramener à la réalité. Soudain, des lumières jaillissaient, éclairant la situation conflictuelle que je venais de vivre. J'en analysais des éléments tout en essayant de saisir leurs liens avec mon être propre et j'en rendais compte à mon psychothérapeute, ordinairement par écrit. Je voyais peu à peu ce qui en moi était contraire à mon engagement monastique. Seule la conviction que j'avais « la vocation » m'avait maintenue dans l'abbaye. Il me fallait maintenant plonger au plus profond de moi-même.

Avant tout, je devais me réconcilier avec la vie – tout court, sans surnaturel –, me réconcilier avec ma mère. Cette autobiographie témoigne, depuis le début, du regard tendre et affectueux que je porte sur elle. Il n'en fut pas toujours ainsi. Pendant ma dépression et mon analyse, j'appris à la regarder en face, avec les yeux d'une enfant mal aimée à qui on a confié des tâches bien au-dessus de ses forces. Surtout, je devais être celle qui réalisait jusqu'au bout les aspirations à la vie intellectuelle et spirituelle de sa jeunesse. Mes études, à mesure qu'elles avançaient, ne me donnaient pas droit à la parole, ni à la maison ni dans l'espace social où ma mère évoluait : celui du jeu et des clubs de sports. Elles me situaient dans un monde à part. Ma mère disait : « Marcelle ne peut jouer aux cartes à l'argent avec nous ; parlez moins fort ; je ne veux pas qu'elle entende nos histoires cochonnes... elle est pure, elle vit dans la nature et les livres, elle est une intellectuelle, ce sera une sainte. »

Moi qui, toute petite, avait été sa complice, je devins peu à peu celle qu'elle aurait souhaité être. J'étais repoussée hors de son domaine, dans un monde éthéré qui n'avait aucune racine dans la réalité sociale. Comment vivre ainsi ? Il ne me restait plus qu'à m'offrir en sacrifice au Maître de l'au-delà pour le salut des miens et du monde entier. C'est là que me conduisit ma mère, d'ailleurs à sa grande surprise, car elle ne pouvait saisir elle-même les contradictions auxquelles elle m'acculait. Et moi qui n'avais pas accès à son monde, qui sait si je ne suis pas entrée au monastère pour miser le tout, ma vie, sur le grand jeu de l'Éternité ? Le pari ultime. C'est là que je te retrouvais, Augusta, que j'épousais ta passion, ta démesure, ta folie. Oui, je t'en ai terriblement voulu quand je découvris ce schéma d'analyse. Je t'ai haïe, j'ai souhaité ta mort ! Peu à peu, dans la chaleur du transfert thérapeutique, mon angoisse s'est atténuée, ma colère calmée. Je t'ai comprise dans ta réalité à toi, en dehors de la relation mère-fille, comme une femme regarde vivre une autre femme, aux prises avec des problèmes familiaux et sociaux. Je ne savais pas que tu avais subi des relations incestueuses de la part de ton père. Je t'ai acceptée, je t'ai aimée. Je t'ai célébrée dans ce livre *Maman*.

Le désir de vivre fut donc plus fort en moi que l'instinct de mort. Il se développa lentement, libérant mes énergies ; il me réconcilia avec mon corps par un travail symbolique dont je ne discernai le parcours qu'après ma thérapie.

Pendant l'été, après environ huit mois d'analyse, je sentis le besoin de découvrir le monde des plantes et des arbres. Me promener dans le jardin était ma plus grande joie après les voyages à

Montréal. Je revivais avec les fleurs, les fruits, l'épanouissement estival. Mais l'ivresse que j'éprouvais alors ne me suffisait pas, je redevenais active : rien ne me plaisait tant que d'arranger les bouquets et j'en faisais de toutes sortes avec une ou deux fleurs – comme les Japonais – ou avec une multitude, et parfois en mêlant les fleurs sauvages avec les fleurs cultivées. La communauté ne reconnut pas ce besoin que je ressentais en me confiant une charge, comme aide au jardin ou à la sacristie, mais on me laissa la liberté de le satisfaire comme loisir. Puis je ressentis le désir de connaître une à une toutes les plantes qui poussaient dans le domaine de l'abbaye, et je fis un herbier en me servant de *La Flore laurentienne* du frère Marie-Victorin et de différentes publications du ministère de l'Agriculture. Je passai l'hiver à identifier les spécimens que j'avais fait sécher, à les disposer artistiquement dans un album et à les étiqueter selon les règles de la botanique. Je me rappelle que j'en avais collectionné plus d'une centaine : j'étais très fière de mon œuvre.

Au printemps suivant, ce sont les oiseaux qui me passionnèrent. Je passais des heures à les observer, surtout au moment de la construction de leur nid et de la ponte des œufs. Je tentais de les identifier grâce à quelques rares bouquins que je dénichai à la bibliothèque. J'en arrivais même à prévoir la venue d'espèces rares dans l'Est du Canada. Une de mes grandes joies fut d'apercevoir le loriot de Baltimore, ce magnifique oiseau jaune, rouge et noir ; il avait suspendu son nid en forme de poche à un orme de notre jardin. Peu à peu, les arbres se couvrirent de feuilles et les oisillons prirent leur essor, il me fut bientôt impossible de continuer mes recherches. D'ailleurs, un autre besoin se faisait sentir en moi : celui de regarder les mammifères. Comme nous n'avions que très peu d'animaux au monastère – un chien, quelques lapins, des agneaux au temps de Pâques, en plus, bien entendu, des poules –, je dus me satisfaire de photos que je trouvai dans les *Geographical Magazine* que nous reliions, ou dans un très bel album sur les zoos américains qu'une sœur avait reçu en cadeau.

Enfin, mon attention se porta sur mon propre corps que je me mis à explorer passionnément avec mes yeux et mes mains. Ce furent mes membres, mon ventre, mes seins, mon sexe. Je m'extasiais devant chaque partie. Je la trouvais belle et bonne et douce au toucher. Je vivais ces expériences avec une telle ferveur que je me rappelle avoir éprouvé une jouissance qui atteignit l'orgasme seulement en me caressant les seins. Mes conversations avec l'analyste, mon étude du yoga, qui se prolongeait dans des exercices, m'aidèrent à pousser plus loin l'étude de mon corps et à en connaître des ressources insoupçonnées. Après la pratique de certains asanas, accompagnés d'un effort de concentration, j'en arrivais à une telle légèreté physique que je devinai l'origine de phénomènes parapsychologiques comme la lévitation dont j'avais fait l'expérience.

Oui, j'avais couru trop vite dans les voies du spirituel, étouffant toute vie naturelle en moi, et je devais faire de nouveau l'apprentissage du monde extérieur et de ma propre vie : la vie végétale et la vie animale étudiées en botanique et en zoologie me ramenaient à mon être propre comme à un microcosme. Ainsi qu'on peut le constater dans le développement d'un enfant, mais avec combien plus de délices, car j'étais consciente de chaque expérience – même si je n'ai eu la clé de l'ensemble que plus tard –, je vivais des moments éblouissants de joie. Je ne ressentais aucune culpabilité. Comme au moment de mon adolescence, la nature me libérait du milieu social, de l'autorité, de la contrainte et de la règle. Mais elle s'opposait maintenant à la surnature, à l'immatériel, à l'insaisissable, objet d'une foi non perceptive. Elle était l'immédiatement donné, l'innocence, la fantaisie, la spontanéité de l'éclosion, la beauté de ce qui apparaît.

Ces expériences, auxquelles il faut joindre celle de ma lutte quotidienne contre l'angoisse, m'enracinèrent profondément dans la vie, dont je devins amoureuse. Pour moi, se développèrent alors des certitudes qui eurent la force d'évidences et que je ne devais plus jamais mettre en doute dans l'avenir. Priorité à la vie ! Que l'esprit et le spirituel n'oblitèrent jamais la place du corps : la personne est un tout. Valeur de l'expérience personnelle, de la conscience de la durée et d'un cheminement dans l'histoire. Volonté d'être soi-même, en dépit du surmoi que la société veut nous imposer. Ces convictions me semblaient préalables à la communication avec les autres et à tout engagement, quel qu'il fût.

C'est alors aussi que se précisèrent certaines questions. Puis-je être moi-même au monastère ? y préserver l'équilibre et l'autonomie nécessaires à toute vie humaine, même spirituelle ? Ne me faut-il pas renoncer à cette espèce d'auréole dont m'avait couronnée mon milieu, renoncer à être « la sainte » du monastère ? Certes, mon prestige était de beaucoup diminué auprès de certaines sœurs depuis ma maladie et mes sorties hors clôture, mais serai-je tentée de le retrouver après ? Pourrai-je résister aux normes du milieu et me contenter d'agir d'après les critères de ma nouvelle conscience ? Ne serai-je pas alors dans un continuel conflit qui mettra en jeu mon équilibre ?

Comment résister à la force d'un milieu quand la communication se fait avec Dieu seul et l'autorité ? Comment ne pas vouloir plaire à l'abbé, quand l'on sait que c'est lui qui détermine notre rôle dans le monastère par l'emploi qu'il nous donne et par sa façon d'être avec nous ? Il est vrai que je pourrais avoir une vie de solitaire ou de malade avec tous les accommodements possibles, comme c'était le cas de bien des sœurs. Je pourrais vivre comme dans une sorte de béguinage avec de petits pots de fleurs que j'arroserais chaque jour, et même avec la compagnie d'un chat ou d'un chien si je le désirais ardemment ; on me permettrait toute une série de caprices. Une vie sans ferveur, jamais !

Un point surtout m'inquiétait alors : le monastère m'offrait-il des possibilités suffisantes pour sublimer l'Éros qu'il me demandait de sacrifier par le vœu de chasteté ? Je pensais à la responsabilité très relative dont je jouissais dans l'accomplissement de mes tâches quotidiennes, au peu de possibilités de m'extérioriser dans la communication avec les sœurs, à l'impossibilité de m'exprimer dans l'art, toujours à l'honneur au monastère, mais qui demeurait le privilège des amies de l'autorité, tout comme le partage du gouvernement d'ailleurs.

Alors, quel chemin prendrait ma sexualité ? De nouveau celui de la régression infantile ? Sous le couvert de l'obéissance dans la vie régulière, je redeviendrais une petite fille en totale dépendance de la mère. C'était le cas de la plupart des moniales. Ce qui expliquait d'ailleurs que le lesbianisme n'était pas pratiqué à l'abbaye. Non seulement il était condamné socialement par les coutumes propres à notre milieu qui ne lui laissait aucune possibilité de se manifester, mais même le désir tel que j'ai pu l'observer chez quelques-unes de mes sœurs malades et solitaires s'exprimait uniquement par la relation mère-fille et se contentait de témoignages d'affection assez platoniques.

Bien sûr, je pourrais moi-même bénéficier de certains privilèges actuellement pour éviter le pire : ma laïcisation, mais ces faveurs dureraient-elles ? Étaient-elles d'ailleurs véritablement saines ? Et si la lucidité que j'acquérais actuellement me gardait un certain temps à l'abri du refoulement, qu'adviendrait-il au moment où mes besoins sexuels deviendraient plus aigus, comme au contact d'un chapelain très ouvert, ou au moment de la ménopause ? Ne serais-je pas vouée à de multiples dangers de déséquilibre ?

Au commencement de ma maladie, j'avais rêvé que je me retrouvais seule avec un bébé sur une route déserte, abandonnée de mes sœurs et de tous. Ce rêve exprimait bien à la fois mon désir et ma crainte de sortir du monastère. Le « bébé », plus précisément, pouvait signifier comment je me sentais démunie, puérile face à la vie. Lorsque j'envisageais la possibilité de sortir du cloître, au début, je me retrouvais dans un état de total abandon : serais-je encore dans la grâce de Dieu ? Renoncer à la vie religieuse, n'était-ce pas la voie directe pour perdre la foi, pour aboutir au feu éternel ? N'arriverais-je pas dans ma famille comme un chien dans un jeu de quilles ? Comment gagner ma vie ? Que faire avec mon bac ès arts et mes diplômes en philo ? Je ne connaissais l'anglais que d'une façon livresque et je n'avais jamais travaillé à l'extérieur ! Aucune de ces questions n'aboutissait au terme de la claire expression qu'à l'issue d'une crise d'angoisse qui pouvait durer plusieurs jours. Et dans quelle atmosphère d'étouffement et même d'agonie : une lutte extrême ! Car c'est pendant cette période que je pris conscience des contraintes qui m'emprisonnaient au monastère, comme des peines qui m'avaient étouffée dans mon enfance. Toute personne qui accepte d'explorer son inconscient vit un drame analogue. Pour moi, le sens tragique en était accru du fait de ma solitude et de ma claustration : pas de distraction possible, toujours face à moi-même. Je vivais à côté de la communauté sans en faire vraiment partie. Je n'avais donc plus le secours du quotidien monastique pour me distraire. Même la présence de mes sœurs, à la fois si proches et si loin de moi, m'était un vrai supplice. Plusieurs me considéraient comme « tabou » parce que je sortais à l'extérieur de la clôture, et le jour de mon voyage, elles faisaient des détours pour ne pas me rencontrer. Cette attitude, elles l'exprimaient sous forme de plaisanterie en récréation : « Ça sent le monde », criaient-elles en me voyant avec mes vêtements de jour de fête, que d'ailleurs j'appelais mon « clergyman » pour répondre du tac au tac. Pour ma part, je me vengeais bien en les passant au crible de l'analyse : je détectais, avec l'ardeur d'une novice qui s'exerçait à la psychologie, tous les petits côtés de leur personnalité qui me semblaient les mobiles secrets de leurs actes surnaturels. Surtout au début de mon traitement. Ensuite, j'appris à les comprendre plus profondément dans leur propre contexte. Je crois que tout comme moi, elles souffraient de ne plus sentir l'unanimité qui avait été nôtre pendant dix ans. Nous nous aimions encore avec la nostalgie d'une famille longtemps unie.

L'angoisse de la séparation d'avec ma communauté atteignit son sommet juste avant que je prenne ma décision. Je me rappelle... c'était pendant l'hiver 1961-1962. Je craignais par moment de perdre la raison. J'étouffais à l'intérieur de l'abbaye ! Je chaussais alors mes skis et ce n'est qu'après de longues promenades dans le parc du monastère que je rentrais, fourbue, mais apaisée.

Puis, la lumière resplendit de telle sorte qu'il n'y eut plus aucun doute en moi. Est-ce que j'accepte que Dieu m'ait appelée à travers le méandre de mon inconscient que je connaissais mieux par l'analyse psychothérapeutique ? À ce moment-là : oui. Mais puis-je persévérer à garder un regard lucide sur moi-même dans la vie monastique ? Étant donné les mécanismes de récupération d'une communauté soumise au pouvoir absolu de l'abbesse, je pense que non. Je n'aurais pas l'équilibre nécessaire pour vivre une expérience d'ordre spirituel et mystique dans un milieu qui n'avait pas suffisamment de racines humaines.

Je sortirais donc du monastère pour entreprendre une nouvelle vie. Peu m'importait que ces treize années passées fussent considérées comme un échec et que bien des gens, en particulier mes sœurs, me regardassent comme une renégate. Cet aspect était beaucoup plus important pour moi à ce moment que pour d'autres religieux, car j'étais entrée au cloître à un moment où le Québec était très croyant et j'ignorais les transformations opérées depuis quelques années dans la société québécoise : je ne savais pas, par exemple, que beaucoup de religieux et même de prêtres étaient laïcisés et que les laïcs avaient accès à l'enseignement secondaire et universitaire. J'ajoute que peu m'importait si je devais recommencer à zéro, gagner ma vie comme vendeuse ou même comme femme de ménage. J'étais décidée à être moi-même et à vivre ma propre vie. Adieu, mon auréole de sainte.

Vivre ma vie, cela voulait dire avant tout être autonome : ne dépendre de personne et décider de mes choix, détenir un pouvoir économique en gagnant un salaire et en administrant un budget, retrouver un pouvoir politique et social en exerçant mes droits de citoyenne, choisir mes loisirs, mes amis et peu à peu mon avenir.

À ce moment-là, il n'était pas question de rencontrer un homme qui partagerait ma solitude ou même mon quotidien. J'avais récupéré les forces vives de ma sexualité, mais elles ne s'exprimaient pas en termes de besoin pressant. Non, tout était subordonné à cet unique désir : vivre moi-même ma vie. Si j'avais partagé l'existence de mes parents ou d'un compagnon, je n'aurais jamais su s'il m'était possible d'assumer la solitude inhérente à toute vie. Je ne rejetais d'ailleurs pas la perspective d'amours humaines, mais je les remettais à plus tard.

De scrupules à l'égard de Dieu, il n'en était plus question. Si Dieu était vraiment l'Être bon et juste qui s'était manifesté à travers l'Évangile, il ne saurait me blâmer pour la décision que je prenais. J'agissais avec la certitude intérieure d'être dans la bonne voie.

Je fis part à la mère prieure et à madame l'abbesse-coadjutrice de mon intention de quitter la vie religieuse. Notre mère était très malade et n'en sut rien. L'une et l'autre tentèrent de me retenir : avais-je suffisamment réfléchi ? Je ne faisais que cela depuis trois ans ! N'aurais-je pas intérêt à consulter un prêtre d'un autre ordre ? Et si vous séjourniez dans un monastère en Europe ou à Jérusalem ? Elles ne réalisaient pas que nous ne parlions déjà plus le même langage. Elles se situaient encore face à ma vocation bénédictine et ne pouvaient concevoir que mon analyse m'avait placée face à moi-même avant tout engagement. Il m'avait fallu trente mois pour me décider à quitter le monastère sans crainte, sans culpabilité, avec une forte conviction intérieure. Je ne pouvais plus faire marche arrière. Non, ma décision était claire et nette : je demandai au Vatican d'être relevée de mes vœux solennels, et c'est le révérend père Desmeules, alors procureur de la Congrégation de France à Rome – ô ironie du sort ! – qui la présenta au Saint-Père. Je reçus la réponse de Rome à la fin d'octobre. Le 6 novembre 1962, dans l'auto de mon frère Raymond, je quittai le monastère revêtue d'habits laïcs que mère prieure s'était procurés. J'avais troqué ma poche de sœur pour un sac à main que l'autorité avait garni de cent dollars. J'étais prête à vivre. J'avais trente-trois ans.

RÉSURGENCE
(1962-1969)

L'important n'est pas ce qu'on a fait de nous,
mais ce qu'on fait nous-mêmes
de ce qu'on a fait de nous.

JEAN-PAUL SARTRE

Au temps de la Révolution tranquille

Un jour j'aurai dit oui à ma naissance.

GASTON MIRON

Novembre 1962. J'étais entrée au monastère canadienne-française, j'en suis sortie québécoise. Déjà flottait le mot « Québécois » pour désigner les Canadiens d'ici – et non seulement ceux de la capitale. Johnson, Sauvé, Lesage, ne cessaient de réclamer une autonomie plus grande pour le Québec. Le slogan de la campagne du Parti libéral avec Jean Lesage en 1960 était « Maître chez nous ». La première conquête de René Lévesque en 1962 fut la nationalisation de l'électricité. On en parlait beaucoup à Montréal, à mon retour. Jean-Paul Collard m'en expliqua les enjeux et ce fut l'objet de mon premier vote. La seconde conquête se fit en 1963 : l'instauration, enfin, du ministère de l'Éducation. C'était le début de la Révolution tranquille. Le temps des genèses, des identifications, de l'histoire dans laquelle je devais m'inscrire, moi qui venais de dire oui à ma renaissance. C'était mon temps ! Gaston Miron, lui, avait déjà, en 1961, changé le mot « Canada » pour « Québec » dans son poème *Compagnons des Amériques* :

> *Québec, ma terre amère, ma terre amande*
> *Ma patrie d'haleine dans la touffe des vents*

tout comme dans *L'Octobre*, toujours en 1961, il l'écrivit directement :

> *Nous te ferons, Terre de Québec,*
> *Lit des résurrections*
> *Et des mille fulgurances de nos métamorphoses*

Mon lieu, le Québec ! Montréal, ma ville depuis toujours, puisque mes ancêtres y étaient restés après la Conquête. Le monastère avait été plutôt un non-lieu et un non-temps, le Ciel ou l'Éternité. Je devais apprendre l'histoire de 1949 à 1962, puisque je n'en avais été ni actrice, ni témoin. Pour l'heure, il me pressait de retrouver ma famille, un emploi et un logement.

Je ne ressentis pas de choc à la vue de Montréal. Depuis 1959, je m'y rendais chaque semaine. Je voyais le centre-ville se transformer. J'avais aussi fait des incursions dans les quartiers. Après six mois de visites à l'Institut, mère prieure avait obtenu de l'archevêché qu'à l'occasion, des gens de ma famille me voiturent. J'étais ordinairement accompagnée d'une sœur tourière. On se réjouissait de me voir hors clôture. Après une séance, il arrivait aux uns et aux autres de me conduire, sans m'en demander l'autorisation, dans leur maison. C'est ainsi que je revis l'avenue Christophe-Colomb, notre ancien logement où trônait une télévision – quelle merveille! –, et différentes rues qui s'étaient ouvertes plus à l'est. J'avais été assez familière avec ces quartiers pour m'y reconnaître et constater qu'ils s'étaient développés sans grands changements.

Famille, travail... liberté

Mon père était décédé en 1960 d'une thrombose coronaire. Il mourut une heure après sa première attaque. Peu avant, il m'avait conduite en auto avec maman à l'Institut de psychothérapie. J'ai eu la joie de l'embrasser. Mais j'avoue que malgré ma tendresse pour lui, sa mort subite ne m'a pas bouleversée : j'étais déjà trop angoissée et trop prise par mon analyse. J'en étais alors à sortir mon ressentiment contre ma mère. Je lui en voulais de ne pas avoir été une vraie mère, d'avoir préféré le jeu à ses enfants, d'avoir abusé de papa qui se désâmait à travailler et dont elle dilapidait les gains. J'étais persuadée qu'elle avait provoqué sa mort par ses exigences. Il l'a aimée jusqu'à la fin. Quand mère prieure vint m'avertir de son décès, je l'interrompis : « Mon père est mort ! » Ainsi l'avais-je vu, la veille, en rêve. Plus qu'une prémonition, c'était peut-être là le reflet de cette phase de mon analyse.

Ma mère, avec qui ma psychothérapie m'avait réconciliée, habitait chez mon frère Raymond dont elle gardait les enfants le jour. Je l'avertis de ne rien changer à son mode de vie. J'habiterais seule. Il me fallait conquérir mon autonomie. Je suis restée trois jours chez mes tantes et cousines, le temps de louer une chambre à Côte-des-Neiges en attendant d'avoir un emploi, car il me fallait gagner ma vie, et rapidement. Le lendemain de mon arrivée, je suis allée chez la coiffeuse pour une permanente. Une lourde tâche l'attendait : rouler sur des bigoudis des cheveux qui, depuis quatre mois, poussaient dans tous les sens – on nous tondait au monastère. Elle réussit ! Ma garde-robe était restreinte mais convenable. J'aimais beaucoup le manteau d'hiver que m'avait donné mère prieure – blanc cassé, avec un col de fourrure – et mon chapeau en feutre noir. J'avais belle allure d'après mes tantes. Je n'avais pas l'air d'une sœur, remarqua Raymond. Ainsi revêtue à mon avantage, je pris l'autobus pour le Bureau de la réhabilitation. À ma grande surprise, il n'y avait plus de tramways. Je m'en suis sentie toute triste. Je me retrouvai rue Craig dans la salle d'attente, entre Rose Latraverse qui n'arrivait pas à boucler son budget, avec sa jupe au-dessus des genoux, et Ti-Jacques qui sortait de Bordeaux, flottant dans ses pantalons trop larges. Un futur Bozo les culottes ! Puis il y en avait d'autres, Mimi, Johanne, Ti-Louis, qui attendaient avec nous. Attendre quoi ? Qu'on les transfère, qui au bureau de placement, qui au Bien-être, qui à ses moyens et à son petit pain. Moi, j'avais de la chance : ma psychothérapeute m'avait recommandée ! Je sortais d'une prison sacrée – oh ! la sacrée prison – avec tous les privilèges ecclésiastiques qui y sont attachés. C'est pourquoi j'ai eu la faveur d'être reçue par Lucille Dumont, une chic fille qui se spécialisait en criminologie. Elle m'accueillit la dernière pour me parler plus longuement. Elle me vit confiante, prête à recommencer à neuf, avec les cent dollars – le prix de la permanente et des transports en moins – que j'avais en poche. Elle me donna l'adresse des bureaux de placement provincial et fédéral et me promit son aide si je n'arrivais pas à me débrouiller. Le lendemain, je me rendis à la première heure à chacun de ces bureaux. Je fis part au préposé de mon désir de gagner ma vie avant tout, peu importe l'emploi, que je sois vendeuse dans un magasin ou serveuse dans un restaurant, que je lave la vaisselle ou les planchers. Mais partout on doutait de mes capacités. On me disait poliment : « Avec vos diplômes, vous êtes au-dessus de l'emploi. » Après quinze jours, je revins à la charge : « J'arrive au bout de mes ressources, il n'y a pas de chômage à Montréal et il me faut travailler. Voulez-vous que je fasse le trottoir ? » Les mots ne me faisaient plus peur. Aussitôt, on m'envoya à l'Hôtel-Dieu, au Bureau des archives. Sœur Albertine, l'officière de ce département, touchée par la misère d'une ancienne religieuse, m'engagea : je pris place parmi les « manœuvres » de son personnel. Le mot « manœuvre » n'est pas une hyperbole : il s'agissait non seulement de former le dossier d'un patient hospitalisé, mais de déterrer dans les caves de l'hôpital les dossiers antérieurs auxquels s'ajoutait le compte rendu de la dernière hospitalisation. Et il y a des gens qui ont fréquenté davantage l'Hôtel-Dieu que le Hilton. Mais ce serait minimiser mon travail que de le réduire à son aspect le plus matériel. Il exigeait assez souvent un flair de Sherlock Holmes. Deviner des noms compliqués, écrits différemment selon la secrétaire de chaque département – il n'y avait pas encore d'ordinateurs –, au besoin, vérifier l'identité des gens en leur téléphonant, retracer dans les classeurs le dossier antérieur souvent gardé sous un autre nom – soit que la patiente se fût mariée, soit qu'elle eût intérêt à ne pas révéler son vrai nom –, lire l'histoire de cas pour permettre de joindre des analyses à d'autres avec quelque vraisemblance, autant de fonctions qui ont exercé mes capacités de détective et ont nourri mon goût futur pour les polars.

Assurée d'obtenir un salaire hebdomadaire de quarante-cinq dollars, je me louai un studio au 169, rue Sherbrooke, près du boulevard Saint-Laurent – quinze dollars la semaine. Ainsi pourrais-je me rendre à pied à l'hôpital. À ce moment-là de ma vie, j'étais tellement axée sur le présent immédiat que la rue Sherbrooke, une des plus belles et des plus huppées de Montréal ne me faisait pas rêver comme un héros stendhalien arrivant à Paris. Elle n'éveilla pas non plus ces souvenirs chers à mon enfance : le parc Lafontaine, la bibliothèque municipale, la procession de la Saint-Jean-Baptiste, la parade du père Noël, la proximité des grands magasins. Non, le meublé de la rue Sherbrooke me convenait. Point. Ma nouvelle cellule était spacieuse : une pièce avec un canapé-lit, une table près d'un comptoir, avec un réchaud à deux feux, et un petit réfrigérateur. Les w.c. et la douche étaient sur le palier et desservaient quatre autres locataires. Mais que m'importait ? Je n'avais jamais eu à moi seule un espace aussi grand !

Dans un but de concentration et d'équilibre, je m'aménageai un coin yoga pour pratiquer quelques asanas avant de partir pour l'hôpital. Je réalisais que le labeur continu de neuf à dix-sept heures m'était pénible. Dans la vie monastique, le temps de travail était toujours coupé par la prière ou par d'autres activités. On fonctionnait plus sur le mode du yin que du yang. Dans ma thérapie, ce fut le contraire, puisque provoquée par une crise, je ne cessais d'analyser. Il me fallait donc doser harmonieusement mon énergie pour pouvoir tenir à l'Hôtel-Dieu. Travailler dans un bureau à aires ouvertes avec une dizaine d'employés me fatiguait beaucoup. Après Noël, ma tâche fut allégée, car je travaillais de une heure à huit heures trente, j'étais donc seule au bureau dans la soirée.

Je me souviens... quand, après une journée d'archives, je descendais le boulevard Saint-Laurent, de l'avenue des Pins à la rue Sherbrooke, avec quelles délices je humais l'air vicié du centre-ville. Pour moi, si pollué fût-il, c'était l'air de la liberté, de la libération après un labeur soutenu, de la libération après treize ans de vie institutionnelle ! Un sentiment de puissance m'habitait. Le monde s'ouvrait devant moi. Ma vie passée me semblait légère, si légère. Elle ne pesait plus sur mes épaules, sur mon cœur, sur mes choix. J'étais une personne neuve. Mon quotidien, le travail et le contact avec les autres, je l'accomplissais le mieux possible. Mais cette nécessité n'entamait en rien le sentiment de liberté que j'éprouvais. Je flottais dans la bulle de mon moi retrouvé : pas d'hiatus entre ce moi et ses activités. Un présent glorieux.

Mes yeux erraient, indécis devant les étalages de viandes fumées des épiceries hongroises et polonaises, curieux face aux vitrines des magasins juifs où s'entassaient de multiples vêtements de confection. Je finissais par repérer l'objet utile, « en vente », qui me convenait à ce moment-là. Je vois encore une robe de chambre en satin piqué noir avec une doublure rouge. J'hésitais à l'acheter. Son prix diminuait chaque jour. J'ai finalement profité du solde à dix dollars. Puis, j'arrêtais chez IGA pour faire le marché. Je découvrais avec étonnement le monde des aliments congelés qui m'était complètement étranger, de même que de nombreux objets techniques qui facilitaient la vie de la ménagère. J'en demeurai longtemps éloignée. Déjà, c'était très difficile pour moi de choisir parmi plusieurs marques de produits sur le marché. Parfois, je me laissais guider par l'« aubaine du jour », parfois, je demandais conseil à mes tantes par téléphone. Je m'acquittais avec grand soin de ces tâches quotidiennes que j'avais, comme ma mère, méprisées autrefois. Pour moi, toute besogne, si humble fût-elle, devait être accomplie intelligemment. J'avais trop longtemps consacré mon esprit uniquement aux choses intellectuelles ou spirituelles. Il était urgent, comme l'avait jugé le père Chamson, que je le tourne vers la vie pratique de chaque jour. Ma propre survie ne m'y obligeait-elle pas ? J'avais peu de moyens, mais aussi peu de désirs pour ces innombrables objets qui s'offraient à moi. J'avais vécu dans une société traditionnelle, dans une famille modeste, dans un monastère pauvre, et je me retrouvais soudainement dans une société de consommation ! Je n'étais pas prête à me définir comme acheteuse, moi qui ne désirais être que moi-même! Ça ne me venait même pas à l'esprit. Si bien que sans me priver du nécessaire, ni de la joie de faire un cadeau à chaque membre de ma famille au temps de Noël, je réussis à économiser quelques dollars pendant les six mois que je travaillai à l'Hôtel-Dieu.

Pas loin de chez moi, perpendiculaire au boulevard Saint-Laurent, je découvris un jour la rue Milton et son cinéma d'essai, l'Élysée. Chaque fois que j'y passais, je regardais les images du film à l'affiche, puis je lisais quelques présentations et critiques. Un jour, je me décidai à y entrer, comme à quatorze ans quand je fis l'école buissonnière en allant au Stella. On présentait *Jules et Jim*. J'adorai ce film. Étonnant pour une femme qui venait de vivre recluse pendant treize ans? Peut-être pas : quelle atmosphère de liberté y respire-t-on! Les personnages sont eux-mêmes, intensément. Et le jeu de Jeanne Moreau me séduisit à jamais. Je me rappelle avoir vu aussi *Huit et demi* de Fellini. Des images inoubliables! Je devinais un monde malgré le décousu du film auquel je n'étais pas habituée. Fellini devint un de mes réalisateurs préférés. Je m'initiais tout doucement à l'art cinématographique.

Je devenais, grâce à mon emploi, indépendante économiquement. Cette condition me mit à l'aise pour renouer avec parents et amis. J'avais déjà repris contact avec ma famille en visitant mes frères et mes tantes la fin de semaine. Je fus heureuse de connaître mes nièces et mon neveu, ainsi que leur mère. J'avais laissé mes frères Raymond et Robert adolescents, je les retrouvais époux et pères. Ce n'était pas évident de refaire des liens, encore plus avec ma mère qui habitait chez Raymond et dont je redoutais le caractère dominateur. La thérapie m'avait incitée à la voir autrement, mais il me fallait un temps pour apprivoiser sa nouvelle image. Le contact était plus simple avec les enfants. Je m'étais mise à jouer avec eux, comme je l'avais fait adolescente avec leur père et les petits des voisins. Ils m'aimèrent spontanément, je crois, et insatiables, ils voulurent me retenir auprès d'eux. Moi, contrairement à jadis, je m'en lassais, ou plutôt je préférais après un temps bavarder avec les adultes. Je n'étais plus une enfant ou une adolescente attardée, j'étais devenue une femme. Chose curieuse, j'avais perdu – est-ce à cause de l'analyse ? – la peur phobique des chats. Je me suis surprise à caresser celui de la petite Suzanne avec un plaisir tel que ma mère en fut étonnée.

Après quelques mois, je revis de vieilles connaissances et des amis de jeunesse : Jeannine, Denise et Jean-Paul, qui avaient gardé des liens avec ma famille ; je revis aussi d'anciennes sœurs sorties du cloître, surtout Suzanne et Jacqueline. Cette reprise de contact s'opéra lentement, au rythme d'une ou deux rencontres les fins de semaine, souvent à l'occasion d'un repas qui regroupait des amis d'autrefois. La semaine, le travail drainait toute mon énergie. Le soir, j'avais besoin du silence pour me recréer. Ces amis et connaissances étaient heureux de me présenter leur conjoint et leurs enfants, et curieux de connaître mon expérience monastique. Notre langage se situait sur la même longueur d'onde : eux changeaient avec le milieu social du Québec, moi, je m'étais libérée surtout grâce à mes choix radicaux. Nous étions tous en quête d'identification. Certains se montrèrent assez violemment anticléricaux, comme on le fut au Québec dans les premières années de la Révolution tranquille. Ils profitaient du récit de mon aventure bénédictine pour rabâcher les vieux problèmes des Canadiens français catholiques. Ils m'encourageaient à écrire mon histoire dans un esprit de contestation de la religion et de l'Église. Je ne fus pas tentée un seul instant de le faire. Une réflexion sereine m'avait permis de situer mon passé monastique dans mon itinéraire personnel et de liquider ainsi mon agressivité. Je n'avais pas l'envie de le ressasser. Toute à la joie de ma « renaissance », je voulais vivre avec ardeur le moment présent. Fini le temps de l'anamnèse ! Vive la liberté ! Mon sentiment de liberté me venait avant tout d'avoir pu rompre un engagement radical et de l'avoir fait au moment « juste », c'est-à-dire au moment où j'en étais capable sans me sentir coupable. Ce sentiment ressortait sans doute aussi de cette situation bienheureuse de non-engagement où je me trouvais. Mais je pressentais que je n'en resterais pas là ; des liens se tisseraient, des causes me mobiliseraient, un travail me passionnerait. Pour le moment, ma vraie demeure était cette solitude jouissive qui est émergence de l'être.

L'aventure au quotidien

Toute à la joie de ma nouvelle vie, j'eus envie de revoir Aimée Leduc, cette amie de la classe de Belles-lettres avec qui j'avais partagé tant de rêves. C'est elle qui m'avait sensibilisée à la grande pauvreté de Montréal-Sud. Elle avait dirigé, un été, la colonie Notre-Dame pour les enfants de la paroisse Saint-Jacques. Je l'y avait rejointe comme monitrice avec plusieurs de nos compagnes d'études. Elle avait gardé un certain contact avec moi au monastère, mais je ne l'avais pas vue depuis assez longtemps.

Bonheur des retrouvailles. Longues conversations. Aimée est maintenant psychologue pour l'enfance exceptionnelle. Et moi, de lui raconter mes dernières années à l'abbaye, ma thérapie, mon retour à Montréal.

« C'est bien le bureau, mais je te vois plutôt dans l'enseignement.

— Comment cela peut-il se faire sans diplôme de l'École normale ? »

Elle m'explique : le ministère de l'Éducation, la laïcisation et la réforme de l'enseignement, le nombre insuffisant de religieux et de religieuses – ils sortent de leur communauté et les recrues se font rares.

« Comme tu vois, on a un besoin urgent de professeurs et tu es plus qualifiée avec ton bac en philosophie que bien d'autres avec les brevets A ou B. »

Je me posai la question : aimerai-je enseigner ? Rien de mieux que d'essayer. Je m'inscrivis à titre de suppléante les lundis et vendredis à la Commission des écoles catholiques de Montréal, tout en gardant mon emploi à l'Hôtel-Dieu. Comme j'y travaillais de treize heures à vingt heures trente, je ne devais m'absenter que de trois à quatre heures ces jours-là. Je pris prétexte auprès de sœur Albertine d'un traitement à suivre. Celle-ci autorisa mon absence à condition que je lui rende mes heures de travail le samedi ou le dimanche.

Me voici donc, en plein froid hivernal, dans les rues de Montréal à la recherche de l'école où je devais remplacer une institutrice du secondaire à bout de force. J'aimais ces marches à l'aube qui m'offraient la découverte de quartiers, nouveaux pour moi : le sud-est avec Hochelaga-Maisonneuve, le sud-ouest avec Saint-Henri, Ville-Émard. Ils étaient défavorisés, les conditions d'enseignement étaient plus difficiles, les enseignants craquaient plus vite. À mon grand étonnement, j'eus un contact aisé avec les adolescentes, je réussis à les intéresser. Serais-je donc apte à ma nouvelle tâche ? Pour moi, il n'était plus question de vocation, d'idéal, de mission. Du moins pas à ce moment-là. L'école me semblait plus agréable que le bureau ; j'y étais davantage préparée ; je pourrais être compétente avec des cours d'appoint ; le salaire y était plus élevé – ce qui n'est pas à dédaigner pour qui commence sa carrière à trente-trois ans. En avril, j'obtins une suppléance régulière à Sainte-Madeleine d'Outremont, de huit heures à midi. Ce qui me permit de mener de front mes deux emplois : l'école le matin, l'hôpital jusqu'à vingt heures trente, et, le soir, les corrections et les préparations de cours. La supérieure se montrait satisfaite. De plus, elle réalisa que j'étais la fille de sa grande amie, Augusta Hétu. Il s'agissait de sœur Sainte-Émilienne avec qui ma mère était entrée au noviciat des sœurs de Sainte-Croix. Elle me recommanda au Collège Basile-Moreau où j'avais été étudiante de 1945 à 1947. Justement, on avait besoin d'un professeur de latin et de catéchèse. On m'engagea à cinq mille deux cents dollars par année. Je devais suivre un cours de pastorale pendant l'été, mais, pas de doute, ma formation religieuse était bien supérieure à ce cours. On me donnait le salaire minimum des professeurs pour une tâche maximale. Cela, je l'appris plus tard. Mais que m'importait : pour moi, c'était une promotion. Je ne pouvais être difficile dès mon premier contrat dans l'enseignement.

Aimée m'avait aussi suggéré d'interroger le doyen de la faculté de philosophie à l'Université de Montréal sur la possibilité de m'inscrire à la maîtrise en philosophie malgré l'interruption de ma scolarité. Le père Lacroix, alors doyen des études médiévales, accepta de m'y inscrire après avoir étudié mon dossier. Mon mémoire, que je présentai et soutins deux ans plus tard, porta sur saint Thomas d'Aquin : *La question de la vérité chez saint Thomas d'Aquin.*

Une autre amie du collège, Colette Noël, qui avait fondé une école active à Belœil, me demanda de participer en tant que spécialiste en sciences religieuses, à la rédaction de la revue *L'élève et le maître* (nouvelle méthode) avec un groupe européen de l'École Freinet. Cette expérience m'enracina dès le début de ma carrière dans la recherche pédagogique et m'apprit à regarder d'un œil critique les différentes méthodes d'enseignement. Je privilégiai toujours l'esprit de l'école active et j'en introduisis des éléments dans mon enseignement autant que l'école traditionnelle s'y prêta. Cette expérience m'initia aussi au travail d'équipe dans un groupe mixte, aux relations interpersonnelles et aux techniques de communication, comme la dynamique de groupe et l'animation sociale que nous avons pratiquées avec l'aide de spécialistes. Cette expérience m'enrichit non seulement intellectuellement mais matériellement. Pendant les trois années que je la poursuivis, je doublai presque mon salaire !

Je garde un excellent souvenir de ma première année d'enseignement régulier en Belles-lettres et Rhétorique. Le milieu était ouvert, les étudiantes travailleuses et enthousiastes. Certaines se confiaient à moi. Je les écoutais, mais je m'interrogeais sur le rôle à jouer en pareilles circonstances. Chaque professeur de latin proposait un sujet de recherche en histoire et l'élève en choisissait un parmi eux. J'avais suggéré « le mystère étrusque » après avoir vu un documentaire à la télé – oui ! j'avais acheté un appareil pour être plus près de mes étudiantes. Mal m'en prit : les deux tiers des classes de latin choisirent mon sujet ! Ce que j'ai travaillé ! Et pour diriger chacune personnellement et, toute l'année, pour préparer trois cours différents. Un phénomène de groupe m'avait étonnée. Lorsqu'on annonça l'assassinat de Kennedy, j'étais avec ma classe de Rhétorique ; les filles se mirent à pleurer et à crier, elles eurent presque une crise d'hystérie, tout comme les adolescentes qui se pressaient auprès du chanteur Pierre Lalonde à son émission du samedi soir. Était-ce possible de la part d'étudiantes si raisonnables ? C'est que la télé transformait en vedettes les hommes politiques dont le physique et l'action s'y prêtaient. Ce fut le cas de Robert Kennedy : sa mort violente en fit un héros, son histoire devint un mythe. On en est revenu ! Ce jour-là, j'ai laissé mes étudiantes s'exprimer tout en contenant leur crise d'hystérie.

L'année suivante, on renouvela mon contrat : je serais titulaire d'une classe de Versification, une classe difficile, insistait la supérieure. Les étudiantes qui avaient choisi l'option musique-grec étaient fantaisistes et indisciplinées. On comptait sur moi. Le salaire : le même. Je leur enseignerais le français, le latin et la catéchèse. La classe n'était pas très nombreuse ; j'en profitai pour introduire des moyens d'expression de l'école active. Entre autres : un journal avec leurs textes non censurés. Au début, celles-ci étaient un peu méfiantes, mais elles s'apprivoisèrent assez vite. C'étaient des filles très créatrices. L'une d'entre elles est devenue artiste-peintre ; une autre, romancière. Je les vois encore aujourd'hui.

Cette année-là, je connus Céline Quesnel, titulaire de Méthode, avec qui je développai une belle amitié. Elle débutait dans l'enseignement. Elle avait pratiqué, avec l'action catholique, le syndicalisme, et son ami était étudiant en sociologie à l'Université de Montréal. Elle me renseigna sur la lutte des classes, sur les inégalités sociales, les injustices. Ainsi, elle me dit avoir le même salaire que moi qui en étais à ma deuxième année d'enseignement et qui étais plus scolarisée qu'elle. On abusait donc de moi et je devais réclamer. Ce que je fis :

« N'avez-vous pas oublié de m'augmenter, ma sœur ?

— Oublié ? Non. Céline a le même salaire que vous parce qu'elle anime le comité d'action catholique. Vous, vous n'avez que le comité de la Croix-Rouge. »

Je réfléchis à tout cela : je réglerais le problème d'ici la fin de l'année. Avec Céline, j'avais de longues conversations passionnantes sur la pédagogie, l'art, la politique, le psychisme. Nous avions découvert Carl Rogers ensemble. Nous discutions de ce que nous pouvions en tirer pour notre enseignement. Céline devait partir à Paris l'année suivante avec Louis qu'elle épouserait. Lui, préparerait un doctorat avec Alain Touraine et elle, une maîtrise en histoire de l'art. Tous deux m'invitèrent à aller passer l'été 1966 avec eux.

J'habitais Ville Saint-Laurent depuis plus d'un an. Après six mois rue Sherbrooke, mon contrat du Collège Basile-Moreau en poche, j'avais décidé de déménager près de mon lieu de travail. J'avais trouvé, rue Leduc, un charmant trois pièces. Comme des étudiants de l'époque, j'avais acheté une table et des chaises de cuisine à l'Armée du salut, deux fauteuils et une table à café en rotin chez Import-Export. Une table de travail moderne de grande dimension, que j'ai encore, et un lit étroit, converti en sofa le jour, complétèrent mon ameublement. Le bureau devint une pièce très importante dans mes futurs appartements. Ces années-là, il me servait aussi de chambre et de salon. Ce modeste logis m'assurait le confort nécessaire à ma vie de professeur. C'est alors que je ressentis le goût et le besoin que j'avais plus jeune de la mobilité, de la route, du contact avec les autres. Au printemps 1964, je souhaitai conduire une auto. Je décidai d'acheter une voiture et de prendre des cours chez « Lauzon Drive Yourself ». Ainsi disait-on encore en ce temps-là. Les raisons sociales étaient en anglais. Il me suffit de cinq leçons pour passer mon permis. J'en étais très fière. J'achetai une Pontiac Strato Chief – oui ! les grandes américaines étaient moins chères que les petites : les garages voulaient s'en débarrasser après la sortie des nouveaux modèles. J'adorais conduire. À une amie qui revenait du lac Saint-Jean, j'annonçai triomphalement mon achat : « À nous, le Québec ! Nous voyagerons ensemble. » Elle eut un petit sourire gêné : « Je me marie à l'automne ! » Hélas pour nous deux, surtout pour elle : son mariage ne fut pas heureux. Et moi, je revis seule la Gaspésie et la Côte-Nord jusqu'à Sept-Îles. Je me réappropriai le pays. La Marcelle d'avant le monastère renaissait avec son goût du départ et de l'aventure.

C'est à Ville Saint-Laurent que je pris contact avec le Nouveau Parti démocratique : son idéal de justice me séduisait. Au fédéral, je participai pour le NPD à une élection partielle dans Outremont. Le candidat était le docteur Lazure. Nous avons tellement travaillé que le Parti libéral ne l'emporta que de justesse dans un comté où les « Rouges » régnaient depuis toujours. J'étais très zélée pour le porte-à-porte et pour les réunions de cuisine. Mais je ne me sentais pas bien avec les organisateurs du parti et les membres de l'establishment qui venaient nous voir de temps en temps. Ils ne tenaient pas compte de l'évolution du Québec telle qu'elle s'accomplissait dans la Révolution tranquille. Je ressentais un certain mépris de leur part pour le caractère spécifique du Québec et de l'arrogance à l'égard des membres francophones. Je me retirai peu à peu du parti, tout en continuant à adhérer à plusieurs de ses idées. J'ai longtemps voté pour le NPD au fédéral.

Vers la même époque, je m'accordai un peu de loisirs les fins de semaine. Mon amie Jacqueline, sortie à peu près en même temps que moi de l'abbaye Sainte-Marie, m'avait invitée à l'accompagner à un centre culturel où l'on dansait.

« Mais je ne sais pas danser !

— C'est facile, je vais te montrer. »

Je me rendis chez elle un peu avant la soirée et elle m'enseigna la valse, la rumba, la samba et le chacha. Au centre, on nous invitait l'une l'autre sans arrêt et je me laissais conduire. J'aimais beaucoup danser. Mes partenaires étaient surtout des émigrés : Pakistanais, Indiens, Hongrois, Roumains. Certains étaient plus entreprenants ; nous acceptions un peu de chaleur en prenant garde de ne pas nous brûler. Parfois, ils nous raccompagnaient ou prenaient rendez-vous pour la semaine suivante. Ces jeux érotiques nous amusaient. Nous étions comme des adolescentes qui découvrent l'attrait sexuel au contact de l'autre.

Au début, je ne pensais ni au mariage ni même à des « fréquentations ». Mon autonomie, ma profession, c'était toujours l'essentiel. Ces rencontres n'étaient que des hors-d'œuvres. Mais après un certain temps, lorsque se présenta un docteur en chimie, chercheur à Ottawa, qui venait chaque fin de semaine pour me rencontrer, je faillis bien craquer. Pas pour le mariage, mais pour faire l'amour. Dans le fond, c'est l'expérience la plus commune et la plus tentante, je m'en apercevais bien par le déclenchement du plaisir que les prémices suscitaient. Mon chimiste, à qui je me refusais encore, ne revint plus. Lui succéda un second, Indien, ancien moine bouddhiste dans son pays, qui travaillait sans envol au Bureau de l'aviation internationale. Je tergiversais encore... Ultimes hésitations d'une vierge demeurée ? Crainte d'entamer l'espace professionnel ? Peur d'être enceinte ? La dernière raison est sans doute la plus patente. Toutefois, il y eut, fin août, une balade à la campagne, une halte où, allongés dans les herbes jaunies encore chaudes de l'été, nous échangeâmes des caresses qui n'en finissaient plus, et ces jeunes qui nous surprirent! Vite, nous sommes rentrés chez moi, bien décidés l'un et l'autre à aller jusqu'au bout. Cette première fois s'accomplit dans les règles de l'art, à l'orientale, lentement, avec douceur. Ce fut très bon. J'essayai de me renseigner auprès d'amies mariées sur les méthodes de contraception. Elles me parlèrent d'Ogino, du thermomètre, du condom, mais ces méthodes étaient loin d'être sûres à cent pour cent. Les résultats en sont souvent aléatoires. Je voyais mon ami les fins de semaine. Après le temps des promenades, ce fut celui de la rencontre avec ses amis, tous des anglophones comme lui. Ce n'était pas marrant. De plus, il insistait un peu trop pour faire l'amour certains jours où c'était risqué. Je mis un point final une fois où il me prit plus ou moins de force. Du sadisme en douceur. Je ne le revis plus. Avec soulagement! Mais j'eus, le mois suivant, des règles un peu bizarres avec une hémorragie. L'autre mois, rien. Test de grossesse : positif. Désarroi. Angoisse. Que faire? J'interrogeai Denise, infirmière. Elle me dit de prendre des bains de pieds de moutarde, et de monter et descendre les escaliers rapidement, mais elle ne me parla d'aucun lieu, d'aucun médecin pour l'avortement. Moi-même, je n'en avais jamais entendu parler. Le seul discours qui circulait sur le sujet était celui des «faiseuses d'anges». Je passai trois jours dans l'incertitude la plus totale à lutter contre l'anxiété et la déprime. J'étais si jeune dans ma vie nouvelle, si vieille pour mettre au monde un premier enfant. Je ne voyais pas de solution autre que de l'accepter. Ce que je fis assez vite.

J'aimais beaucoup les enfants. J'envisageai donc autrement mon existence.

Je décidai de ne pas parler de cette grossesse à ma famille ; elle les attristerait inutilement. Pas un seul moment, je n'ai pensé donner l'enfant à l'adoption. Non, je l'élèverais seule. Au vu et au su de tout le monde ? Ça, je ne le pouvais pas si je faisais une carrière dans l'enseignement. Il en était encore ainsi en 1965. En ce temps-là, il était complètement interdit pour une enseignante – comme pour un enseignant – de vivre en concubinage, d'être une fille-mère, de manquer la messe le dimanche, etc. J'en parlai à une assistante sociale de la Société de l'adoption. Elle me conseilla d'adopter officiellement mon propre enfant pour le légitimer devant les institutions. Encore faudrait-il que ce fût une fille, car une personne seule devait, selon la loi, adopter un enfant du même sexe qu'elle. La travailleuse sociale était prête, cependant, si c'était un garçon, à lutter pour obtenir une dérogation. Aux yeux de tous, j'aurais alors adopté un enfant. Dans l'immédiat, il me fallait le porter sans qu'on le remarquât. Encore plus au collège religieux où j'enseignais. Je surveillais mon alimentation de très près pour ne pas trop grossir et je portais des tuniques amples. J'enseignai jusqu'à la fin juin : le foetus avait six mois et demi. J'avais déjà décidé de quitter le collège pour l'enseignement public. Cette libre décision s'avérait une nécessité. Je postulai dès qu'on publia les annonces d'emplois. Ironie du sort : la régionale de Deux-Montagnes, près du monastère, m'engagerait pour enseigner le français à Saint-Eustache, en dixième et onzième année au salaire de huit mille cinq cents dollars. Une augmentation de trois mille trois cents dollars. Comment refuser, moi qui aurais la responsabilité d'un enfant ? Il me faudrait habiter un peu loin de mon travail avant l'adoption : l'enfant devrait naître au début septembre.

Étaient au courant de ma grossesse Céline et Louis qui acceptèrent la responsabilité du bébé si je mourais à sa naissance, les amis de la revue *L'Élève, Le Maître* qui se montrèrent très généreux avec moi, m'offrant berceau et vêtements ainsi que leur encouragement, ma belle-sœur Monique à qui je m'étais confiée dans un moment de désarroi, mon amie Jacqueline qui porta son bébé en même temps que moi. Après l'année scolaire, je devais me réfugier dans les Cantons de l'Est pour y préparer un dossier pédagogique sur la région.

La grossesse se déroula comme prévu. J'eus beaucoup de joie à porter mon enfant. J'avais très peu d'inconvénients physiques. J'éprouvais une sensation de plénitude, de quiétude, parfois de passivité. Comme au monastère ! Sauf que c'était un être réel qui m'habitait. Je voyais un médecin attaché à l'Hôpital Fleury, qui avait préparé le terrain pour l'accouchement, surtout pour les papiers. Je devais être une femme dont le mari, ingénieur en Californie, n'aurait pu venir à temps. On n'avait pas intérêt à être une fille-mère dans aucun hôpital catholique à Montréal.

J'enseignai jusqu'à la fin de l'année scolaire comme prévu, sans que personne ne se doutât de mon état. Fin juin, je migrai en Estrie, à Sutton, chez des Anglais qui me louèrent un studio attenant à leur maison. Moi qui avais suivi un régime strict jusque-là, je me mis à dévorer. Ma grossesse est apparue peu à peu dans toute sa gloire. Je rentrai à Montréal fin juillet afin de louer un nouvel appartement que je choisis rue Émile-Nelligan, à Cartierville, tout près du pont. J'y habitai à partir du 1er août et l'aménageai en fonction de mon bébé. Une visite au gynécologue me déçut. J'espérais qu'il provoquerait la naissance à la fin août pour me permettre d'être en classe à la rentrée. Or, il ne pouvait pas : le bébé n'était pas assez descendu. Ce serait dangereux pour lui et pour moi.

Le 5 août, je finis d'installer la bibliothèque et l'alcôve où dormirait Marie-Claire Brun avec qui je rédigeais les articles de catéchèse. Elle était retournée en France et revenait à Montréal le 6 août pour la fin de ma grossesse et la naissance de l'enfant. Jacqueline me téléphona pour me demander de l'accompagner le soir pour voir un documentaire sur différents modes d'accouchement. Je déclinai son offre, me disant trop fatiguée. Je lui annonçai que mon accouchement n'aurait pas lieu avant le début septembre. Comme le sien était prévu pour le 15 août, je l'encourageai à aller seule voir le film. Elle hésitait. Alors je décidai de l'accompagner. J'allai la prendre en voiture et comme la file était longue devant le cinéma, j'obtins qu'on passât devant. Jacqueline était très grosse. Je fis même une plaisanterie : « Elle risque d'accoucher sur-le-champ si elle reste debout. »

Le film était très intéressant : on y voyait cinq accouchements qui se déroulaient selon des méthodes plus ou moins naturelles; que ce fût le médecin ou la sage-femme qui le présidât, on entendait régulièrement : « Poussez, poussez ». Je réalisais que mon enfant descendait et je m'en réjouissais. Peut-être pourra-t-il naître avant le commencement des classes? Après le film, je reconduisis Jacqueline chez elle, n'acceptant pas de prendre une tasse de café avec elle : je me sentais épuisée. Je rentrai rapidement à la maison.

Qu'est-ce que j'avais donc? Un mal de ventre que je soulagerais en allant à la toilette. C'était comme si j'avais des règles. Au bout d'une demi-heure, je laissai un message au médecin qui me rappela dix minutes plus tard. Il m'enjoignit de rentrer à la maternité de sa clinique. J'appelai la concierge qui m'avait invitée à le faire si l'événement se produisait la nuit. Elle monta et se mit à préparer ma valise. Les eaux crevèrent et se répandirent. Plus de doute, c'était le temps. Je percevais le rythme des contractions aux cinq minutes. Je fis les respirations qui convenaient, comme je l'avais appris à la gymnastique, puis je descendis péniblement rejoindre le mari de la concierge qui devait me conduire à la clinique. Je m'assis derrière, la tête appuyée sur le siège avant, continuant les respirations. Les contractions se chevauchaient. Arrivés à l'Hôpital du Sacré-Cœur, monsieur Bourque dit :

« Nous y sommes.

— Non, non, je dois aller à la Clinique Fleury. »

Il poursuivit sa route. Nous n'avions pas roulé une minute que la tête de l'enfant sortit. Je le dis au conducteur :

« Il faut retourner à l'urgence du Sacré-Cœur. C'est plus prudent. »

Là, on me plaça sur une civière pour me conduire dans une salle et on sortit le bébé qui, à mon grand soulagement, éternua : il était vivant. C'était un garçon. En même temps, on me faisait décliner mes coordonnées ; sauf mon vrai nom et mon adresse, j'inventai. Je demandai à avoir une chambre privée, par précaution, pour ne pas risquer d'ébruiter la naissance de mon enfant. On me dit de payer sur-le-champ. Je n'avais pas d'argent sur moi. À monsieur Bourque, je demandai si sa femme pouvait s'occuper de mon amie française et m'apporter mon carnet de chèques. Pouvait-on appeler mon docteur qui m'attendait à l'Hôpital Fleury ? Tout cela s'est passé dans les dix minutes après la naissance de mon enfant que je n'avais même pas vu, ni touché. On m'annonça que l'on m'anesthésierait pour m'enlever les « restes ». Inquiète, je m'en remis au sort : je ne pouvais plus rien !

Au réveil, dans la salle commune, je vis la sœur qui s'occupait de la maternité. Droite comme la loi, elle me questionna pour me faire avouer que j'étais une fille-mère. Triomphante, elle murmura :

« Je l'avais bien deviné.

— Mais qu'est-ce que ça vous donne ?

— On va voir à ce que vous ne nous laissiez pas le bébé.

— Mais je n'en ai pas l'intention, je garde mon enfant.

— Ah, on dit ça... On va avertir la Société d'adoption.

— Eh bien, demandez madame X, elle est au courant. Je dois adopter mon propre enfant ; parlez-moi plutôt de mon fils.

— Il est dans une couveuse. Il est bien fragile. Il pèse à peine un peu plus de quatre livres. »

Je finis par joindre Céline qui vint me visiter. Madame Bourque m'amena Marie-Claire et mon chéquier, on me changea de chambre.

Le lendemain, la sœur m'apprit la mort de mon fils. Il souffrait d'une insuffisance respiratoire. Elle m'avoua qu'elle l'avait baptisé avant sa mort et qu'il était au ciel avec les saints Innocents. Quel prénom doit-on mettre sur l'acte de décès ? Christian, Christian Brisson. Désirais-je qu'il soit inhumé à l'hôpital ? Oui. Tout se déroulait tellement vite. Comment arrêter ce mauvais film. Puis-je le voir ? J'en venais à douter de la réalité de ces événements. Rien de ce que j'avais préparé ne s'était réalisé. Avait-il eu au moins les soins nécessaires ? Et si la sœur avait voulu transformer prématurément l'enfant du péché en ange ou en saint Innocent ? Ou l'avait-elle donné pour une adoption ? J'étais contente d'avoir demandé à le voir. On vint me chercher en fauteuil roulant pour me conduire là où il reposait. La jeune infirmière m'offrit de le prendre dans mes bras. Ce que j'acceptai avec reconnaissance. Il était comme une poupée. Un tanagra. Il ne portait aucune marque de l'accouchement qui avait été si rapide, sa peau était lisse. Il était le portrait de son père, avec le teint légèrement basané. Je ne pouvais en douter, c'était lui. Sa chair était encore chaude. Je le berçai un moment. Le premier et le dernier bercement. Quel gâchis !

Céline et Louis vinrent me chercher le lendemain. À quoi bon rester plus longtemps dans cette chambre où la préposée ne cessait de me rappeler que j'étais une fille-mère. On m'avait fait des points au vagin. Je dus pendant quelques jours m'asseoir sur un coussin en caoutchouc. Je ne me rappelle à peu près rien de ce temps post-partum. Marie-Claire était chez moi. Quand je fus assez bien, je lui fis les honneurs de quelques coins du Québec. Mon seul souvenir : l'excursion des îles de Sorel. Nous nous promenâmes autour de ces îles en bateau-moteur. À un brusque tournant, le souffle me manqua. Une sorte d'asthme. Peu après ce phénomène se renouvela dans un cinéma. Les deux fois, je me mis à chercher mon souffle tout doucement et retrouvai une respiration normale. Ainsi s'exprimait, je crois, la douleur rentrée de la mort de mon fils.

Il est difficile de faire le deuil d'un être qui, à peine né, s'en est allé. Le ventre est redevenu plat sans que la présence de celui qui l'habitait ne remplisse la maison. Je ne me souviens que de sa vie en moi, fondue dans la mienne. Il n'a pu exister sans moi. Sentiment d'échec. Qu'aurais-je dû faire que je n'aie pas fait? Cette pensée me hantait. J'en voulus beaucoup à Denise, chez qui j'avais habité un mois avant de partir dans l'Estrie. Je lui avais demandé de déposer ma télé dans l'auto. Elle ne m'avait pas répondu. Je l'avais transportée moi-même. J'avais ressenti alors une douleur au ventre. Et quand j'étais rentrée pour mon déménagement, Denise était partie pour ses vacances sans aucune indication. Je m'étais retrouvée seule, en plein été, sans abri et sans accès à mes meubles. Après la mort de mon fils, je ne voulus plus la voir. Mon corps était sain, selon le jugement de la médecine. Mais n'était-il pas porteur de quelque tare secrète ? Je scrutais la moindre faille, j'interrogeais le plus petit rhume. Comment ai-je pu transmettre la mort ? Blessure narcissique intolérable. Je percevais d'une façon aiguë ma propre mortalité et je ne croyais plus à l'immortalité : je parlais à Christian dans mon ventre. Sa mort interrompit le dialogue. Je faisais le deuil de l'immortalité en même temps que celui de mon fils.

Quelques mois après cet événement, je rencontrai tout à fait par hasard le père de mon enfant. Nous allâmes boire un café dans un bar. Je lui racontai la mort de Christian. Il m'invita à le revoir. J'acceptai. Il était encore amoureux, disons plutôt désireux de notre relation. Eh bien ! j'acceptai de faire l'amour avec lui. J'y étais portée par une sorte de nécessité, comme si je voulais reprendre l'expérience ratée de ma maternité. Je fus consciente de ce besoin de répétition et y résistai. Je décidai de prendre la pilule anovulante. Pas facile de trouver, en 1965, un médecin pour me l'ordonner. On me conseilla d'appeler au Jewish Hospital : j'eus un rendez-vous avec le docteur Wolfe qui me la prescrivit sans hésitation. Du coup, je ne revis plus X – j'ai même oublié son nom –, ma peine, elle, demeura au plus profond de moi.

L'année d'enseignement à la régionale de Deux-Montagnes me fut pénible. Les élèves de dixième et onzième année à qui j'enseignais avaient encore leurs locaux à l'ancienne école de Saint-Eustache, en pleine transformation. Des courants d'air circulaient. Je traînais des infections respiratoires, comme si je me refusais à souffler sans mon enfant.

Pour la première fois, je fis l'expérience d'une nouveauté pédagogique : la division des classes du même niveau selon la rapidité d'apprentissage des élèves : les enrichis, les moyens, les faibles. A-t-on idée des efforts à accomplir pour stimuler une classe moyenne ? Toutes voulaient réussir leur année sans se dépasser les unes les autres. Seul un centre d'intérêt en dehors du programme pouvait dynamiser ces élèves. C'est alors que j'envisageai une correspondance orale (sur cassettes) avec des classes de même niveau en Belgique. Dans les classes enrichies, tout stimulait les élèves : la compétition, les suggestions de travaux et de lectures, les remarques. J'ajoutai également la correspondance écrite avec l'étranger. Eh bien ! ces élèves accomplissaient ces activités comme en jouant ; elles en redemandaient d'autres ! Les élèves vraiment faibles rassemblées dans une classe ne pouvaient progresser qu'à un rythme très lent, et encore, si elles n'étaient pas trop nombreuses. Ce procédé de division des classes m'apparut vite artificiel et injuste. Seuls les doués sont alors privilégiés dans leur apprentissage, mais le sont-ils dans l'intégration sociale ?

Denise Bombardier enseignait avec moi cette année-là. À l'occasion, je la ramenais en auto à Montréal. Elle me dit un jour qu'elle avait fait sa petite enquête : tous les enseignants à Saint-Eustache étaient des anciens frères et des anciennes sœurs. Sauf, bien entendu, les trois Montréalais :

elle, Jean-René et moi. Je l'avertis qu'elle pouvait me retrancher du nombre. Elle n'en revenait pas. Je lui racontai mon histoire. Quelques jours plus tard, elle me proposa une entrevue pour l'émission *Aujourd'hui* pour laquelle elle était recherchiste. J'acceptai à condition que l'interview se déroula incognito. À ma sortie de l'abbaye Sainte-Marie, je racontais volontiers mon histoire. Après l'avoir entendue, certains interlocuteurs changeaient leur regard sur moi : ils étaient à l'affût de signes qui révélaient mon ancienne vie. Il n'y avait plus de spontanéité alors dans la communication. L'interview suscita beaucoup d'intérêt dans le public.

Maria Guttierez, cette amie portugaise avec qui je travaillais en pédagogie nouvelle, m'apprit que l'Institut de technologie Laval deviendrait un collège pilote pour les futurs collèges d'enseignement général et professionnel. On y enseignerait la philosophie comme matière obligatoire. Son mari, lui-même professeur de philosophie à l'École normale des techniques, s'informa auprès du directeur de l'Institut des chances de ma candidature avec une maîtrise en philosophie. Elles étaient grandes. Je rencontrai plus tard Yves Miron, chef du Département des sciences humaines ; il m'engagea pour l'année 1966-1967.

Ma carrière d'enseignante prendrait un nouvel essor. Ce qui me réjouissait encore plus, c'était la démocratisation de l'enseignement au Québec avec l'instauration du ministère de l'Éducation et la création des cégeps, laïcs, d'entrée de jeu, gratuits pour toute la population, porte d'accès à l'université ou à une école de formation de technologie supérieure. Ils remplaceraient les cours classiques religieux traditionnels si peu accessibles à l'ensemble de la jeunesse. Des professeurs laïcs pourraient enseigner la philosophie, cette chasse jalousement gardée des prêtres et des religieuses.

En même temps que cette perspective s'ouvrait pour moi, je reçus l'invitation de Céline à aller passer l'été 1966 à Paris. Elle m'en avait parlé toute l'année dans notre correspondance. Les choses se précisaient. Louis irait à Prague pour une session de mathématiques. Elle et moi ferions, avec son amie Denise Gaudet, un tour de France. Ce projet me donna des ailes : je m'envolai vers Paris à la fin juin.

La France – l'Europe

Orly, Céline et Louis m'attendent. Grande joie. Enfin la France ! Les larmes me coulent des yeux. Mes amis ont ressenti la même émotion à leur arrivée. Sentiment ineffable de l'originaire qui sourd, affleure et s'exprime. Il transcende les multiples raisons qui nous font aimer ou détester les Français. Il s'avive en foulant les rues de Paris dont le nom ainsi que celui des places et des monuments me rappellent mes lectures, mes études, mon acculturation à la France. C'était l'époque où nous hésitions entre l'identité canadienne-française et celle, nouvelle et plus ancienne, que nous nommions québécoise, entre une idéologie de rattrapage et une révolutionnaire. Nous attendions beaucoup de l'université et de la culture françaises, tout en sachant que ces richesses, nous les absorberions à notre façon.

Avant de s'envoler vers Prague, Louis nous promena en voiture dans Paris et ses environs. Le rutilant Versailles ne m'éblouit pas, mais j'aimai Fontainebleau. Le château, la forêt où nous avons pique-niqué – quel aménagement comparativement à nos bois! –, la chapelle de Milly-la-Forêt, le jardin avec ses simples, tous ces lieux où flotte le souvenir de Jean Cocteau et de Jean Marais. Vaux-le-Vicomte m'apparut comme le plus beau des châteaux. Une merveille d'équilibre. Le surintendant Fouquet l'avait fait construire avec les revenus de l'État. Louis XIV l'honora d'une visite lors d'une grande fête organisée pour lui. Il pâlit d'envie en voyant le chef-d'œuvre architectural. Il fit mettre Fouquet en prison, confisqua ses biens et construisit Versailles. J'aime apprendre ainsi l'histoire. La cathédrale de Chartres me transporta au ciel de ma vie monastique. Je retrouvais dans la transparence de la lumière – ô merveille! – chacun des vitraux que j'avais admirés dans les livres. Je reconnus les saints sculptés sur les tympans, sur les linteaux, dans les voussures. Mes amis m'admiraient de pouvoir les nommer et leur traduire les noms et les textes en latin d'Église. Toute une culture religieuse qui me revenait.

Après le départ de Louis, nous prîmes Paris d'assaut. Je commentai Notre-Dame de Paris encore plus à loisir que la cathédrale de Chartres : nous avions plus de temps. Puis ce fut la Sainte-Chapelle, Saint-Séverin, Saint-Julien-le-Pauvre. Plus tard, j'ai beaucoup revu ces lieux, puisque j'ai habité Paris une douzaine d'années, mais, lors de ce premier voyage avec Céline, nous les épelions pour ainsi dire. J'apprenais aussi à reconnaître les places, les ponts, les bords de Seine, les quartiers, les théâtres (je vis l'éternelle *Cantatrice chauve* d'Ionesco au Théâtre de la Huchette). Je me familiarisai avec le métro avant d'étrenner le nôtre, à Montréal. Céline me mit au parfum de la vie parisienne, surtout de la Sorbonne et de la faculté d'histoire de l'art qu'elle fréquentait – où opéraient le beau Renault d'Allones, le savant Tesseydre et qui encore ! –, mais aussi de Nanterre à ses débuts, où Louis était inscrit au doctorat en sociologie avec Touraine. Les étudiants étaient joyeux, enthousiastes et contestataires. Déjà flottait l'esprit de Mai 68.

Mes amis, comme beaucoup de Québécois, s'étaient scandalisés au début de leur vie à Paris du fait que des professeurs de gauche ou des communistes habitent dans des appartements cossus. Mais, après tout, ceux-là venaient de familles aisées dont ils recevaient des héritages. Ces hommes politiques très engagés et dévoués n'étaient pas des saints : ils demeuraient incarnés dans leurs milieux. On peut faire une analogie avec les prêtres, les religieux et religieuses de chez nous : bien installés dans des presbytères, des collèges et des couvents pour administrer la religion, l'enseignement et le salut. Sauf que la population ne payait pas les logements des gens de gauche ! Et la révolution marxiste n'était pas encore accomplie. Ils y travaillaient.

Juste avant de partir pour notre tour de France, Céline reçut un coup de fil de Louis. Malheureux comme une pierre en Tchécoslovaquie, il lui demandait si elle acceptait de le rejoindre. Adieu Tours, Poitiers, Bordeaux, la Bretagne et la Provence ! Nous n'avions pas assez de francs pour faire ce voyage à deux. Denise rentra à Montréal et moi je continuai mon voyage. Mon billet d'avion me donnait droit à trois capitales : Londres, Bruxelles, Amsterdam. J'en profitai.

D'abord Londres. Dans l'autobus qui m'amène de l'aéroport à la capitale, je fais la connaissance d'un pilote de ligne. Il me conseille, pour avoir une idée juste de Londres et des Londoniens, de faire une tournée des pubs et il s'offre comme guide. Je dépose ma valise à l'hôtel et, sur-le-champ, il me conduit dans un pub chic. Les gens – plus *stiff upper lip* que ça, tu meurs – y dégustent leur premier sherry. « Mais dans une heure ou deux, leur gourme s'envolera », me dit-il. Il m'amène ensuite dans un pub ouvrier où les pintes de bière trônent sur les tables. On chante et on boit ferme. Quelqu'un prend le micro, raconte des *jokes*, un autre le lui enlève pour chanter avec la salle. Un programme d'amateurs chaque soir improvisé. Le dessert, c'est un pub sur les bords de la Tamise qui a débordé, d'où un problème pour le rejoindre. Le seul en plein air. L'endroit est charmant, style paysages impressionnistes. Nous nous installons à une table où deux hommes sont assis, l'un avec un whisky, l'autre un scotch. Ce sont bien un Irlandais et un Écossais. J'invente ? Que non ! C'est ainsi qu'ils se présentent à mon guide anglais. Un heure après, s'étalent devant moi trois verres de cognac. À chaque tournée, ils m'offrent ce qu'ils croient être ma boisson habituelle, dont je ne bois qu'une gorgée ! Le lendemain, je fais seule le tour des lieux historiques qui me rappelaient les cartes postées par mon père, comme Hyde Park où j'ai la chance d'entendre un orateur, Trafalgar Square, Piccadilly. Je marche le long de la Tamise... vues magnifiques sur la cathédrale de Westminster.

En Belgique, je vois avant tout Bruges. Je me promène longuement dans la ville aux canaux.

L'or des églises, le Saint-Sang-du-Christ, les Van Eyck, les Memling, le béguinage, tout m'interpelle. C'était encore une ville ancienne, tamisée par le temps. Une autre époque, un autre monde. J'aurai peine à la reconnaître plus tard tant la vie moderne l'aura envahie.

Amsterdam m'emballe. On y respire un air de liberté. Au café, se regroupent vieux et jeunes, hommes et femmes. On y lit, on discute, on joue aux billards. J'entre dans un restaurant où, au comptoir, on sert des repas rapides. Je parle avec mon voisin, un monsieur dans la cinquantaine. Je lui dis que mon père, un soldat canadien, a participé à la libération.

« Bravo pour les soldats canadiens ; ils nous envoyaient des parachutes avec des boîtes de biscuits. On mourait de faim. Connaissez-vous Marken et Volendam, deux villes touristiques sur la Mer du Nord ? Je vais vous y conduire si vous voulez. »

Je veux bien. Deux villages reconstitués tels qu'à leur origine. Attrait touristique, mais la Mer du Nord est tout près. Froide, dure et belle. La chanson de Jacques Brel.

À Amsterdam, je découvre aussi le son des cloches. Mille concerts impromptus, un *Magic Circus* de sons aériens. Qu'en aurait pensé Cage ? Je me promène encore le long des canaux. Ils sont moins figés ici, plus vivants qu'à Bruges, plus liés à la vie contemporaine. J'apprends sur le vif le sens du mot *polder*... Dans une ruelle, je vois des femmes en vitrine. Je regarde... jusqu'à ce que je réalise que c'est le *Red Light*. Gênée, je détourne mon regard. Cette capitale me semble plus authentique que d'autres. Les gens sont eux-mêmes, il y a peu de recherche dans les vêtements, la publicité ne joue pas de l'érotique. Les plaisirs s'affirment clairement et se consomment sans gêne. J'y suis retournée quelques fois et j'y retrouvais la même atmosphère.

Vers la mi-août, je connus à Paris un étudiant en médecine. Un superbe Camerounais. Nous avons fait l'amour avec ardeur. Je voulais voir Venise, une troisième ville de canaux. Ce projet lui plaisait. Il attendait son chèque de pension. Nous avons joint nos derniers francs pour y passer huit jours. Munis de nos billets, nous avons pris d'assaut les wagons : pas de place, tout était réservé. Nous ne connaissions ni l'un ni l'autre le rite français de la réservation de billets. Douze heures de train debout ! En fait, nous nous asseyions sur nos valises. Quand les gens allaient aux toilettes ou voulaient se détendre, ils nous laissaient leur place. Mais douze heures ! Je demandai des informations au contrôleur pour le retour. Oui, nous pourrions faire un arrêt à mi-chemin, en Suisse par exemple. Enfin, nous sommes arrivés en gare. Vue magnifique sur la ville des doges.

Nous prenons une chambre tout près, dans un hôtel minable. Mon compagnon me décourage : c'est un prince africain. Il appelle les porteurs avec autorité : il vise les grands hôtels, il a deux valises de costumes chics et voyants. Et nous avons à peine de quoi vivre et rentrer à Paris ! Nous ne sommes pas sur la même longueur d'onde. Il faut que je le contrôle, ce n'est pas gai. Notre hôtel ne nous coûte à peu près rien, mais il nous faut marcher à travers les ruelles jusqu'à la place Saint-Marc, ce qui lui déplaît : il voyagerait en gondole ! La première fois, nous prenons le *vaporetto*, mais nous ne pouvons continuer. Et c'est tellement amusant de se faufiler dans ces ruelles où l'on se perd immanquablement, mais où l'on découvre de vieilles églises, des chefs-d'œuvres de maîtres, des fontaines rafraîchissantes, et toujours quelqu'un de gentil pour nous indiquer notre chemin : *a la diretta, a la sinistra*. Le troisième jour, je trouve un hôtel également modeste près du Rialto. Elungo est content de déménager. Moi aussi. Pas de porteurs cette fois-ci.

Nous restons à Venise encore deux jours à visiter les lieux historiques sur la place Saint-Marc. Mais pour les visites, je dois parler au singulier, car, après avoir vu sommairement le palais des Doges, Elungo se fatigue et s'installe à une terrasse de la place. L'air y est léger malgré la chaleur, la vue superbe. Il n'en bouge plus. Je le retrouve après chaque leçon d'histoire que les monuments m'offrent. J'aime varier mes plaisirs esthétiques.

Nous sommes retournés à Paris avec réservations ! Arrêt à Brigue, en Suisse, dans le Valais. Nous devions prendre l'autocar à la gare pour la montée au village de Blotten, si je me souviens bien. Après le raffinement des palais et de la culture, nous nous retrouvions dans une nature sauvage où les maisons sont avant tout des abris de pierres élevés sur quatre piliers de pierres plates, dont une beaucoup plus grande empêche les rats d'envahir la maison. Ce lieu primitif ne plut pas à mon compagnon. Nos étreintes se desserrent : pas assez de complicité dans nos goûts. Je pris la résolution de ne jamais entreprendre un voyage assez long avec quelqu'un, sans auparavant nous être soumis à l'épreuve d'un week-end ! Malgré tout, nous avions fait un bon voyage. Je garde en souvenir de mon Camerounais une très belle nappe brodée... en compensation de l'argent qu'il m'avait emprunté et ne me remit jamais !

De Dieu et des hommes

La France, avec quelques pointes en Europe, s'offrit donc à moi, en cet été 1966, comme le premier ailleurs, « l'autre » à la fois lointain et tout près. Mes premières vacances, libres de travaux et d'obligations depuis 1947. Je reprenais la route comme à dix-huit ans. Je ne m'identifiais plus à François d'Assise. Je ne me consacrais plus à l'Absolu, mais je m'ouvrais à de nouvelles expériences, à des régions, à des pays. Gaïa, la Terre mère, me livrait ses secrets dans le contact avec les gens. Je me sentais familière avec le monde, même dans les pays dont je ne connaissais pas la langue ; je parlais spontanément avec les habitants – les gestes suppléant parfois aux paroles –, je communiais avec une certaine fraternité universelle, comme si la tour de Babel n'avait pas existé. Encore aujourd'hui, même après quelques expériences malheureuses, je persiste à croire en cette proximité première des hommes et des femmes entre eux. À la façon de Jean-Jacques Rousseau, j'ai foi en une bonté originelle, qui peut toujours ressurgir, même quand la société l'a comprimée, étouffée, ensevelie. Oui, même après les génocides de notre époque. L'humain peut toujours émerger en chaque être singulier et dans des sociétés constituées. Les écritures, les œuvres d'art, les vestiges des civilisations en témoignent. C'est même l'unique objet de ma foi. Déjà, je ne croyais plus en la possibilité d'une révélation. Le discours analytique avait fait éclater le monolithe de l'Absolu. Un ordre des raisons avait émergé peu à peu du chaos. Il résultait d'une cohésion interne produite par différentes grilles d'interprétation psychanalytique, sociologique, historique. Dieu n'était plus la clé ; je devais tenir compte de facteurs humains. Il devenait de plus en plus lointain, sans que j'en ressentisse d'état d'âme. À partir de ma dépression, et selon le conseil de madame l'abbesse, j'avais interrompu le dialogue amoureux avec lui. Je tentai de le renouer dans les moments difficiles de ma thérapie. Au début de ma vie laïque aussi. En vain. Je n'éprouvais plus rien. La prière ne me donnait aucune force. Des mots seulement. Au contact de la nature et d'œuvres d'art, je ressentais encore de fortes émotions sans les diviniser. À mon retour à Montréal, j'avais continué les pratiques religieuses. Je fréquentais le couvent des Dominicains du chemin de la Côte-Sainte-Catherine, dont la pastorale, le service liturgique, la revue *Maintenant*, attiraient des intellectuels qui s'interrogeaient, des catholiques dans la foulée du concile Vatican II. Je prenais intérêt aux problèmes sociaux et politiques que l'on y discutait. J'ai même écrit un ou deux articles dans *Maintenant*. La richesse de ce milieu ecclésial masquera pendant un temps mon agnosticisme.

Dieu cohabitait avec mes convictions, l'Évangile coïncidait avec mon éthique. Ils m'étaient devenus immanents, « l'idéal d'une conscience qui serait fondement de son propre être de soi » (Sartre). Je ne pouvais plus croire en leur transcendance. La preuve ? Je n'aurais pas sacrifié sur l'autel divin cette philosophie de la vie que je développais peu à peu à partir de mon être nouveau. Dieu n'étant plus l'Absolu, ne pouvait plus être le Dieu d'Abraham, d'Isaac et de Jacob... ni Jésus. J'y reviens : impossibilité de croire en une révélation. Position radicale qui abolit le choix de quelque révélation que ce soit. Mon expérience d'une vie dans l'Absolu et de son échec, de l'analyse thérapeutique, des sciences humaines et de la philosophie m'amenèrent à cette position de l'agnosticisme comme à une quasi-évidence. J'éprouve encore aujourd'hui le sentiment de libération que je ressentis alors. Pas d'hésitation, pas d'angoisse, pas de remords. Après la bure du monastère, ce sont les voiles de la religion qui tombèrent. J'ai été ramenée à la nudité de l'humain comme à une réalité première et dernière. Dieu n'existe pas. Le ciel non plus. Jésus est une belle figure de l'humanité. Comme lui, mais à ma façon, je vivrai l'amour de moi et des autres. Cette conviction resplendit comme une lumière. Elle était telle qu'à Raymond Beaugrand-Champagne je déclarai : « Je ne crois plus. » Je l'avais alors choqué – une telle affirmation, à l'improviste, dans les transports publics ! –, comme si je ne respectais pas la gravité d'un tel sujet. J'en eus de la peine et regrettai ma spontanéité. Par la suite, je fus plus réservée dans les discussions avec les croyants. Jean XXIII avait apporté un souffle nouveau dans l'Église. L'aggiornamento et le concile Vatican II faisaient espérer une Église plus humaine, plus œcuménique, plus évangélique. Avec le renouveau liturgique, bien des catholiques reprirent la pratique religieuse. Les gens qui n'avaient pas laissé de côté la religion devenaient plus fervents. Ils faisaient contre-pied à la laïcisation de la société, des clercs, des religieux, et à l'anticléricalisme d'un grand nombre qui réagissait à un pouvoir religieux trop lourd. Mais ils étaient peu nombreux, je pense, à remettre en question l'existence de Dieu et de l'immortalité.

Mes amis avec qui j'avais œuvré dans les revues d'école active partageaient ma foi dans l'être humain. Pour nous, comme à la revue *Maintenant*, l'école devait être « laïque ». C'est d'ailleurs le moyen de respecter la religion de tous ; c'est le rôle des parents d'initier leurs garçons et leurs filles à une religion, s'ils le souhaitent, c'est leur responsabilité, celle de leur Église aussi. L'école, elle, doit être ouverte à tous, peu importe la religion, de l'élémentaire à l'université selon les capacités et le choix de chacun. Pour nous, l'enfant est un être à part entière. Le maître l'accompagne pour lui offrir des outils d'apprentissage, un milieu riche et chaleureux, un savoir indispensable selon son développement. Nous récusions le maître orgueilleux et autoritaire qui distribue ses connaissances *ex cathedra* sans faire participer les élèves à leur apprentissage. Mais le maître, si ouvert fût-il, gardait son statut de maître, l'amitié ne devant pas s'exercer au détriment de son autorité. Développement de l'enfant, oui. Mais aussi apprentissage du monde qui sera le leur. Le maître, tout comme les parents, est le lien entre les deux. Nous accordions beaucoup d'importance à l'esprit inventif et créateur de l'enfant, dans la pratique des arts et dans toutes disciplines. Aussi, à mesure qu'il grandissait, nous encouragions son esprit critique. De cette façon, l'enfant apprenait à accueillir l'enseignement du maître tout en le contestant à l'occasion. Que l'individu soit un agent actif dans la société.

C'est dans cet esprit que je tentais d'enseigner au début de ma carrière de professeure, même si j'avais d'abord en vue ma survie et mon autonomie. Je me sentais maintenant de taille à m'engager davantage dans la Révolution tranquille des années 60. Je discutais des enjeux du rapport Parent avec Maria et Peppe, son mari. Il s'agissait d'une démocratisation de l'enseignement, c'est-à-dire d'une ouverture à tous, de l'élémentaire à l'université inclusivement, et aussi d'une adaptation des élèves à nos sociétés contemporaines. Cette institution était d'emblée laïque, ouverte à tous, peu importe leur religion. C'est avec la création des cégeps – des collèges d'enseignement général et professionnel – qu'apparaissait le plus l'intention du rapport. Le ministère de l'Éducation offrait gratuitement à l'ensemble des Québécois, après cinq années de secondaire, deux ans de préparation à l'université. Jusque-là, à quelques exceptions près, seul le cours classique, long et cher, y donnait accès, ou plutôt, était un goulot d'étranglement pour ceux qui y aspiraient. En 1960, seulement 7 % des Canadiens français s'inscrivaient à l'université. Avec les cégeps, on pouvait compléter une formation collégiale sans avoir à débourser un sou. En même temps, les cégépiens échapperaient à l'idéologie élitiste et religieuse des cours classiques et recevraient une formation plus près de la société à construire. Cet aspect apparaissait davantage dans la formation professionnelle pour les étudiants qui la choisissaient. Le rapport Parent espérait que les deux tiers de sa clientèle appartiendraient à ce secteur. En fait, elle fut moindre. Ces étudiants iraient sur le marché du travail après trois années d'étude. Pendant deux ans, ils partageraient le même cursus avec leurs camarades qui aspiraient à l'université : une formation générale – cours de philosophie, de lettres françaises et québécoises et d'éducation physique –, une formation spécialisée avec des cours plus nombreux, et une formation complémentaire. Une troisième année serait entièrement consacrée à leur choix professionnel : cours et stages. Ces études devaient nécessairement être adaptées à notre société ; autrement, ces étudiants n'auraient pu trouver d'emploi. À eux aussi, l'université restait ouverte s'ils décidaient de se perfectionner ou de changer d'option.

C'est à ces futurs techniciens supérieurs que j'enseignai la philosophie en septembre 1966, à l'Institut de technologie Laval, collège pilote qui allait devenir le Cégep Ahuntsic l'année suivante. Je devais donc les préparer à accueillir l'enseignement de la philosophie. Il n'était pas question de faire de l'histoire de la philosophie avec des jeunes gens qui connaissaient très peu l'histoire – je réalisai plus tard qu'il en était de même avec les étudiants qui se destinaient à l'université ! Non. Il fallait plutôt les former à la rigueur de la pensée, à la lecture critique des journaux, à la compréhension des institutions et de leur monde, les aider à se faire une idée de la personne et de la société en leur présentant différentes conceptions philosophiques et idéologiques sur le sujet. Ici pouvaient intervenir des textes de philosophes anciens et modernes, mais à condition que l'analyse n'exigeât pas de cours élaborés en histoire.

Me voici dans le feu de l'action, face à une classe d'électrotechnique. Seulement des garçons. Ils protestent vivement. « Pourquoi la philosophie ? Ce n'est que du blablabla. Notre horaire est très chargé. Il nous faut réussir notre spécialité. Gagner notre vie. Même nos professeurs de technique ne sont pas d'accord avec cet alourdissement de notre programme. La philosophie : des mots compliqués, sans rapport avec la réalité ! »

Je me passionne à leur prouver le contraire. D'abord, je leur montre comment ils ont droit, eux aussi, comme des êtres à part entière, à l'enseignement de la philosophie. C'est une affaire de justice. Cette discipline n'est plus le privilège d'une élite comme au temps des cours classiques, mais le prolongement normal de leurs études, car, avant d'être des techniciens, ils sont des citoyens qui réfléchissent, se posent des questions, décident de leur vie et de celle de la cité. Oui, ils sont capables de réflexion philosophique. Exemples à l'appui, je mets en relief le lien entre la pensée et la philosophie ; comment celle-ci permet à la réflexion de se poursuivre avec plus de rigueur, à l'action d'être plus cohérente. Le point d'interrogation qu'on se pose si souvent dans le quotidien renvoie à des questionnements plus profonds qui rejoignent les grands problèmes de la vie. Sans compter que les matières obligatoires leur ouvrent la porte de l'université, s'ils veulent poursuivre leurs études.

J'arrivais à les stimuler au moins pendant les deux premiers tiers du semestre. Pour ce faire, je leur donnais d'abord à réaliser de courts travaux que je corrigeais rapidement : les explications s'imposaient. Je les branchais sur un travail de recherche, seuls ou en équipe, dont je supervisais l'élaboration. Une dernière analyse ou dissertation serait remise à la fin du semestre : je tolérais les retards jusqu'au jour de l'examen, d'ailleurs facultatif. Le contrôle était continu.

L'expérience de cette première année fut satisfaisante et même positive. Déjà, nous pouvions remarquer que les techniques où il y avait une majorité de filles, comme la radiologie, accueillaient mieux la philosophie que d'autres. De même, celles dont l'humain était l'objet, comme la biologie. Plus les techniques étaient concrètes, plus l'abstraction philosophique semblait difficile. Les six professeurs de philosophie que nous étions partageraient le bilan de leur expérience avec les collègues de Saint-Ignace qui se joindraient à nous l'année suivante.

Cette première année me ménagea de bons contacts avec les professeurs de sciences et de techniques. Nous avons appris à nous connaître avant l'invasion massive des professeurs du cours classique contre lesquels mes collègues nourrissaient des préjugés défavorables. Je jouai à l'occasion le rôle de trait d'union.

L'Italie

Pour le moment, nous sommes déjà dans la liesse de l'Exposition universelle de 1967 où plusieurs de nos étudiants travailleront. Moi, j'avais décidé de ne voyager que trois semaines en Europe : un saut à Paris pour y saluer mes amis et l'Italie-Sicile. Je voulais être à Montréal pour accueillir « le Monde » qui, en juillet-août, viendrait à nous. Des gens de tous pays, des objets, des cultures différentes. Chatoiement de civilisations.

À Paris, mes amis Maheu m'accueillirent chaleureusement, comme toujours, dans leur nouvel appartement près de Notre-Dame, rue de Pontoise. Mais ils étaient débordés. L'année universitaire en France ne s'achève qu'à la fin juin. Je les quittai assez vite pour Florence, Assise, Rome et la Sicile.

Malgré la pluie, je demeurai cinq jours à Firenze, la toute belle, l'inépuisable. J'allais de splendeur en splendeur. Mon hôtel donnait sur l'Arno. Le fleuve avait débordé cette année-là, causant de graves dommages aux églises et aux monuments sur ses rives, particulièrement à Santa

Croce. Je voulus voir sur place ce qu'on nous avait montré à la télé ; partout les gens me parlaient de la « catastrophe », les bras en l'air, des larmes dans les yeux. Je comprenais assez la langue, grâce à ma connaissance du latin, à sa proximité avec le français et à l'expressivité gestuelle des Italiens. Je flânais partout dans les rues, je visitais les églises autour du duomo, et les musées. L'humble couvent de Fra Angelico me ravit particulièrement, de même que la Bibliothèque laurentienne. À la place des Signori, j'admirai le *David* de Michel-Ange dans son décor original. Une copie en avait été exposée dans un centre d'achats, en banlieue de Montréal, et avait suscité une vive polémique : peut-on exposer un nu dans un lieu public, fréquenté par des gens de tout âge ? Je crois qu'on avait dû enlever la statue.

Pour la première fois de ma vie, j'achetai, à Florence, près de l'Arno, dans une boutique victime des inondations, des vêtements très chers, soldés à un prix raisonnable. Je revois cette robe vert feuille avec des fleurs fuchsia foncé, accompagnée d'un manteau de tricot vieux rose et d'un tailleur pied-de-poule rose et marine. Pour moi, une folie dont l'aide aux sinistrés de l'inondation fut le prétexte. Je n'ai pas parlé, je le réalise maintenant, du régime amaigrissant qui m'avait fait perdre trente livres à ma sortie du monastère. Je pouvais alors m'habiller facilement dans les boutiques de prêt-à-porter chic – ça n'a pas duré longtemps ! Je finis par m'arracher à Florence, car on m'attendait à Rome. Je pris un autocar pour m'y rendre ; il s'arrêtait quelques heures à Assise. Je ne fus pas déçue : le paysage de la ville et des environs s'harmonisait avec la figure de saint François qui m'avait séduite pendant mon adolescence et à laquelle j'étais fidèle. Beaucoup de douceur sur un fond d'austérité. Les fresques de Giotto me racontèrent en beauté la vie du *Poverello*.

Une intention secrète avait animé ma décision de demeurer une huitaine de jours à Rome. Je voulais y rencontrer le père Desmeules, alors procureur de sa congrégation. Depuis son départ de Sainte-Marie – et le mien –, j'étais obsédée par le désir de connaître comment il avait vécu son séjour à l'abbaye et, plus particulièrement, notre relation commune. L'analyse m'avait éclairée sur ce qu'elle pouvait contenir d'humain. Et lui, en avait-il été conscient ? Quelle image gardait-il de moi ? Je lui avais écrit pour l'avertir de mon séjour à Rome. Pourrait-il m'accorder un peu de temps, et même me réserver une chambre à Rome ? Il m'avait répondu avec beaucoup de gentillesse en m'envoyant l'adresse d'une communauté qui recevait des hôtes. C'est là que je descendis à mon arrivée et il m'y joignit par téléphone. Il me donna rendez-vous le lendemain matin à la messe qu'il célébrait à Sainte-Marie-Majeure. Je le devinai : seul le spirituel compterait pour lui – ou il voulait qu'il ne comptât. La sœur hôtelière m'avertit que les portes du couvent fermaient à la tombée de la nuit : le surveillant du quartier vérifiait alors qu'elles étaient bien verrouillées. Cependant, ce soir-là, exceptionnellement, elle veillerait pour les ouvrir à un vieux couple anglais, leurs invités depuis des années, désireux de voir *Roma by night*. N'aimerais-je pas les accompagner ? Si, si, si, *of course*.

Me voilà donc dans l'autocar, un peu derrière eux qui avaient réservé les premières places. À ma droite, un Américain, la quarantaine avancée, assez bel homme. Le guide parle anglais. Je ne comprends pas tout, mon voisin me traduit. Sa mère est française. Défile devant nous la Rome antique, baroque, contemporaine, avec des jeux d'ombres et de lumière. Les passagers descendent à la fontaine de Trevi pour lancer des pièces en faisant des vœux. Peter me fait la cour. Je le présente aux Anglais pour lui indiquer les limites de mes possibilités de sortie. Il me demande si je pourrais visiter Rome avec lui le lendemain. Pas le matin, j'ai déjà mon guide. En fin d'après-midi ? Pourquoi pas ? Il doit me téléphoner vers une heure ou deux. Nous nous quittons sur cette perspective.

Le lendemain matin, très tôt, je suis assise à Sainte-Marie-Majeure, attendant à la Chapelle de la Vierge la venue du révérend père. Il arrive, revêtu de la chasuble romaine, portant le calice et la patène. Il me salue : « Bonjour, mon enfant. Vous communierez ? » Je fais signe que non. Je vois sa figure se rembrunir. Il célèbre le mystère de la Croix et de la Résurrection toujours avec la même ferveur. Puis nous allons prendre un petit déjeuner dans les environs. Il m'interroge sur ma vie actuelle et m'écoute avec beaucoup d'intérêt. Moi, je lui parle surtout de mon enseignement, de l'importance que je lui accorde, de ma vie laïque, autonome et indépendante – je n'ose pas lui dire alors que je ne suis plus croyante. Il m'entretient de sa vie à Rome, de Saint-Paul-hors-les-Murs où il loge, de la Ville éternelle qu'il connaît par cœur. Son intention, si je le veux bien, est de me faire découvrir la Rome des premiers siècles chrétiens, la Rome des martyrs que j'aimais tant. Il me rappelle mon amour pour Ignace d'Antioche, ce saint évêque qui avait décidé de monter vers Rome pour y subir le martyre et devenir, comme il disait, « le pain du Christ » dans la bouche des lions. Il entendait en lui une source vive murmurer : « Viens vers le Père. » Oui, oui, je m'en souviens ainsi que de sa lettre aux Romains... Maintenant, je ne vibre qu'à la poésie du texte ; je ne le lui dis pas encore. J'acquiesce à sa proposition de voir le sous-sol de Rome. Dès maintenant, nous nous rendons à l'église Saint-Clément. L'église actuelle est baroque. Nous descendons dans les profondeurs. Voici les vestiges de l'église du haut moyen âge, alors une station de carême, et, encore plus bas, une rue de Rome avec les assises de l'école d'un temple de Mithra. Cette excursion dans le temps me fascine. Il se réjouit de mon intérêt. Nous ne parlons pas de l'abbaye Sainte-Marie. Le lendemain, il ne peut me voir, mais le surlendemain, il me fera visiter les catacombes de Saint Calixte.

Je rentre au couvent-hôtel pour déjeuner et y recevoir le coup de fil de Peter. Après avoir mangé, je fais la sieste. Pas de téléphone. Je décide de voir seule le Colisée et le Forum. Comme il fait très chaud, je rentre tôt. Un appel de Peter. Il m'avait bien téléphoné vers treize heures trente. La sœur lui avait répondu que je me reposais et vers quinze heures, que j'étais partie. Il est navré de ce contretemps. Ne puis-je du moins dîner avec lui ? Je demande à la sœur hôtelière et obtiens l'autorisation de la sortie de nuit ! Nous nous retrouvons à la sympathique Piazza Navone pour le dîner sur la terrasse. Peter est économiste chez Boeing. Il avait décidé, après une rencontre commerciale à Berlin, de faire le tour de quelques capitales européennes. Il devait s'envoler vers Madrid après une visite au pape : oui, il était catholique et avait promis à sa mère d'aller au Vatican. Moi, je lui parle un peu de ma vie et du père Desmeules qui me fait visiter Rome. Nous ne nous attardons pas trop au restaurant pour nous promener dans les rues tout autour. Peter est plein d'attention pour moi ; nous montons sans le réaliser sur le Pincio où il y a des bancs et des amoureux. Nous nous asseyons et pratiquons des jeux semblables aux leurs. Nous avons peine à nous arracher l'un à l'autre. Mais il me faut rentrer. « Ah !, supplie-t-il, arrêtons à mon hôtel un instant. » J'accepte. À l'hôtel, on ne me permet pas de monter ! Il m'accompagne jusqu'à quelques mètres de la porte du couvent. À la fenêtre, j'aperçois la sœur qui me guette. Quel savon je vais recevoir ! Et j'ai trente-huit ans.

Le lendemain, assez tôt, Peter appelle avant de se rendre au Vatican. Il est prêt à annuler son voyage à Madrid si j'accepte de loger au même hôtel que lui. Je diffère ma réponse d'une heure. Je rejoins le père Desmeules et lui parle du problème des sorties le soir. Pourrais-je loger à l'hôtel Rialato sans inconvénient ? Il acquiesce en me disant que cet hôtel était bien et central en plus. Je décide de m'y installer.

Ainsi, Rome fut tout autre pour moi que ce à quoi je m'attendais. Avec l'ancien chapelain je m'engouffrais dans les catacombes – après l'une, l'autre – sans en apprendre davantage sur ses sentiments passés à mon égard. Avec Peter, c'était la Rome des touristes et la classique excursion à Capri – beaucoup de splendeurs et quelques bons sommets entre nous.

Avant de quitter Rome, j'invitai le père Desmeules à déjeuner dans un restaurant de qualité. Il en fut heureux, je crois. Le bon vin aidant, je lui confiai que je n'avais plus la foi. J'ai senti une grande tristesse dans son regard. Je ne me rappelle pas la suite de la conversation qui demeura cordiale. Mais nous n'avons pas échangé vraiment, lui, s'abritant dans son rôle d'ex-chapelain et moi, ne lui dévoilant pas le questionnement qu'avait suscité son attitude à mon égard. Au Noël suivant, il m'envoya une carte avec l'Enfant-Jésus dans la crèche. Moi, j'arrivais du Guatemala où j'avais découvert la misère des autochtones. Je lui postai une carte représentant des enfants indigènes, en écrivant qu'eux étaient désormais ma crèche. Nous n'eûmes plus de contact. Mais je garde beaucoup d'estime pour lui. Et un certain regret : celui d'une conversation franche dans laquelle nous aurions pu analyser l'état de la communauté dans les dernières années de madame l'abbesse, du rôle important qu'il y avait joué, de sa direction spirituelle à mon égard, que j'avais appréciée. Aurais-je dû lui parler ainsi à Rome ? Sans doute. Et si je ne l'ai pas fait, c'est peut-être que je n'étais pas complètement dégagée de la part d'ombre et de mystère que comportait notre relation, son profond sous-sol – notre catacombe ? Moi, je l'avais identifiée en thérapie. J'étais à l'affût d'un signe qui révélât une égale complicité de sa part.

Après Rome, je m'envolai pour huit jours en Sicile. L'avion atterrit à Catane où je m'enquis au bureau d'information d'un hôtel où passer la nuit. Les hôtels étaient bondés. Dans le même avion que moi avaient voyagé un groupe de chanteurs rock qu'on avait accueilli avec enthousiasme. Les gens de l'île se déplaçaient pour les entendre. J'aurai, à cause d'eux, des problèmes de logement pendant tout mon séjour.

Aux renseignements, un pilote m'offre de me conduire à un petit hôtel qu'il connait. J'y déposerais ma valise et il me conduirait à l'Etna. L'hôtel est minable; je l'accompagne au volcan. Au sommet, un froid terrible. Je remonte dans l'auto. Nous rentrons à l'hôtel. Mon conducteur me réchauffe... un peu trop, mais je le contiens. Le lendemain, départ pour Taormina où je dois passer deux ou trois jours. Cette station de vacances est très fréquentée. On s'y trouve comme dans les villes touristiques d'Italie. Alors que je me repose sur la plage, je parle avec un couple de communistes français très sympa. Des gens humains, serviables, ouverts. Je leur fais part de mon étonnement devant le caractère particulier des Siciliens : ils ne sont pas comme les Italiens que j'ai rencontrés jusqu'ici. « Non, ils sont restés très méditerranéens ; pour eux, une femme occidentale, surtout si elle est blonde comme vous, les excite et, de toute façon, ne désire qu'être possédée. » Ils me mettent en garde. Est-ce à Taormina que j'ai pris un autocar pour visiter le théâtre grec à Syracuse ? Je suis avec des gens du cru. Je m'assieds à côté d'une grand-maman. Le conducteur parle à tout le monde qu'il connaît et fait des compliments à l'étrangère. Je demeure réservée. La grand-maman me dit : « Bueno, bueno », en me montrant le conducteur. À Syracuse, je demande l'heure du retour, le soir, et me prépare à une journée de découvertes dans l'enceinte du théâtre et autour. Peu de gens. Je récite des vers à voix haute. L'acoustique est extraordinaire. Je me plonge dans l'esprit de la Grande Grèce. L'air est d'une pureté... Au retour, je retrouve le même autocar et le même chauffeur. Il m'attendait, dit-il. Je monte, très sérieuse. Je suis seule ! Il arrête après une dizaine de kilomètres devant une magnifique villa où il fait des travaux au noir. Les gens ne sont pas là. Il veut que nous y entrions. Évidemment, je refuse. Devant son entêtement, j'emploie une autre technique que j'ai développée à Florence lorsqu'un monsieur m'importunait : « Pas maintenant. Mon mari m'attend. Demain. » Il remet son véhicule en marche et nous reprenons le chemin du retour. Le lendemain, je pars pour Messine. Au bureau d'information, même scénario qu'à Catane. Les chanteurs rock ont tout mobilisé et on n'arrive pas à me trouver un hôtel sauf un qui n'est pas inscrit. Le préposé m'offre de m'y conduire dans quelques minutes, à la fin de son travail. Que faire ? J'accepte encore une fois. Vaut mieux avoir affaire à un Sicilien, travaillant dans un bureau officiel, qu'à plusieurs sur la rue. Je pars donc avec l'agent d'information. « Voyez les montagnes autour de Messine, comme c'est joli. Je vais vous les montrer. Bella, bella. » Je le questionne sur sa famille, ses enfants. Il me parle de Montréal, de l'Exposition universelle et me demande de lui envoyer des timbres pour les *bambini*. Ça va. Je prends en note son adresse, lui, la mienne. Il arrête devant une maison sur une hauteur; il veut aller saluer sa *mama*. Moi, je l'attends en ramassant quelques cailloux sur le chemin. Il revient tout heureux. Il m'offre d'aller manger l'espadon : j'ai faim. Une bouteille de vin, une autre; je bois peu. Aussitôt dans la voiture, mon guide fonce sur le quai. Aucune parole ne l'arrête; il stoppe brusquement. Va-t-il me voler, me violer... me tuer? Il descend, ouvre ma portière en criant mon nom : « Marcella ». Il tourne mon corps toujours dans l'auto vers lui, tire ma culotte, ouvre sa braguette, sort son appareil gonflé à bloc, tente de me pénétrer... je bouge, me défends... il éjacule sur le bord de mes lèvres inférieures. Je crie : « À l'hôtel, à l'hôtel. » Je m'essuie avec précaution, lui, relève son pantalon, s'assied et redémarre. Des larmes coulent, abondantes, de mes yeux. Il tente de me parler. Je me tais. Il se dirige vers la ville : « Bella Messina ». Je ne réponds pas. Il me laisse à l'hôtel. Je prends ma valise sans le saluer. Je n'ai qu'un désir : regagner Palerme où je dois prendre mon avion pour Montréal.

Encore un hôtel minable. Au bar, des hommes louches qui me déshabillent du regard. Suis-je tombée dans un guet-apens? On m'indique ma chambre à l'étage : elle n'est pas propre. Pas de bain, pas de douche. Je n'ai qu'un lavabo. Je ferme soigneusement la porte en inclinant une chaise sous la poignée pour la bloquer. Je ne défais pas ma valise. Je me lave longuement, à la mitaine. La propreté du lit est douteuse. Je me rhabille et m'étends sur le lit. Mon esprit divague entre l'agression déjà subie et celle possible des hommes au bar. M'étouffe la crainte que j'ai ressentie lorsque l'auto a dévié de la route sur le quai. Ma peur était à son paroxysme. J'étais seule avec lui, face à la mer. Le viol, la mort. Je n'arrive pas à détacher les deux mots l'un de l'autre. La suite doit-elle avoir lieu maintenant? Tremblante, je redoute le pire. L'hôtel devient silencieux. Je demeure à l'écoute de pas dans l'escalier. Je vais à la fenêtre voir s'il y a possibilité d'en sauter. Oui, sur la terre battue. Je me couche à nouveau. Je me calme et m'assoupis. Le soleil me réveille. Je me lève en vitesse, prends ma valise et hèle le premier taxi qui passe : « Per favor, la stazione ! »

Dans le train, je m'installe auprès de deux femmes, une grand-mère et sa petite-fille d'environ vingt ans : elles parlent en français. Nous faisons connaissance : elles sont mi-françaises, mi-siciliennes. Je leur raconte les problèmes auxquels j'ai dû faire face depuis mon arrivée en Sicile ; la dame âgée hoche la tête et murmure à la plus jeune, qui vit à Paris : « Tu vois... » Après quelques minutes de réflexion, elle me dit : « Je vais téléphoner à mes cousins pour leur demander de vous héberger. »

C'est ainsi que je dors deux nuits dans une famille paisible. On me promène en auto dans la ville, mais je n'ose demander qu'on me conduise à l'abbaye de Montreale que j'aurais aimé voir. Le jour du départ, j'appelle un taxi pour l'aéroport. Le chauffeur ne met pas le compteur et me demande un prix exorbitant. Je ne paie que ce que je juge correct en lui criant : « Les Siciliens, tous des voleurs et des violeurs! On ne m'y prendra plus! »

Dans l'avion, je pensais à ce qui m'était arrivé en Italie. Malgré les splendeurs que j'avais admirées, surtout à Florence, à Assise et même à Rome, je ressentais une certaine tristesse. Il n'est pas facile de voyager quand on est une femme et, surtout, une femme seule. Surtout lorsque les circuits touristiques sont peu organisés. En Italie aussi, une femme peut être ennuyée, mais elle est admise sur la rue, dans la vie extérieure; elle peut circuler à son aise. Quand un homme insiste trop, elle n'a qu'à évoquer la présence du mari qui l'attend pas très loin pour qu'on la laisse tranquille. Je ne veux pas dire qu'il n'y a pas de viols : là, c'est comme ailleurs. Mais en Sicile, le viol semblait aller de soi. De retour au Québec, je n'en ai pas parlé dans l'immédiat. Je me suis demandé si je devais porter plainte. En 1967, et en Sicile, j'aurais eu beau le faire, ça n'aurait rien donné. Un juge local aurait mis tous les torts sur mon dos. Une Occidentale blonde qui voyage seule, dans un pays étranger. Une provocation! Parler du viol était encore tabou. Il faudra attendre les luttes des mouvements de femmes et particulièrement le combat de l'avocate Gisèle Halimi pour que les lèvres se descellent. Le viol sera jugé un crime. Il anéantit l'autre pendant un temps plus ou moins long. J'ai même longtemps hésité à raconter, dans les réunions féministes, celui que j'avais subi. Je ne crois pas que ce soit par honte ni par timidité. Dans les luttes qu'on menait contre les tabous de la société à l'égard du viol, on mettait en avant les récits les plus dramatiques, même les plus sordides.

Exemple québécois : le film d'Anne-Claire Poirier, *Mourir à tue-tête*. Le mien n'était pas à la hauteur ! J'en parlais à mes amis et même à mes étudiantes quand l'occasion se présentait. Quelques semaines plus tard, je reçus une lettre d'excuses de l'employé à la gare. Je ne répondis pas : un viol ne se pardonne pas, comme ça, sur demande. Si l'employé craignait pour son emploi, au cas où je déposerais une plainte, il serait quitte pour attendre longtemps ! Pour l'heure, je ne voulais pas perdre mes vacances à ruminer ce sujet, mon appétit de vivre triompherait.

L'Exposition universelle

Montréal est en fête : il reçoit le Monde ! On s'est préparé : des îles ont surgi du fleuve pour accueillir pavillons et visiteurs, une organisation monstre pour recevoir les gens dans les hôtels et chez l'habitant : mon amie Suzanne y a travaillé d'arrache-pied, le maire Drapeau se félicite de son projet et de sa réalisation. Cinquante-cinq chefs d'État viennent à Montréal, cinquante millions cinq cent mille visiteurs. « Une orgie d'exotisme ». Le 24 juillet, le général de Gaulle lance son « Vive le Québec libre ! » du balcon de l'hôtel de ville, tout comme du site de Terre des Hommes, le nom du Québec est proclamé. C'est alors, paraît-il, que les Chinois inventent un idéogramme pour dire Québec en leur langue.

Ainsi parlera l'histoire. Comment ai-je vécu cet été 1967 ? Dès que je mis les pieds sur le sol de Terre des Hommes, j'éprouvai une vive émotion, un bouleversement presque sacré. Je marchais sur une île qui n'existait pas encore quelques mois auparavant et qui a surgi du cerveau des ingénieurs ! Et tous ces pavillons d'ici et d'ailleurs ? Ils étaient l'œuvre d'architectes, de savants et d'artistes. Leur forme et leurs couleurs nous invitaient à les visiter. Les cafés dansants, les salons de thé, les restaurants spécialisés, nous conviaient au banquet de la fête selon des cultures différentes. Les drapeaux multicolores claquaient dans le vent le nom d'innombrables pays. Les hommes, les femmes que je côtoyais venaient de partout. J'aimais me perdre dans cette foule bigarrée. Je m'y sentais citoyenne du monde. Mais je ne demeurais pas dans cette perception globale. Je revenais à moi-même et aux autres. Devant ces réalisations, je me sentais fière d'être québécoise et de participer à cette grande entreprise de civilisation. Je voulus faire connaissance avec tous les pays représentés dans leur propre pavillon. J'interrogeais leurs guides, leurs hôtesses, je me sensibilisais à leur culture, j'apprenais à la goûter, même littéralement parlant, quand ils nous offraient leurs boissons, leurs mets ou d'autres produits. Et pour aller plus loin dans ma connaissance des civilisations et de l'état des sciences dans de multiples domaines, je fréquentais l'un après l'autre les cinq pavillons thématiques, identifiables à la même architecture. Le savoir était à l'honneur. Les arts aussi. Une exposition thématique sur l'homme, vu par les arts à travers l'espace et le temps, nous conviait à voir des œuvres souvent rares, que Montréal pouvait admirer pour la première fois.

Je suis allée cinquante-quatre fois à l'Expo ! J'ai bien profité de mon passeport. J'y ai amené nièces et neveux, vieilles tantes et voisines ; des amis m'accompagnèrent. Claire Depelteau, non moins enthousiaste que moi, fut le plus souvent ma complice. J'aimais aussi y flâner dans la solitude. Lorsque j'étais fatiguée, je m'asseyais sur un banc, face au fleuve, et je rêvais, ou je prenais le train aérien qui m'offrait une vue sur l'Expo se perdant dans le Saint-Laurent.

Engagements professionnel et politique

En 1967-1968, tel qu'annoncé, l'Institut de technologie Laval forma, avec le Collège Saint-Ignace, le Collège d'enseignement général et professionnel d'Ahuntsic. Les professeurs des deux institutions furent maintenus à leur poste. Le nombre en était nettement insuffisant. Le ministère de l'Éducation l'avait prévu. N'avait-il pas créé les cégeps avec la gratuité scolaire pour ouvrir les portes de l'université et amener sur le marché du travail des techniciens bien formés, capables de se recycler au besoin? Le Cégep Ahuntsic était assez bien pourvu, car l'Institut de technologie était d'un bon niveau – ailleurs dans la province, ces instituts n'étaient souvent que des écoles de métier. Mais il fallait trouver d'autres professeurs pour l'enseignement théorique des techniques. Or, les ingénieurs ne se précipitèrent pas dans l'enseignement, qui payait moins que les emplois dans le secteur privé. Il fallait donc aussi mettre à jour la formation des anciens professeurs. Du côté de la formation générale, il fallut engager également des professeurs. Les *baby boomers* étaient presque prêts à prendre la relève. Plusieurs commençaient à enseigner tout en poursuivant leurs études à l'université jusqu'à l'obtention de leur diplôme : un bac spécialisé ou une maîtrise.

Les professeurs de l'Institut, parmi lesquels j'étais depuis un an, étaient déjà, à titre de fonctionnaires, syndiqués à la FTQ. Ils avaient obtenu dans leur convention 1 % de la masse salariale pour le perfectionnement des professeurs. Il y eut un moment de flottement l'année de la réunion des institutions Laval – public – et Saint-Ignace – privé –. Je pris alors l'initiative d'une pétition pour sauvegarder le 1 % du budget du perfectionnement dont jouissait déjà l'Institut Laval. Cette pétition demandait à la direction d'assumer notre participation à un séminaire de formation pédagogique dans des nouvelles techniques de communication. Une centaine de professeurs la signèrent. Quelques sous-chefs, mandatés par la direction, tentèrent de me faire renoncer à mon projet. Je tins bon au nom des signataires. Nous obtînmes cette formation et, surtout, je sensibilisai les professeurs du classique à des droits qu'ils ignoraient. Les nouveaux syndicats s'organisèrent et maintinrent le 1 %. Il en aurait été sans doute ainsi sans moi, mais je réussis à conserver une partie de ce budget pendant l'année de transition de l'Institut de technologie au Cégep Ahuntsic et j'en fus très fière : je risquais alors l'obtention de ma permanence. Je devins une syndicaliste convaincue et je fis partie des premiers comités du perfectionnement. À ses débuts, ce comité avait fort à faire :

établir des priorités, des critères, un système de vérification et de mise à jour. Si ma mémoire ne me trompe pas, il était composé d'un professeur de chacun des quatre secteurs d'enseignement et d'un représentant de la direction. Notre objectif premier fut la compétence dans la discipline et dans la pédagogie, d'où les cours pour obtenir un bac ou une maîtrise spécialisés, un stage pour pousser plus avant une pratique. Nous réservions un certain montant pour l'inscription à un doctorat, à un colloque ou à un congrès, et à une session d'études dans la matière de la compétence professionnelle. Au fur et à mesure de l'obtention des diplômes nécessaires, les professeurs grimpaient dans l'échelle des salaires, et le budget du perfectionnement croissait également. Nous subventionnions davantage des études plus poussées, plus pointues, nous soutenions des projets de recherche. Si j'en juge d'après mon cégep, le personnel enseignant y fut rapidement très compétent.

Un esprit de liberté régnait dans la nouvelle institution des cégeps. D'emblée, ils étaient laïcs et mixtes. Ce n'était plus l'atmosphère des cours classiques religieux. J'ai beaucoup apprécié la liberté accordée aux départements dans l'élaboration de programmes, et aux professeurs dans la construction du plan de cours. Certes, cette liberté avait des limites. Il fallait faire face aux exigences de l'université, surtout pour l'entrée en faculté, et aux patrons pour l'emploi des finissants. Dans ce dernier cas, l'Institut avait une longueur d'avance, car ses professeurs, les anciens de l'Institut de technologie Laval, avaient déjà établi de bons rapports avec les employeurs qui accueillaient les étudiants dans les stages et les engageaient souvent après. Le taux d'emploi des diplômés était très élevé.

Au Département de philosophie, nous eûmes à lutter contre les technocrates à Québec, pour la plupart des anciens des cours classiques, contre certains professeurs ou même des parents pour garder la philosophie au programme – j'ai appris récemment que les cours étaient passés de quatre à trois. Notre but était commun, mais la façon d'y parvenir différait. Un groupe valorisait l'enseignement traditionnel, axé sur les grands textes philosophiques et la connaissance des philosophes. Un autre souhaitait développer un esprit critique à partir de courts textes contemporains, pris dans des éditoriaux ou des extraits de livres, pour dépister les préjugés, les idées reçues, le monde de l'opinion et fonder une pensée claire et précise. Chaque professeur était libre de se rallier à l'un ou l'autre de ces groupes pour des discussions pédagogiques ou pour l'élaboration de plans de cours que l'on pouvait d'ailleurs réaliser seul ou avec quelques camarades. Dans un but de recherche pédagogique, au tout début, je travaillai davantage avec le second groupe qui se réunissait d'une façon plus suivie et établissait un programme plus rigoureux. Ainsi produisit-il un fascicule intitulé *Le coffre à outils.* Mais ce groupe n'échappait pas au dogmatisme. Or mes expériences avec l'école active m'avaient appris l'importance de la relation maître-élève et de la souplesse que l'on doit manifester. J'en vins à faire mon propre plan de cours et quelques professeurs se joignirent peu à peu à moi pour le discuter. Mais le directeur du département continuait à nous regrouper pour des réunions administratives et des politiques à élaborer.

Je suis retournée moi-même à l'Université de Montréal, où, en 1964, j'avais obtenu ma maîtrise en philosophie, pour y faire le diplôme d'enseignement normal supérieur. Après, je m'inscrivis à la maîtrise en sciences de l'éducation. Je me souviens de monsieur Lemyre, professeur de psychopédagogie. Il me demanda d'être son assistante pour une session d'une dizaine de jours à La Sarre, en Abitibi, avec des professeurs du secondaire. Expérience très riche. Je fis connaissance avec la région. On nous invitait un peu partout à cinquante milles à la ronde. Les distances ne comptaient pas. Les gens étaient très chaleureux. Une fois, je roulai seule en auto jusqu'au bout de la route nationale, à La Reine. À l'orée des champs, c'était écrit : *FIN*. Comme dans un vieux film. Plus tard, je pris l'avion pour voir la suite au nord, les développements de la Baie James. Je retournai aussi comme élève libre à la faculté de philosophie où je suivais les cours de professeurs invités, comme ceux de Ricœur sur le concept de volonté chez quelques philosophes, et ceux de Dumont sur la culture dans les sociétés archaïques et les sociétés occidentales. J'ai même sollicité une interview avec Ricœur pour la présenter à mes étudiants. Je lui posai des questions comme « Qu'est-ce que la philosophie ? » « Comment avait-il choisi cette discipline ? »

À cause de la parenthèse de ma vie monastique, la plupart de mes collègues de cégep avaient une douzaine d'années de moins que moi. Mes camarades à l'université étaient encore plus jeunes.

Ils m'initièrent aux grandes manifestations nationales et internationales, plus particulièrement à celle contre la guerre au Vietnam. Une fois, je me joignis à eux ; nous avons marché vers le consulat américain. Nous criions nos slogans avec cœur, tout en demeurant calmes, dans les rues de l'ouest de Montréal. À mesure que nous avancions vers notre but, nous apercevions de plus en plus de policiers dans les rues perpendiculaires. Je sentis la tension monter chez les manifestants. À notre arrivée au consulat, quelqu'un lança un seau de peinture rouge sur l'immeuble. Était-ce un étudiant ou un provocateur ? Les policiers attendaient ce geste pour entrer en action. En un instant, la police à cheval intervint, mais d'une façon très gauche. Au lieu de repousser les manifestants vers la rue ouverte, ils circulèrent de telle sorte que tout le monde dut se replier soit sur le consulat, soit sur les maisons en face. Panique générale. J'ouvris une porte d'escalier en face du consulat et grimpai jusqu'au troisième, comme si le cheval pouvait m'y poursuivre !

Les journaux avaient annoncé la nuit de la poésie au Gesù. Je m'y rendis seule. Je vécus cet événement avec beaucoup d'intensité. Revenue à la maison, je pris connaissance de nombreuses pubs que les gauchistes, les syndicats, les partis politiques, distribuaient dans ces circonstances. Je remarquai une invitation à aller manifester pour le statut politique des prisonniers Pierre Vallières et Charles Gagnon, qui avaient abîmé un monument aux États-Unis. La rencontre était à huit heures du matin, le lundi, devant le Palais de justice. Je m'y rendis, toujours seule. Il n'y avait qu'une dizaine de manifestants. Je m'attendais à y retrouver une bonne partie de la foule de la nuit de la poésie. Quand j'étais convaincue du bien-fondé d'une cause, je la défendais coûte que coûte. Nous commençâmes à manifester une heure plus tard, une trentaine au plus, portant chacun une pancarte. Il y avait plus de journalistes et de policiers que de manifestants ! On nous photographiait sans arrêt. Il y eut aussi les luttes pour l'école en français à Saint-Léonard et contre le Bill 63, pour McGill français et pour la loi 101. Je ne ratais aucune de ces manifestations.

Les centrales de la CEQ et de la CSN se partagèrent la clientèle des cégeps. Chacun était libre de se syndiquer, mais tous devaient accepter que l'employeur retint 1 % de son salaire comme cotisation syndicale selon la formule Rand, car tous bénéficiaient des acquis des conventions collectives. Nos conditions de travailleurs et de travailleuses s'améliorèrent, mais non sans luttes et sans grèves. Je fus de tous les combats et je connus le piquetage par les hivers sous zéro ! L'engagement de nos centrales syndicales dépassait notre sécurité d'emploi. Elles luttaient pour plus de justice sociale : parité entre les salaires des hommes et des femmes, échelle unique, ainsi que hausse des plus bas salaires ; appui aux luttes de libération – boycottage des produits de l'apartheid, des raisins de la Californie –, appui aux prisonniers politiques. À partir de 1968, la plupart des syndiqués de l'enseignement soutenaient le mouvement Souveraineté-Association. Je m'y retrouvai avec plusieurs d'entre eux, mais j'en avais précédé plus d'un.

Oui, c'est pendant l'année 1967 que je fus sensibilisée à la cause de l'indépendance du Québec. René Lévesque venait de quitter le Parti libéral avec quelques autres ministres. Pour lui, la Révolution tranquille plafonnait. Pas d'autonomie suffisante pour le Québec comme province du Canada. Il fonda le mouvement Souveraineté-Association. De mon côté, je réalisais combien colonisés nous étions encore. L'image anglophone que reflétaient les rues de Montréal me heurtait. Elle était en pleine contradiction avec notre identité québécoise dont je prenais de plus en plus conscience. Les injustices que subissaient des gens de mon entourage au service de grandes compagnies me révoltaient. Comment, alors, ne pas être sensibles au discours d'un René Lévesque qui nous invitait à relever la tête, à développer nos talents, à nous ouvrir une voie originale un peu partout, et même dans le monde de l'entreprise et des affaires. Il était un communicateur extraordinaire. Mon père n'avait jamais raté à la télé son *Point de mire.* C'était un homme sans prétention, d'une extrême gentillesse. À l'invitation de ma mère, il venait lancer la première balle de baseball pour inaugurer la saison du « Jarry Junior » dans son comté de Laurier. J'épousai donc la cause du MSA qui se présentait comme un mouvement d'identification nationale québécoise, avec les droits et les pouvoirs qu'elle comportait – souveraineté – mais aussi dans un esprit de collaboration avec le Canada – association. Ah ! si cette entente avait pu être négociée à l'amiable, comme elle le fut en Tchécoslovaquie – il est vrai que dans les années 80, l'idée de l'union européenne avait progressé et que le président Vatla Havel, ce poète, était un homme de vision et de collaboration ; il accéda à la demande de la Slovaquie. Il me semble que chacun aurait pu y trouver son compte sans ces trente dernières années de débats constitutionnels. Mais René Lévesque comprit vite qu'il ne pourrait se faire entendre qu'à la tête d'un parti politique. Il convoqua donc ses adhérents à Québec, en octobre 1968. Je m'y rendis. Après des heures de discussions, René Lévesque proclama, dans l'enthousiasme général, la fondation du Parti québécois. Gilles Grégoire et le Ralliement national s'étaient joints au MSA ; Pierre Bourgault s'y rallia quelques mois plus tard. Je pris ma carte de membre et militai dans le comté de Saint-Jacques. Aux élections de 1970, je travaillai ferme pour Claude Charron, qui l'emporta. Je me rappelle de notre enthousiasme quand on entendit la nouvelle ; lui-même n'en revenait pas ! Il avait vingt-quatre ans. Le Parti québécois eut 24 % du vote et seulement six députés. Presque tous dans le sud-est de Montréal.

Et l'amour?

Cette incursion dans la vie politique m'a projetée plus avant dans le temps sans que je ne parle de ma vie amoureuse. J'avais subi un choc lors de mon viol en Sicile. J'en reléguai le souvenir au fond de ma mémoire. Je n'y pensais plus dans l'immédiat. Je retournai danser au Centre culturel Outremont, je fis de nouvelles connaissances, ailleurs aussi. J'eus quelques amants. Je remarquai que les hommes étaient ordinairement à la recherche d'aventures; moi aussi, sans doute, mais je pris un certain temps avant de me l'avouer. Le modèle du mariage était toujours prégnant dans notre société, même si la libération sexuelle allait bon train. Je le constatai en ressentant un décalage entre le plaisir de faire l'amour et une certaine déception de ne pas rencontrer l'âme sœur, le compagnon idéal, le mari quoi! Je réalisai alors l'influence obscure que pouvait exercer mon entourage, entre autres mes amies à peu près toutes mariées, même celles qui étaient sorties du monastère. Le grand amour? Dans quelle mesure n'était-il pas un vieux mythe entretenu par les

Harlequin et certaines séries télévisées ? J'avais déjà renoncé à l'Absolu des religions. Était-ce pour le rechercher chez un être humain ? L'amour, oui, mais celui qu'on vit journellement avec des hauts et des bas, et qui implique un travail d'approfondissement, de connaissance mutuelle plus poussée, de respect de la liberté du partenaire. Je veux bien, mais était-ce possible ? La plupart des Québécois qui furent mes amants d'un soir ou deux, ou de quelques semaines, étaient mariés. Plus le plaisir de la rencontre et de l'acte amoureux était vif, plus ils se sentaient coupables et hésitaient à transformer l'aventure en liaison ou à divorcer. En somme, plus c'était bon, plus c'était mauvais. Divorcer n'était pas encore fréquent. Je n'étais pas femme à m'imposer. Nous interrompions les relations amoureuses tout en demeurant bons copains. J'ai bien rencontré quelques célibataires, mais ils étaient déjà de vieux garçons ennuyeux et pleins de manies.

J'avais trente-huit ans, j'étais avide de cueillir les fruits de la vie, même si j'avais déjà une existence bien remplie. Pourquoi attendre un être idéal ou un mari ? Faire l'amour est la chose la plus belle du monde. Et je le fis beaucoup en ce temps-là. Dans une rencontre, il me suffisait d'un échange heureux d'idées, d'une forte communication affective pour que les corps attirés l'un vers l'autre participent à la fête. Il ne m'importait plus que l'acte ne se renouvelât pas. Je vivais la philosophie du *carpe diem*, l'intensité du moment présent. Je n'étais pas nymphomane pour autant. Je ne cherchais pas désespérément un partenaire. Je continuais à vivre avec ardeur ma vie professionnelle, sociale et politique. Mais je ne boudais pas mon plaisir, quand il se présentait. Je respirais, disait-on, la joie de vivre.

Mexico et Guatemala

C'est dans cet esprit que je fis un merveilleux voyage à Mexico et au Guatemala durant les vacances de Noël 1967. Mon amie Diane, qui était installée au Guatemala depuis une vingtaine d'années, m'y avait invitée. Je partis avec un groupe organisé qui visitait le Mexique et descendis avec lui dans un grand hôtel. Tour de Mexico et des environs. La nuit de Noël, il y eut le rituel de la Piñata : un grand sac en papier solide, arborant la forme d'un animal, est rempli de bonbons et de petits jouets; on le suspend au linteau d'une porte haute et chacun des participants le frappe avec un bâton jusqu'à ce qu'il crève; celui ou celle qui donne le coup de grâce est le gagnant; il se sert le premier et distribue les cadeaux aux autres. Des photos avec des copains montrent que j'ai participé à cœur joie à cette fête. Mais je me disais que ce n'était pas ça Noël pour l'ensemble des Mexicains. Je souhaitais pénétrer dans la maison d'une famille du cru plutôt modeste. J'en parlai avec Antonio, le garçon de service qui était plein de prévenance à mon égard. Il m'invita à visiter la famille de sa sœur et, à ma demande, il me suggéra les gâteries à apporter. Je me rendis avec lui les bras chargés de cadeaux, le dimanche après Noël, juste avant mon départ, pour visiter sa sœur et ses neveux.

La maison ? Une masure. Une odeur âcre s'en dégage. Cinq enfants m'entourent, le visage heureux. La mère avec le petit dernier entre les bras m'accueille. Sans complexe. C'est sa maison, semblable aux autres du quartier, ses enfants, sa vie ; elle est une Mexicaine ordinaire comme bien d'autres. Quel écart entre les riches et les pauvres ! Je distribue mes cadeaux. On me fait fête, on veut que je goûte les pâtisseries, les enfants se battent pour s'asseoir sur moi. Mais je ne m'attarde pas trop. Hélas ! je l'avoue, l'odeur me tombe sur le cœur. Le soir, Antonio frappe à ma porte pour me remercier encore une fois. Ses yeux brillent, je fais l'amour avec lui.

Le lendemain, je m'envolai vers le Guatemala où m'attendait mon amie Diane. Elle habitait la capitale avec son mari et ses enfants ; elle s'était mariée dix-huit ans auparavant avec un Anglais qui y faisait carrière. Elle fut une guide merveilleuse. Avec elle, je découvris Ciudad Guatemala, la capitale, et surtout, à cinquante kilomètres à la ronde, des petits villages où un marché coloré réunissait les habitants. Le plus impressionnant : Chichicastenango, surtout à cause de son église toute noircie à l'intérieur par la fumée des cierges. Diane m'explique : les Mayas ont adopté la religion des conquérants espagnols, le catholicisme, mais ils joignent de vieux rites païens à la célébration des mystères catholiques. Les cierges les fascinent, ils entrent souvent en transe dans leurs prières. Ce qui n'empêche pas les pauvres d'être terriblement exploités par les compagnies américaines. Les guérilleros arriveront-ils à casser ces monopoles pour en libérer le pays ? Comment ne pas être marxiste en Amérique centrale ?

Un après-midi, en revenant d'une excursion à San Juan Battista, alors que nous longions des montagnes, notre auto fut prise en sandwich dans un convoi militaire. Diane était nerveuse. Elle profita d'un passage pour sortir du convoi. Le lendemain soir, alors que je parcourais le journal, je vis que les guérilleros avaient attaqué le convoi. On vivait dangereusement au Guatemala dans ces années-là. Diane avait été témoin de l'attentat contre l'ambassadeur américain. Revenant de ses courses en auto, elle avait vu soudainement des balles siffler sur l'auto devant elle. Elle avait stoppé et s'était calée au fond de sa voiture. Une autre fois, « un journaliste de ses amis » l'avait invitée à aller à sa villa sur le Pacifique. Elle avait remarqué le pare-brise de l'auto troué d'une balle. L'ami expliqua : « Mon article n'avait pas plu. » La famille avait une maison de campagne au lac Atitlan. Nous y sommes allées un week-end. Douze villages au nom des apôtres s'étalaient autour du lac. Nous en avons visité quelques-uns. Les habitants, moins métissés que dans la capitale, y crevaient de faim, mais, dans la nature, leur vie semblait moins sordide.

Diane évoqua devant moi la civilisation maya des temps classiques – 292 à 889 – qui avait construit des villes, surtout religieuses, avec des temples consacrés au dieu Soleil. Les prêtres étaient des savants, habiles en mathématiques et en astronomie. Ils avaient découvert le calendrier solaire. Cette immense civilisation était enfouie dans la jungle de Petén, à Tikal, que les archéologues étrangers tentaient de ressusciter. Elle m'encouragea à me rendre sur place. Un voyage d'une heure ou deux dans un bimoteur avec une douzaine de passagers. Justement, il y avait un départ le lendemain. Cette incursion au royaume maya m'enthousiasma. J'y vis une haute pyramide dégagée du sol avec encore de la terre et des herbes entre les marches. De chaque côté émergeaient des monticules du sol, les habitations des prêtres. Le peuple vivait dans des abris éphémères. On pense que les pauvres, esclaves de leurs croyances, avaient dû tirer les pierres d'une carrière située à six cents kilomètres de là pour édifier des lieux de culte. Les Mayas avaient sans doute inventé la roue et un système pour faire glisser ces pierres jusqu'à Tikal. J'aurais aimé séjourner dans ce haut lieu, mais il n'y avait pas de structures d'accueil pour les touristes. Seuls les archéologues y demeuraient. Je retournai donc en bimoteur le soir même.

Au retour, je réalisai que Diane était très prise. Je décidai d'anticiper mon départ pour le Mexique afin d'y voir des temples aztèques à proximité de Mexico et le Musée d'anthropologie. Mais je n'abandonnai pas mon intention première : prendre contact avec des étudiants à l'université, obtenir plus d'information sur la répression de la Place des trois cultures. Je n'ai pu avoir une réservation ferme à l'hôtel cinq étoiles où j'étais descendue à l'arrivée avec le groupe. De toute façon, je souhaitais me loger plus modestement. Diane me fit de nombreuses recommandations contre le vol au Mexique. Il fallait se méfier même des chauffeurs de taxi.

Dans l'avion, j'étais assise à côté d'un Américain de la Californie qui admira mes sacs de fibres végétales pleins à craquer d'objets guatémaltèques. « Le plus bel artisanat après celui du Pérou », remarque-t-il. Il arrivait de Panama. Nous avons parlé des problèmes du canal, de l'Amérique centrale et du Sud. Le vol m'a semblé très court. Steve ne s'arrêtait qu'une nuit à l'hôtel. Il devait revenir au petit matin à l'aéroport pour le vol de San Francisco. Je lui fis part de l'inquiétude que m'avait communiquée Diane. Il accepta que je partage son taxi. « Y aurait-il une chambre pour moi à ton hôtel ? » Oui, je pourrais y loger pendant les cinq jours que je passerais à Mexico. C'était un trois étoiles fort sympathique, très animé, avec salle à manger et piste de danse. Nos deux chambres étaient disposées de part et d'autre d'une entrée. Steve souhaitait qu'on se retrouvât pour une balade dans le marché dont il m'avait parlé avec enthousiasme.

Ah ! le marché de Mexico. Il le connaît par cœur. Ici, il achète des tacos, là, il me guide vers l'authentique quartier des Mariacci où la musique est intégrée à la vie quotidienne. Je suis ravie de l'aubaine. L'atmosphère est légère. Pas de flirt. Nous communiquons à travers Mexico. Au retour, nous prenons un dîner légèrement arrosé et nous dansons. Vers onze heures, nous montons à nos chambres. Face à face. Il hésite.

« Aimerais-tu...

— Pourquoi pas ? »

Il vient dans ma chambre. Nous nous étreignons avec ardeur. Cette fois sera unique ! Il s'étonne de ses performances et m'en attribue les mérites. Je réponds : « C'est Mexico. » Au petit matin, je l'entends comme dans un rêve se glisser hors du lit et murmurer : « Adios, ma petite Québécoise... »

Ce jour-là, je m'enquis à l'hôtel des moyens de transport pour me rendre à l'université. Je voulais y voir les murales de Rivera, mais encore plus, prendre contact avec des étudiants pour en savoir davantage sur la répression de la Place des trois cultures. La presse, en Amérique, avait banalisé l'événement en ne parlant que de la remise à l'ordre un peu musclée d'une grande manifestation populaire juste avant les Jeux olympiques de 1967. On avançait les chiffres d'une douzaine de morts. Par ailleurs, un journaliste du *Nouvel Observateur* avait été témoin : il parlait de deux cent cinquante-quatre morts, sans compter les blessés. Il insistait sur le caractère pacifique de la manifestation et son but démocratique. Il s'agissait d'inscrire un point des droits de l'homme dans la Constitution mexicaine.

Université de Mexico. Les fresques de Rivera me crèvent les yeux... et le cœur. Je vais au café des étudiants. Je tente d'en apprivoiser quelques-uns avec mon mauvais anglais farci de mots espagnols. Je les questionne sur leur vie universitaire, je compare avec celle du Québec qu'ils connaissent bien depuis l'Exposition universelle. Mine de rien, j'amène la conversation sur leurs Jeux olympiques et la manifestation de la Place des trois cultures. Je sens des résistances. L'une me suggère d'en parler avec Francisco : il fut un témoin privilégié. On court le chercher et on me laisse avec lui. Je lui demande assez directement si les chiffres des morts donnés par le *Nouvel Observateur* sont vrais.

« Il y eut encore plus de morts que cela : j'y étais. Une camarade de classe avec qui je marchais est tombée morte devant moi d'un éclat d'obus, et combien d'autres. J'ai été seul à m'en sauver dans ce groupe-là. Si vous voulez, j'irai à votre hôtel vous en parler ce soir. »

Je lui donne mes coordonnées. Ce que je réalise, c'est que tous ont peur de dévoiler l'hécatombe au grand jour. Craignent-ils des représailles ? Francisco est fidèle au rendez-vous et me parle de longues heures en anglais, puis en espagnol – je vérifie avec l'anglais pour être sûre d'avoir compris – d'une façon haletante, me décrivant les bombes qui tombent des avions, la panique des gens étonnés qui étaient venus manifester avec leurs enfants, leurs cris, leurs yeux révulsés. Il vit avec ce cauchemar. Des journaux de gauche ont fait des enquêtes, ils ont des photos, particulièrement le journal *Por que* (Pourquoi ?). Il viendra m'en porter des numéros pour que je puisse faire connaître dans mon pays ce qui s'est passé. Le lendemain soir, il m'appelle pour s'excuser. Il sera à l'aéroport pour me saluer le surlendemain. Je n'ose plus espérer. Mais il y est avec plusieurs numéros de *Por que* concernant la répression policière. Je lui promets d'alerter des journaux. Hélas ! nos journaux sont peu politisés, l'événement est déjà loin, les rédacteurs en chef craignent des incidents diplomatiques avec le Mexique. Je garde le souvenir d'une image de *Por que* : un obus tombant sur le landau d'un bébé. Dans ma tête, elle rejoint celle d'Eisenstein montrant un landau culbutant dans le vaste escalier d'une gare.

Ce voyage m'offre une image de ce que je suis au début de l'année 1968. Toujours amoureuse de l'ailleurs, avide d'en connaître des aspects divers, engagée socialement et politiquement. Mon engagement se situe surtout au Québec, un pays qui se construit, dans mon enseignement, dans la vie syndicale et politique. Engagée, mais libre. Cueillant au passage, avec intensité, les voluptés du corps et de l'esprit. Je me sentis très près des mouvements de Mai 68. Nous jouissions déjà dans l'éducation de bien des avantages réclamés par les étudiants. Mais c'est de l'esprit des soixante-huitards dont je me sentais complice. Oui ! changer la vie, faire place à l'imaginaire, pratiquer l'amour librement, ne pas être enfermés dans de vieilles structures, être solidaires de la classe ouvrière.

Au carré Saint-Louis

Pendant l'année scolaire 1968-1969, je me rapprochai d'un professeur de sciences qui partageait les mêmes idées politiques que moi, mais qui les vivait depuis plus longtemps. J'aimais analyser avec lui l'actualité syndicale et la démarche pour l'indépendance du Québec. Nous avions un faible l'un pour l'autre, mais il n'était pas libre : une femme malade et de grands enfants. Cette amitié me fut précieuse. Je continuai à vivre intensément mes instants voluptueux quand ils se présentaient, mais je ne les recherchais plus. D'autant que je voyais aussi un autre collègue du secteur professionnel, très amoureux de moi. À l'occasion, nous soupions ensemble et faisions l'amour.

Au début de l'année 1969, j'éprouvai le désir de déménager au centre-ville, beaucoup plus animé que Cartierville où je m'étais cachée en 1965 pour la naissance de mon enfant et qui était presque la campagne. Je suis une urbaine. J'aime la solitude, mais pas l'isolement. Avec Denise et Georges, j'avais découvert les cafés enfumés, les bistrots français, les bars cosmopolites des rues Crescent, Drummond, de la Montagne. Même si nous y parlions français, la vie à l'extérieur s'y déroulait en anglais. Mes convictions me firent opter plutôt pour les environs de la rue Saint-Denis, au nord de Sherbrooke, là où vit la population canadienne-française. Le carré Saint-Louis avait mes préférences. Pour être plus sûre de mon choix, je louai une chambre pendant les vacances de Pâques dans une de ces maisons de la rue Laval dont le premier étage était converti en meublés. L'expérience fut concluante : beaucoup de vie le jour, pas trop de bruit la nuit. En ce temps-là, la rue Prince-Arthur n'était pas piétonne et le Carré n'attirait pas les touristes. Il demeurait la taverne et la terrasse des robineux. Aux beaux jours, des jeunes y flânaient en fumant un joint. Ce n'est que peu à peu que la drogue y devint florissante, les *dealers* ayant établi leurs quartiers généraux dans un restaurant du voisinage. Le lieu, avec sa verdure, sa fontaine, était attrayant. Les gens le traversaient pour le plaisir lorsqu'ils allaient faire leur marché boulevard Saint-Laurent. Certains venaient spécialement pour voir le mur poétique sur la langue française de la maison de Pauline Julien. Ils se joignaient aux auditeurs de Gaston Miron qui commentait la politique du jour et épelait pour tous la Terre-Québec. Gérald Godin, compagnon de Pauline Julien, y bouclait l'édition de son journal *Québec Presse* et y travaillait à ses éditions Parti-pris. En descendant jusqu'à la rue Sainte-Catherine, on trouvait la célèbre librairie d'Henri Tranquille, toujours disposé à nous conseiller tel livre, à commenter l'actualité littéraire, à encourager les écrivains en herbe. Sur la rue Saint-Denis, d'autres librairies, des galeries d'art comme celles de Morency, des restaurants. Le Mazot suisse et sa croûte aux morilles nous initiait à la gastronomie. Une fois, de temps en temps, on désertait Harris pour s'y régaler.

Cet environnement à la fois québécois et culturel m'enchanta. Je décidai d'y déménager. Encore me faillait-il trouver un appartement. Les belles maisons du Carré, autrefois si somptueuses, étaient plus ou moins bien entretenues ; leur loyer n'était pas très élevé, mais aucune n'était libre. Je remarquai un rez-de-chaussée à louer un peu plus loin – au 421, rue de Malines, qui donne sur la rue Saint-Denis à la hauteur du Carré. Le logement longeait la ruelle Saint-Denis. C'est dire qu'il était bien ensoleillé. Un grand six pièces et demie que je louai pour deux cents dollars environ, avec un petit jardin sur le côté arrière et un grand hangar. Je fis peindre l'intérieur tout blanc, même les planchers – sauf quelques-uns violets – pas assez en état pour les vernir tels quels. Je disposai de vieux tapis ou des restes de moquette neuve pour tamiser l'atmosphère. J'achetai en solde deux grands sofas et, par les petites annonces, d'autres meubles à un prix dérisoire. Pendant les vacances, je me mis à décaper, à poncer, à cirer, à vernir avec énergie et plaisir. J'adorais ces nouvelles tâches. Ma mère vint me donner un coup de main. Mon neveu Pierre-Paul m'aida à tapisser les murs d'une petite pièce avec du papier glacé de revues que nous collions d'une façon humoristique. Les jeunes adoraient mon appartement qu'ils disaient « au boutte », tandis que tante Purissima me plaignait d'habiter dans ce quartier... « une vieille maison » avec « des vieilles affaires ». C'était celui de son enfance, mais justement la famille était montée dans le nord : une promotion sociale !

Je me plaisais bien rue de Malines, surtout dans mon bureau qui occupait le salon double à l'avant. Très clair, avec exposition sur la rue et sur la ruelle. Les murs tapissés de livres, les plantes vertes suspendues en étaient la seule décoration. Mon propriétaire, monsieur Tremblay, tout en venant collecter son loyer, voyait les progrès de l'aménagement. C'était un homme pittoresque, original. Il était vêtu comme un robineux, mais il possédait une quarantaine de maisons dans le quartier, modestes sans doute. Celle de la rue de Malines était la plus belle avec son recouvrement en pierres. Des professeurs y logeaient. Les autres, il les louait à des étudiants et à des assistés sociaux. Chaque mois, il entreprenait la tournée de ses locataires pour qu'on lui payât le loyer – certains auraient oublié ! ; il avait des liasses de billets dans les poches. Une fois, alors qu'il s'attardait chez moi à regarder mes vieux meubles, il me demanda ce que voulait dire le mot « psychédélique » ; je l'aidai à le prononcer. Un de ses locataires avait peint les murs de couleurs psychédéliques. « Oui, c'est la mode aujourd'hui », dit-il, sans porter de jugement de valeur. On pouvait aménager comme on voulait, du moment qu'on ne lui demandait pas de payer les frais. Il avait une certaine complicité avec les marginaux. Il logeait sa femme et ses cinq enfants dans une vieille maison à la périphérie nord-est de la ville. Il en partait tôt le matin et n'y rentrait que le soir tard. Son bureau, c'était la taverne Duluth, à l'angle de Duluth et Saint-Hubert. C'est là que je devais le rejoindre, sans y entrer – les femmes n'y étaient pas encore admises, si un tuyau coulait ou pour tout autre problème. Un original. Il y en a toujours eu beaucoup chez nous. C'était l'époque de la contre-culture et j'habitais dans le quartier où elle fleurissait le plus.

Ma vie selon Marcuse : Éros et création

Dans ces années-là, je découvris le philosophe Marcuse, qui a influencé les mouvements étudiants de Mai 68. Il n'avait rien d'un prophète inspiré qui appelle aux barricades. Il allait plus profond et plus loin. Il souhaitait que la société retrouvât le principe de plaisir, que l'individu sacrifiât un certain bonheur individuel en faveur de la survie de la civilisation; il l'admettait avec Freud. Mais on ne devait pas exiger ce sacrifice au point que le principe de réalité restreignît totalement la libido, ou qu'il ne la laissât fonctionner que sur le modèle économique de la production et du rendement. Il analysa de près ce principe du rendement dans la société moderne. Ainsi écrit-il dans *Éros et civilisation* :

> *Il [le rendement] présuppose une longue évolution au cours de laquelle la domination a été de plus en plus rationalisée : la direction du travail social assure maintenant la continuation de la société à une grande*

échelle dans des conditions améliorées. Les hommes ne vivent pas leur propre vie, mais remplissent des fonctions préétablies. Dans le développement normal, l'individu vit sa répression « librement », comme si elle était sa propre vie : il désire ce qu'il est normal de désirer. Sa vie érotique est ramenée au niveau de la vie sociale.

C'est dans cette société que je devais m'intégrer en sortant du monastère. Il me fallait gagner ma vie par un travail, aliénant ou pas ! Mais de mon analyse thérapeutique, je retenais bien la leçon : l'importance à accorder au corps, à la libido, à la psyché, à la communication. J'étais accordée au principe de plaisir : je l'intégrais de plus en plus dans ma vie professionnelle et sociale.

Au dire de Marcuse, c'est dans l'expérience esthétique, au contact du monde sensible, qu'on peut retrouver à l'œuvre le principe de plaisir par-delà le principe de réalité. C'est aussi à partir de l'expérience amoureuse sans domination que s'ouvre une voie vers l'autosublimation de la sexualité. D'où des relations sociales non répressives, le travail comme libre jeu des facultés humaines, la convivialité professionnelle.

Je m'étonne aujourd'hui de voir comment *Éros et civilisations*, qui étaya ma philosophie de la vie dans les années 1968-1970, put aussi, à mon insu, inspirer mes travaux de recherche subséquents sur la possibilité de nouvelles érotiques, l'image de Narcisse et même le vieillissement. Mais je n'en fus pas alors consciente, car chacun d'eux prenaient sa source dans des problématiques autres.

Je suis aussi surprise que Marcuse n'ait pas été plus entendu. Il exposait sa doctrine à un moment de l'histoire favorable à des revirements. L'Occident vivait alors les « Trente Glorieuses », la cybernétique commençait à abréger sérieusement le temps de travail, les sociologues pensaient à une civilisation des loisirs. Seuls des groupes marginaux, comme les hippies ou des jeunes qui voulaient vivre à la campagne dans des communes, adhérèrent à un aspect de sa doctrine – souvent sans le savoir. Quant aux soixante-huitards, leurs idées les plus profondes rejoignaient sans doute celles de Marcuse ; toutefois, rares étaient les étudiants qui le connaissaient. La contestation de Mai 68 avait germé à Nanterre dans un contexte spécifique et elle s'étendit, par la grève générale, sur toute la France. Les jeunes réclamaient sans doute une société différente, moins hiérarchique, plus festive, avec le droit à l'amour et une place pour l'imaginaire. Mais ils improvisaient à mesure que les événements se déroulaient ; ils n'avaient pas de programme, ni philosophique ni politique. Et si, aujourd'hui, la gauche plurielle en France réussit à réduire à trente-cinq les heures ouvrables par semaine, c'est à l'intérieur d'une politique de réduction du chômage. Peut-on espérer que de ces changements à l'intérieur d'une économie capitaliste naisse une société où le principe de plaisir ait sa place ?

En ces années 1968-1969, je présentai donc à mes étudiants la conception de la société selon Marcuse, et les invitai à la création sous toutes les formes possibles, dans leurs travaux, dans leur art préféré, dans leur vie. Certains étudiants, devenus écrivains, peintres, animateurs à la télé, me rappellent le rôle d'éveilleuse que j'ai joué au cégep. Moi-même, j'essayais de mettre en pratique mes propres conseils. Je suivis pendant un an un cours d'initiation aux arts plastiques avec le frère Jérôme et me mis à l'œuvre dans mon nouvel appartement pour le transformer et l'embellir. J'aimais me promener dans les rues et les ruelles du quartier Saint-Louis pour y découvrir une nouvelle murale, des galeries et des hangars tout décorés, des éclairages psychédéliques. Dans les parcs, souvent les enfants étaient costumés et faisaient la fête. Je visitais aussi les ateliers d'artistes ou d'artisans sur mon passage. Et, dans le cadre de mon engagement politique, je participai avec d'autres péquistes à l'élaboration d'un projet de société pour un Québec indépendant. Dans l'éducation, on accorderait une place importante à l'enseignement des arts et de la musique. Pour la défense, nous tenterions de passer des accords avec les États-Unis et le Canada. Pas d'armée, ni service militaire dans le futur Québec. Un service civil remplacerait le service militaire.

C'est aussi en 1969 que je commençai à écrire le récit de ma vie monastique. Paul, le frère de Diane, que j'avais rencontré au Guatemala, m'avait incitée à prendre la plume. Il voulait traduire mon manuscrit en anglais et le publier aux États-Unis où le mouvement religieux des sectes et des communautés prenait des proportions inquiétantes. Je décidai de faire revivre sœur Thécla dans le milieu de l'abbaye, à travers des situations révélatrices de l'esprit de l'ordre et à des moments-clés de l'initiation monastique. J'assumais la personnalité de sœur Thécla en me posant les questions à la première personne. Pourquoi suis-je entrée au monastère ? Pourquoi y suis-je demeurée si longtemps ? Pourquoi en suis-je sortie ? Au début de l'été, j'avais déjà rédigé cinq ou six chapitres. J'écrivais très facilement, esquissant le personnage de sœur Thécla telle qu'elle était alors. Je m'étais interrompue, me moquant de sa naïveté. J'étais aussi très étonnée – et parfois accablée – de retrouver si bien l'atmosphère feutrée du cloître et les émotions de la sœur. Je m'accordai un temps de repos avant de poursuivre – si cela valait la peine que je poursuivisse !

Et je continuais mes travaux d'aménagement tout en découvrant mon quartier. Pour le marché, je retrouvai le boulevard Saint-Laurent où je m'approvisionnais déjà à ma sortie du monastère. Mais je m'étais recyclée en cuisine et je recevais davantage. Je poussais souvent une pointe jusqu'au Vieux-Montréal dont j'aimais l'atmosphère ; je fréquentais les boutiques d'antiquaires, d'artisans et d'artistes. C'est à qui louerait un loft pour s'installer dans d'anciens édifices à bureaux délabrés dont la structure était très solide. Le prix des loyers était encore bas. Les promeneurs du Vieux-Montréal, en ce temps-là, n'étaient pas très nombreux. C'étaient des amoureux des vieilles pierres, du fleuve et des bateaux, qu'on entrevoyait à peine, mais aussi d'une certaine culture. Des marginaux du capitalisme tentaient de vivre ou de s'adonner à un art. Ils créaient un climat d'entraide, une atmosphère conviviale. On discutait en fumant un joint, en buvant un verre. À l'occasion, je prenais des drogues douces avec des amis. Mes neveux me firent prendre une fois un très bon hasch qui fut efficace. Je retrouvai les grâces d'union du monastère ! Or, si j'avais renoncé à celles-ci, ce n'était pas pour les éprouver avec la drogue ! Je fréquentais plus régulièrement un antiquaire qui m'initia à la connaissance des vieux meubles québécois. Je lui achetai un bahut, sans doute le corps supérieur d'un vaisselier bourgeois, avec sa couleur d'origine brun-noir. Il me conseilla de ne pas le décaper. La teinture d'origine était assez bien conservée. Il le cira et vint l'installer dans mon bureau-séjour, face à la cheminée. Ce fut mon premier meuble important : je l'ai toujours.

Au printemps 1969, avant mon déménagement, je m'étais inscrite avec quelques collègues de philo à un séminaire que devait donner, fin août, un célèbre philosophe parisien à l'Université du Québec à Trois-Rivières. L'année précédente, Mikel Dufrenne avait publié un livre, *Pour l'homme*, dans lequel il dénonçait la composante anti-humaniste – héritée de Heidegger – chez Lévi-Strauss, Michel Foucault, Althusser, Lacan, et promouvait l'idée d'une philosophie qui aurait le souci de l'homme. Livre important qui nous situait au cœur des problématiques contemporaines de la pensée française. D'y avoir accès avec l'auteur comme mentor m'avait séduite. Mais comme l'aménagement de mon appartement me passionnait, je regrettais presque cette inscription. Je faillis y renoncer. Quand j'y pense aujourd'hui ! La raison prit le dessus, j'en fus récompensée : ma vie allait prendre un nouvel essor, encore une fois.

LE LONG DU FLEUVE, L'AMOUR NAÎTRA (1969-1970)

Ma langue est l'Amérique
Je suis né de ce paysage
J'ai pris souffle dans le limon du fleuve
Je suis la terre et je suis la parole...

GATIEN LAPOINTE, *Ode au Saint-Laurent*

La rencontre

Le 15 août 1969, je m'arrachai à mon nouveau quartier et au nouvel appartement qui m'enchantait tant : pleins gaz sur Trois-Rivières et ses cours d'été contre lesquels je pestais. La circulaire nous conseillait d'arriver la veille au Grand Séminaire pour être d'attaque le lendemain, à neuf heures pile, et pour y rencontrer d'autres participants. Nous logerions dans les chambres des séminaristes et profiterions des salles de conférence. Les locaux de l'Université du Québec à Trois-Rivières n'étaient pas disponibles; la philosophie, encore une fois, s'abrita dans les lieux de la théologie!

Je dormis mal, dans un lit étroit, comme au monastère. J'en avais perdu l'habitude. Je me levai tôt et décidai de prendre l'air après le déjeuner. La journée était magnifique. Le Grand Séminaire, installé sur un plateau, offre une belle vue sur la ville. Dans le lointain, le fleuve. Le soleil brillait.

Je marche d'un pas décidé, histoire de me mettre en forme; j'aspire à grandes bouffées l'air matinal, mon cerveau s'éclaircit, je ralentis mon rythme. Soudain, un homme me rejoint. Il est en bras de chemise, assez grand, mince, encore jeune ; il s'exclame, avec l'accent français : « Quel soleil ! Je me croirais sur la côte d'Azur ! » C'est lui, le professeur de l'Université de Paris X (Nanterre), notre maître pendant une petite quinzaine de jours. Tout en me parlant, il déboutonne sa chemise, offrant sa poitrine au soleil. Je me présente comme professeur de cégep. Il s'étonne :

« Je ne comprends pas que des êtres intelligents s'enferment par un temps pareil pour m'écouter. Si le père Langlois n'avait pas insisté... Je passe mes vacances sur la côte d'Azur, sans livres autres que des polars. Je nage, je fais du ski nautique, du tennis, je joue au bridge. L'automne passé, j'étais invité à l'Université de Montréal. J'ai beaucoup aimé le Québec et les Québécois ; c'est pour cette raison que j'ai accepté de revenir ici. »

Je l'écoute avec attention, murmurant des « oui » par ci, par là.

« Le père Langlois nous a gagnés nous aussi en avril, avec sa circulaire qui annonçait la venue du célèbre auteur de *Pour l'homme* à la fin de l'été. Si nous l'avions reçue en pleines vacances, peut-être aurions-nous résisté, d'autant que moi, je suis en train d'aménager dans un quartier très vivant que je découvre chaque jour. Peut-être avez-vous vu le carré Saint-Louis... connaissez-vous Gaston Miron ?

— J'ai surtout rencontré des écrivains de *Liberté* : Fernand Ouellette, Gilles Hénault, Jacques Brault, d'excellents poètes. Ils m'ont parlé de Gaston Miron, de l'Hexagone et de la littérature québécoise. Ils m'ont promené dans Montréal.

Je me souviens de la rue Saint-Denis si animée et, plus vaguement, du carré Saint-Louis. »

Pendant que nous parlons, des collègues arrivent peu à peu. Je présente ceux d'Ahuntsic, et je fais connaissance avec les autres en même temps qu'ils saluent le professeur. Un point d'acquis : Mikel Dufrenne n'est pas un maudit Français ! Ni un sorbonnard au langage hermétique. Dès le premier entretien, nous le constatons. Il exprime clairement sa pensée et celle des auteurs qu'il conteste dans un exposé de deux heures. Nous en débattons dans l'heure suivante. Il cherche mon regard pendant qu'il parle. Il en sera ainsi pendant la suite des conférences. Le midi, nous prenons nos repas à une cafétéria. Le soir, nous soupons en ville.

À cette époque, Trois-Rivières était une ville bien terne. Son centre n'était pas encore rénové. Elle offrait peu d'attrait culturel. La grande affaire dont traitait les journaux, c'était l'assainissement des mœurs. On avait découvert un réseau de prostitution ; les policiers étaient à l'affût de tout lieu de crime possible, inspectant les ruelles, les parkings, les autos stationnées dans les rues désertes. Nous nous en moquions entre nous. Qu'était devenue la ville de Duplessis ? Tout en soupant gaiement, nous racontions à notre conférencier la petite histoire du Québec. Le troisième soir, celui-ci s'arrangea pour revenir seul avec moi sous un prétexte quelconque. Il me fit des avances claires et nettes, je les déclinai. Les lits craquent au Grand Séminaire ! Ils ne sont pas confortables. Il se mit à m'embrasser dans l'auto. « Oh ! regardez la police. » Cette blague l'amusa et nous sommes rentrés, chacun dans notre cellule.

Le lendemain, deux étudiants, des religieux, suggérèrent l'allongement des heures de cours le jeudi et le vendredi afin de libérer le samedi matin. Nous étions tous d'accord. Mikel Dufrenne aussi. Il s'en réjouit même.

« Je pourrai ainsi voir la ville de Québec. Ma femme l'a visitée l'an passé et l'a trouvée très belle. Quelqu'un pourrait-il m'y amener ? »

Silence. Nous étions tous des Montréalais et la plupart étaient mariés. Moi, j'avais décidé de ne pas me mettre en avant pendant cette quinzaine, mais après une hésitation, je m'offris pour l'accompagner. La perspective de ce voyage enthousiasma notre professeur. Lorsqu'il fut seul avec moi, il m'exprima sa joie ; il se fit plus pressant. Et moi, résistante encore.

Le voyage

Nous partîmes très tôt le samedi pour nous engager sur le chemin du Roy. Je voulais rouler le long du fleuve, lui montrer les rangs et les villages qui se sont développés au rythme de la colonisation. À mon tour de lui faire un cours.

Cap-de-la-Madeleine où affluent les pèlerins, Batiscan avec son vieux manoir presbytère – oui, la religion régnait en ces temps-là. Les maisons des curés étaient souvent les plus belles. Sainte-Anne-de-la-Pérade où l'on pratique en hiver la pêche aux petits poissons des chenaux, Grondines et son ancien domaine seigneurial – nous avons vu le jour sous l'Ancien Régime, au temps du droit seigneurial, qui s'exerçait d'ailleurs d'une façon beaucoup plus lâche en terre d'Amérique ; les paysans se sont appelés « habitants », car ils « habitaient » sur les terres, comme les seigneurs. Il vibrait à chaque détour que nous offrait le fleuve, prêtait une attention mitigée à mes paroles, mais non à la « chauffeure ». Il remarqua cependant quelques mots. Lorsqu'un conducteur nous retardait dans un village, je m'exclamais : « Quel branleux ! »

« Savez-vous le sens que nous donnons à ce mot en France ? »

Ce sens m'apparut soudain. Je rougis : je ne l'avais pas réalisé. Je repris mon rôle de guide. Mais pour lui, j'étais le monde à découvrir. Sa main se baladait de mon genou à mon cou, s'attardait là où le plaisir m'enlevait les mots de la bouche. Quel séducteur il était ! À la fin, sa chaleur me pénétrait toute.

Sainte-Foy. La série de motels pour touristes. Nous descendons à La Nouvelle Orléans. Chambre immense avec mezzanine. Trois lits *king size* : quel programme ! Nos vêtements d'été sont vite par terre, et tout en nous étreignant, nous nous dirigeons vers le lit le plus près : nous explosons l'un dans l'autre. Notre premier septième ciel. « Une première fois n'est pas toujours satisfaisante, m'avait-il confié. Il y a un certain ajustement à trouver. Alors que la chair de l'un a déjà pressenti celle de l'autre – d'où l'éveil de l'éros –, les corps doivent s'adapter. » Malgré son désir pressant, il avait redouté cette première fois et un fiasco possible : il n'avait plus de pratiques sexuelles régulières depuis quelques années. Pour moi, la première fois – qui était souvent la dernière ! – décuplait mon énergie et ne me décevait jamais. Ce n'était pas encore le temps de lui faire part de ma philosophie. Je l'avais rassuré : « Nous avons tout pour nous : le temps, le soleil, le fleuve, un pays neuf à découvrir. » Ce fut très bon. Et pas de petite mort.

Québec est là qui nous attend. Nous montons vers la Haute-Ville et les bords du Saint-Laurent. Voici, sous un soleil de plomb, le château

Frontenac et sa promenade : l'air du fleuve nous rafraîchit. « Que c'est beau ! » ne cesse-t-il de dire. Nous prenons de grandes bouffées d'air et aspirons le paysage. Il aimerait plonger dans le Saint-Laurent. Nous descendons vers le Vieux-Port. Il est attentif aussi au paysage urbain, à ces rues étroites, à ces vieilles maisons restaurées, aux édifices anciens si respectueux de la géographie du lieu. Il ne regarde pas les vitrines et n'a pas le goût d'entrer dans un musée. C'est au fleuve qu'il revient sans cesse pour le sentir et l'éprouver. L'œil l'ouvrait à la beauté des choses, mais la perception le ramenait à un sentir plus global où participaient sons, odeurs, touches, à la source même du paysage.

Après cette promenade, nous nous dirigeons vers le restaurant l'Aquarium, le grand spécialiste du homard à Québec. Heureux de notre solitude au milieu de la foule des clients, nous attaquons nos crustacés roses. Mes yeux cherchent les paysages de l'après-midi dans les siens. Québec ne sera désormais jamais plus la même pour moi. Au dessert, nous élaborons notre programme du lendemain. Très tôt le matin, nous nous rendrons à l'île d'Orléans, et nous continuerons à descendre le long du Saint-Laurent jusqu'à La Malbaie. Les paysages que nous offre cette rive sont parmi les plus beaux du Québec. Après, nous rentrerons au Grand Séminaire. Pour le moment, nous revenons à La Nouvelle Orléans étrenner la « mezzanine ». Nous sommes repus de soleil, d'air vif et de fruits de la mer. Mais nos corps se cherchent et veulent s'épancher l'un dans l'autre. C'est moi qui le prends d'assaut et le chevauche pour son plus grand plaisir, et le mien. Pour la première fois, nous dormons ensemble.

Dimanche. Nous continuons notre descente le long du fleuve dans le matin naissant. Tous deux, nous aimons l'aube aux doigts de rose. L'île d'Orléans nous offre une « plateforme » sur le Saint-Laurent. Nous marchons sur les flots, le corps bien au sec – comme tous ses habitants, mais pour eux, c'est un état : ils sont du fleuve. Nous aimons parler avec ceux que nous rencontrons devant un modeste étalage au bord de la route. Nous achetons de leurs produits : pain, brioches, pâté, ketchup, confitures. Le temps des fraises est bien fini, les meilleures au monde sur l'île. Je lui explique que nous pourrions faire un pique-nique dans un restaurant. Oui, on appelle aussi « restaurant » les cafés sans alcool ; on y accepte volontiers les consommateurs qui arrivent avec des provisions. On leur offre même assiettes et couverts. Nous y serions vers onze heures. Notre repas serait un brunch, c'est-à-dire un amalgame des deux déjeuners. Si le pâté ne nous suffisait pas, nous leur commanderions une omelette ou des œufs au miroir. Ainsi, nous pourrions continuer notre route sans avoir besoin de nous restaurer à midi. Nous gagnerions du temps pour voir le pays. Il n'en revient pas du rythme de notre vie québécoise, beaucoup plus souple et plus accordé à nos plaisirs sans avoir à subir les bouchons des week-ends français et les rituels des restaurants – mais il y a parfois des branleux !

Ainsi fut fait. En route vers La Malbaie, dans le comté de Charlevoix. Toujours très présent et au fleuve et à la conductrice de la voiture, il ne cesse de s'exclamer lorsqu'au détour du chemin un cap apparaît plus abrupt dans sa chute au bord de la mer, ou lorsque les vallonnements de l'arrière-pays attirent notre regard. À nouveau, sa main gauche se balade sur moi, de mon genou à mon cou. Nos corps vibrent au même rythme. Parfois, je me tourne un peu pour saisir son regard. Jamais je n'ai ressenti une telle complicité avec quelqu'un d'autre dans la découverte des paysages. Parfois, nous faisons une halte pour saisir l'ensemble du pays. Nos corps frémissent, nous nous étreignons. Et nous remontons vite dans la Pontiac pour poursuivre notre route. Nous atteignons ainsi La Malbaie vers quinze heures quarante-cinq. Nous errons un peu dans le village. Le traversier de Saint-Siméon part à seize heures trente pour Rivière-du-Loup. Devant son enthousiasme, je lui propose une autre expérience : traverser le fleuve à cette hauteur et revenir par l'autre rive du Saint-Laurent. Nous débarquerions à Rivière-du-Loup à dix-sept heures quarante-cinq et nous roulerions jusqu'à environ dix-neuf heures. Là, nous louerions une cabine au bord de la mer où nous dormirions. Lundi, de bon matin, nous reprendrions la route pour Trois-Rivières. Nous devrions traverser le fleuve sur un pont très long. Ça donne une sensation particulière. Nous arriverions pour le séminaire de dix heures. Ce projet l'emballe. Un *non finito* de notre voyage. De notre relation ? Je ne veux pas y penser. Nous vivons intensément chaque minute du présent.

Sur le traversier, nous sortons de la voiture et nous accoudons au bastingage. Un monsieur fait comme nous.

« C'est beau, hein ! »

Quelqu'un du pays. Mikel exprime son emballement devant la côte.

« Ouais ! vous avez un gros accent, vous. »

Il opine :

« Eh oui ! on a toujours l'accent de son pays.

— Ah, vous êtes un Français, j'avais ben diviné. »

Un mouvement du bateau.

« Ah, c'est l'boat qui se mouve, je pensais que c'était le char qui partait. »

Il nous raconte sa vie. Nous l'écoutons. Comme mon philosophe est bien ajusté à notre réalité québécoise ! Nous nous éloignons pour saisir d'autres points de vue sur le fleuve et ses deux rives. Nous nous abandonnons au Saint-Laurent comme à la puissance qui dynamise notre amour.

De ce voyage sur la rive sud, je n'ai plus de souvenirs précis. Rivière-du-Loup, Notre-Dame-du-Portage, Saint-Pascal, les belles seigneuries défilent devant nous. Notre regard guette le fleuve à tous les détours et se perd en lui, alors que son corps demeure très près du mien. Nous passons la nuit dans une cabine près du Saint-Laurent.

Le lendemain, nous nous résignons à rentrer, et rapidement, pour le séminaire de dix heures. Le pont de Trois-Rivières l'éblouit. La Pontiac débouche à l'heure pile sur le plateau, près des étudiants qui nous attendent. Ils applaudissent. Nous raconterons plus tard Québec, la Côte-Nord, la traversée, le retour sur la rive sud. Le soleil brille toujours.

Je revins à Montréal en fin de journée pour y faire le déménagement prévu. Mais je n'aspirais qu'à retourner au Grand Séminaire où il attendait avidement mon retour. Nous étions convenus de louer une cabine près de la mer pour y dormir les deux dernières nuits à Trois-Rivières. Nous voulions être discrets et demeurer rivés au fleuve qui participait à notre amour naissant. Je la trouvai à Pointe-du-Lac. Nous reviendrions ensuite à Montréal où il resterait chez moi encore un jour et demi et deux nuits, après avoir retardé de vingt-quatre heures son départ pour la France. Nous comptions les minutes ensemble ! « Foutu congrès ! » pestait-il. Il devait y prendre la parole dès son retour à Nice.

Ainsi s'accomplit ce *triduum* amoureux. Je ne me rappelle aucune conférence, aucun détail de la vie du groupe. Seuls demeurent nos regards qui se cherchent, nos corps qui se retrouvent, nos délices.

L'après-midi du retour à Montréal, Danièle Letocha revint avec nous et nous invita à souper chez elle. Son mari avait préparé le repas. Comment refuser ? Et peut-être que cette halte ne me déplaisait pas vraiment. Je n'aurais pas le souci du logement, de la cuisine. Et il aimait bien discuter philosophie avec elle. Cette attente de nous deux ne rendrait que plus vive notre étreinte de la nuit.

Ce soir-là, il ne vit de mon appartement que le grand lit où la rivière était profonde : nous nous y coulâmes l'un dans l'autre avec volupté.

Le lendemain, plein soleil. Mon appartement le ravit par sa superficie, sa luminosité, sa décoration. Surtout le salon double transformé en séjour avec sa partie pièce-bureau. Il admira les étagères de livres qui encadraient la large fenêtre et les plantes vertes qui transformaient la pièce en solarium.

Ce mélange nature-culture si fréquent chez nous le surprit et l'enchanta. « Comme j'aimerais travailler ici. » Les couleurs l'amusaient ainsi que la petite pièce tapissée de pages de revues.

Au cours de notre voyage, il m'avait demandé si je m'étais mariée. Ma réponse négative l'avait étonné. C'est alors que je lui racontai mon histoire ; ma conversion à un idéal d'Absolu, ma vie monastique à Sainte-Marie pendant treize ans, ma thérapie, ma sortie du cloître, mes premiers emplois, mes premières expériences amoureuses. L'analyse m'avait ouverte à une sexualité épanouie que je n'identifiais plus avec le mariage. Pendant deux ans, j'avais vécu plusieurs aventures, je butinais les plaisirs de la vie. Maintenant, je me réservais pour des occasions privilégiées. J'aimais de plus en plus la solitude. Il se montra très intéressé par le récit de ma vie bénédictine que j'étais en train d'écrire. À vrai dire, le déménagement avait interrompu mon travail ainsi que le doute sur la forme naïve que j'avais privilégiée. Il lut le début de mon manuscrit. Sœur Thécla le séduisit dans sa naïveté même. Il m'encouragea à poursuivre mon récit. Et de me poser force questions sur la vie bénédictine, sur ma vocation, sur mon analyse à l'Institut de psychothérapie, sur mon retour à la vie laïque. Je sentais qu'il s'attachait à moi pour des raisons autres que sexuelles ou, plutôt, que ce qui restait en moi de sœur Thécla suscitait en lui une nouvelle approche érotique.

Et je lui fis les honneurs de Montréal, ma ville. Il ne s'agissait pas pour moi d'une simple présentation, mais d'une démarche importante. Je m'identifiais à Montréal, que mes ancêtres n'avaient jamais quitté, même après la conquête anglaise. Toute mon enfance s'y déroula sans interruption. Pour moi, pas de parents à la campagne où passer les vacances. J'en avais vite pris mon parti et je faisais tellement corps avec la ville, comme avec ma famille, que si je la quittais un moment, j'avais hâte d'y revenir. Et après cette migration de treize ans dans un monastère, je m'y étais retrouvée comme autrefois. C'était ce Montréal, le mien que je voulais lui faire connaître. C'était mon monde.

Nous n'avons qu'à traverser la rue Saint-Denis pour être au carré Saint-Louis. Il aime le bel ensemble de maisons victoriennes qui le délimitent. Le mur du triplex de Pauline Julien, côté ruelle, l'attire ; il y lit le long poème sur la langue française qui y est alors peint. J'évoque quelques noms d'écrivains qui vivent sur le Carré ou dans les environs. Des amis de la revue *Liberté*, de Gaston Miron et de l'Hexagone. Une bonne partie de l'intelligentsia indépendantiste de gauche vit dans ce quartier. Et si nous apercevions Miron qui palabre souvent dans le parc ? Il y récite ses poèmes avant de les écrire, commente l'actualité politique, épelle le vocabulaire de notre identité québécoise. Beaucoup de gens flânent, surtout des jeunes. C'est encore les vacances. Les *robineux* n'ont plus de place pour s'asseoir. Les *robineux* ? Nos clochards. On les appelle ainsi, car ils sont souvent réduits, faute de mieux, à boire de la *rub-in*, de l'alcool à friction. Il en voit un qui cherche un mégot ; il lui offre une cigarette. Il remarque la jolie fontaine. De là, on pousse une pointe sur la rue Laval jusqu'à la maison de notre grand poète Émile Nelligan – notre Rimbaud – qui y a vécu avant d'être interné à dix-neuf ans dans un asile psychiatrique :

> *Ce fut un grand Vaisseau taillé dans l'or massif :*
> *Ses mâts touchaient l'azur, sur des mers inconnues;*
> *La Cyprine d'amour, cheveux épars, chairs nues*
> *S'étalent à sa proue, au soleil excessif.*

Nous nous engageons sur la rue Prince-Arthur. Déjà y sont installés quelques restaurants grecs où on apporte son vin – ce qui l'avait beaucoup amusé l'année précédente. Puis, nous prenons le boulevard Saint-Laurent, si cosmopolite, où nous achetons quelques provisions pour le midi, et retournons à l'est par la rue Roy, où régne le poissonnier Waldman, pour retrouver la rue Saint-Denis et le bel immeuble en pierres grises des sourdes-muettes dont il aime la sobriété. Voilà mon quartier. Mais il faut y ajouter la rue Saint-Denis qui descend au sud, vers la rue Sainte-Catherine, avec ses deux librairies, sa Bibliothèque nationale, ses restaurants et ses boutiques. Pour moi, c'est le cœur de Montréal, là où les choses se passent. J'avais choisi d'y habiter, attirée que j'étais par le milieu culturel et politique.

Dans l'après-midi, je souhaite lui montrer, plus au nord, les quartiers de mon enfance : la Petite Patrie, la Petite Italie et leurs environs. Presque toutes les maisons où j'ai habité – bien souvent des taudis – ont été démolies ; à leur place, de nouveaux immeubles ou des espaces verts. Seul le triplex de mes grands-parents tient le coup. Ce quartier manque d'animation maintenant que les tramways n'y circulent plus, tout comme les voitures à chevaux des boulangers, laitiers, chiffonniers et vendeurs de glace que j'avais connues jusque dans les années 50. Je me mets à imiter leurs cris : « Aye ! guénilles à vendre. Ice, la glace ! dix cennes le morceau, trois pour vingt-cinq cennes. » Et, surtout, on n'y voit plus les enfants jouer. Le taux de natalité au Québec, après avoir battu des records, est un des plus bas des pays industrialisés. Toute la vie se concentre maintenant sur la rue Saint-Hubert, où nous nous engageons. C'est là que les gens vont magasiner. Ensuite, nous nous rendons au marché Jean-Talon où les cultivateurs nous offrent en abondance fruits et légumes en cette fin de saison. J'en achète. Il remarque la présence de beaucoup d'Italiens. Pas étonnant, ce quartier s'appelle la « Petite Italie ». Mais, la plupart des cultivateurs sont canadiens-français, les acheteurs aussi. Tous les commerces qui bordent le Marché appartiennent à des Italiens qui parlent alors assez bien le français. Ils sont issus de la première génération d'émigrés qui s'était acculturée au milieu francophone, catholique comme eux – ce qui n'était pas le cas des Italiens depuis les années 50.

Je tiens à prendre la rue Ontario pour aller jusqu'au Jardin botanique qu'il connaît déjà. Mon but est de lui montrer la misère des gens de l'Est ou du Sud qui travaillent au bord de l'eau ou dans des usines polluées, quand ils ne sont pas chômeurs. Le *quétaine* et le *cheap* s'affichent encore, et non comme une mode, et les nombreuses tavernes où se réfugient les ouvriers après le boulot ou le souper – on en compte quatre-vingt-une, je crois – y sont toujours prospères. C'est là que les hommes peuvent avoir un peu de tranquillité et oublier. Quel contraste avec les bars et clubs anglais de l'Ouest, et avec les maisons de Westmount et du Golden Square Mile qu'on montre ordinairement aux touristes en les conduisant sur le mont Royal.

J'ai gardé la visite du Vieux-Montréal en dernier pour qu'on puisse y flâner à notre guise. Nous avons marché longuement sur la place Jacques-Cartier, dans les rues Notre-Dame, Saint-Paul et des Commissaires, en poussant des pointes sur le port, là où on pouvait apercevoir le fleuve. Mais en ce temps-là, la vue était encore bouchée par maints hangars et bâtiments. Il s'intéressait aux artistes des rues, aux peintres, musiciens et amuseurs publics, mais les boutiques le laissaient indifférent. Il m'invita à dîner au Saint-Amable, le célèbre restaurant français. La cuisine y était très fine, le service, dans les règles de l'art, un peu encombrant. Le maître d'hôtel, le sommelier et les garçons ne cessaient de veiller sur nous. Pas d'intimité. Nous ne nous y sommes pas attardés. La rivière profonde nous attendait rue de Malines : nous brûlions de nous y plonger, l'un dans l'autre, une dernière fois avant le départ du lendemain. Mais pour lui, ce ne serait pas la dernière. Il espérait bien revenir à Montréal pour un séminaire en février. De toute façon, il m'écrirait.

Il s'envola donc le lendemain pour Nice et son congrès. Serait-il fidèle à ses promesses ? La vie m'avait appris à en douter. Mais peu m'importait. Nous avions vécu intensément notre rencontre estivale. Notre idylle s'était transformée en fête glorieuse de l'instant. Que demander de plus ?

L'absence

Nous ne désirons plus, nous sommes le désir
Un seul désir
Résonnant jusqu'aux confins du monde
Comblé d'être.

MIKEL

Début septembre : enseignement au cégep dont je ne me rappelle rien de particulier. J'avais bien préparé mon cours sur les approches et interprétations du monde : langages religieux, esthétique, scientifique, philosophique. Je poursuivais au ralenti l'aménagement de mon appartement et surtout l'écriture de *Sœur Thécla*. Le philosophe français était là, à distance, pour m'y encourager. « Il te faut absolument achever. » À ma grande surprise, je reçus une lettre de lui quatre jours après son départ. Il l'avait écrite dans l'avion et postée à Orly. Il gardait un prenant souvenir de notre rencontre et de notre voyage le long du Saint-Laurent « pendant ces inoubliables journées si brèves et si extraordinairement pleines » où je fus pour lui « une Fontaine de Jouvence : le meilleur de l'été, une récompense » ! Cette lettre fut suivie d'une vingtaine d'autres jusqu'à la fin de l'année 1969, toutes aussi tendres, amoureuses, attentives à mes activités de professeure et d'écrivaine en herbe, et à certains ennuis qui se présentèrent au début de l'automne.

En 1969, on affichait encore publiquement, avant une élection, la liste des électeurs. Or, il y eut une élection partielle dans mon comté. Mon nom y figurait comme unique locataire du 421 : une femme seule, et au rez-de-chaussée. Quelle invitation pour les maniaques ou tout simplement les gais lurons ! Un homme vint se masturber devant la fenêtre de ma chambre. Je reçus des coups de téléphones pornos. J'avais l'impression qu'on m'avait à l'œil quand je traversais le carré Saint-Louis. Ma belle-sœur Monique me conseilla de m'acheter un chien. J'allai à la SPCA où je trouvai un grand chien de chasse africain, encore jeune. Il était fringant et doux comme un agneau. Je le promenais ostensiblement sur la rue Saint-Denis et au carré Saint-Louis.

Ma mère m'offrit de venir passer la fin de semaine chez moi : « Je vais faire peur à ces maniaques, moi ! » Elle étendait chaque jour du linge à sécher sur la corde à l'arrière de la maison. Après avoir renouvelé l'expérience quelquefois, elle me proposa de venir habiter avec moi. Elle s'installerait dans la petite chambre, derrière la cuisine, où elle aurait son téléphone, son téléviseur et sa radio. Elle ne me dérangerait pas, moi qui travaillais dans la pièce avant. Et puis, elle me rendrait quelques services : préparer les légumes, laver la vaisselle... et surtout, elle assurerait ma sécurité. Je réfléchis à la question. Il est vrai qu'Augusta n'était pas femme à placoter, ni à fouiller dans mes affaires. Ce n'était pas son genre. Ce que je redoutais, en sortant du monastère, c'était la toute puissance de son être et son discours centré avant tout sur le jeu. Là où elle était, elle occupait la place. Depuis sept ans, j'avais fait mes preuves comme femme autonome, mon appartement respirait mon atmosphère, mes amis me ressemblaient. Pas de danger qu'elle ne transportât chez moi son univers. J'acceptai donc de partager mon logement avec elle. Ce qui la rendit très heureuse. Sa joie m'émouvait; peu à peu, je me sentis devenir sa mère. Augusta m'avait avertie que le vendredi, elle allait retrouver son club de cartes dans une maison privée. Je ne m'en occupais pas. Un soir, je rentrai tard et je remarquai qu'elle n'était pas de retour. J'essayai en vain de m'endormir. Je l'attendis et lui fis des remontrances : elle m'inquiétait, elle ne devait pas rentrer après une heure. La semaine suivante, elle fit attention. Mais peu à peu, elle reprit ses habitudes. Et comme elle voyageait toujours en taxi, je me calmai et la laissai tranquille. Une fois cependant, il y eut un petit drame. Une tempête de neige avait immobilisé Montréal. Le maire avait déclaré l'état d'urgence. Le vendredi soir, je vis Augusta s'habiller pour sortir.

« Ce n'est pas possible.

— Et pourquoi pas ? La neige ne tombe plus, la rue Saint-Denis est nettoyée au centre. Je vais prendre un taxi.

— Mais les rues perpendiculaires comme Beaubien et les petites rues comme Chambord ne sont certainement pas dégagées. »

Elle s'entêta ; je décidai de l'accompagner. Nous fîmes de l'auto-stop jusqu'à Beaubien et, de là, nous marchâmes, nous enfonçant à chaque pas jusqu'aux genoux dans la neige.

Je vois, en relisant les lettres de Mikel, que je ne lui avais pas demandé conseil sur la cohabitation avec ma mère. Je n'y avais même pas songé. Ma relation avec Augusta, c'était une affaire entre elle et moi. Je le mis seulement au courant et il s'en réjouit. Lui-même était très attaché à sa mère. Il l'avait placée chez une infirmière qui prenait soin de trois personnes âgées. Sa femme n'acceptait pas sa présence à la maison. Il allait la voir presque tous les jours. Elle avait quatre-vingt-onze ans, était parfaitement lucide et sans infirmité.

Au début de notre correspondance, je craignis, à lire ses lettres, qu'il ne m'idéalisât et que je devinsse pour lui « sainte Marcelle » après avoir été pour le monastère « sainte sœur Thécla ». Il tenta de calmer mes appréhensions :

> *J'y* [dans mes lettres] *retrouve ma Marcelle du Grand Séminaire... et des motels québécois – multiple, elle aussi : tendre, enjouée, insouciante, sérieuse, profonde (et ce n'est pas une image-écran que je construis et que je projette), c'est la vérité de Marcelle, telle que je l'ai vécue, avec délices.*

Il ajoute en post-scriptum :

> *Puisque tu as peur que nous ne substituions une image à la réalité, voudrais-tu m'envoyer*

une photo de toi, Marcelle ? Si je pouvais fixer le sourire heureux que tu offrais la nuit quand nous nous réveillions un moment...

La photo, oui ; mon sourire de nuit... Malgré ses protestations, je sentais bien, moi, que l'éloignement et même le jeu de l'écriture dans la correspondance ouvraient un espace à l'imaginaire. Je ne le récusais pas totalement. L'autre n'est-il pas là pour provoquer des images possibles de soi ? Mais je me devais de préciser, dans mes lettres, ce que je croyais être. Je souhaitais aussi confronter à la réalité de la présence nos perceptions mutuelles de l'un et de l'autre. Surtout, pas de masochisme : l'absence est là, entre nous, incontournable. Je l'accepte, mais je ne veux pas en jouir. Ce à quoi il me répondit :

Oui, j'espère bien que nous nous reverrons, mon cœur. J'ai admiré la sagesse de tes réflexions, et je suis bien d'accord avec toi. Il ne faut pas que l'absence nous fasse souffrir ; que nous nous condamnions, l'un et l'autre, à nous crisper sur une image. Il faut que nous considérions notre relation comme un luxe, une récompense, une vacance au milieu du travail quotidien. Ce luxe, nous n'avons pas à y renoncer : nous communiquons par lettres... et autrement dès que l'occasion nous est donnée (occasion que je provoquerai !). Mais cela ne doit pas nous empêcher de vivre quotidiennement notre vie comme par le passé, avec son travail, ses peines et ses plaisirs. Ce ne doit pas t'empêcher, Marcelle, de garder ou de contracter une relation intime avec tel homme qui te plaît (à condition, j'y insiste, qu'il en soit digne, c'est-à-dire qu'il ne risque pas de te faire souffrir). Tu as mille fois raison de vouloir éviter tout masochisme, de refuser le culte du passé et de l'absence !; et c'est dans le présent qu'il faut vivre – comme nous l'avons vécu ensemble. Mais nous aurons de nouveaux présents, n'est-ce pas ?

Il tenait beaucoup à ce que je me sentisse libre vis-à-vis de lui, mais, en même temps, il appréhendait que je ne le fusse trop ! Il ne réalisait pas vraiment que lorsque je faisais l'amour avec une nouvelle connaissance, je n'avais aucune attente pour le futur ; je ne pouvais donc pas souffrir. Dès sa troisième lettre, il me mit en garde :

> *Me permets-tu de te le redire : ne t'abandonne pas à ta spontanéité au point d'accorder tes faveurs à quelqu'un qui n'en serait pas digne.*

Dans la quatrième, celle-là même où il m'invite à demeurer libre, il ajouta :

> *Osera-t-il* [mon amant] *t'adresser une prière ? C'est de lui réserver le monopole de certaines caresses que tu as inventées pour lui.*

Et ainsi de suite. De toute façon, j'étais tellement prise par ma vie professionnelle, à laquelle s'ajoutaient l'écriture et ma correspondance, que je n'avais presque pas de temps libre. Je vis mon copain du cégep une ou deux fois seulement.

Peut-être Mikel projetait-il sur moi ses désirs de plus grandes possibilités sexuelles? Dans ses lettres, il me confiait parfois ses appréhensions. S'il m'appelait sa « Fontaine de Jouvence », c'est que j'avais éveillé le désir chez lui, le désir qui se fond en jouissance. Peut-être craignait-il aussi de me perdre à l'aube de notre amour naissant.

Tout philosophe qu'il était, Mikel ne s'attardait pas sur ses appréhensions, il agissait. Ainsi, sa correspondance des premiers mois est une œuvre de séduction. Il me salue avec des mots tendres – « ma douce petite Marcelle chérie, fons juventutis, érable en feu, neige ardente, ciel étoilé, vase de chasteté, mère de volupté... » –, évoque nos étreintes avec nostalgie et désir, me conforte si j'ai quelques soucis, comme les assauts des « branleux » et les coups de téléphones pornos, m'encourage dans mon enseignement et mon écriture, me laisse espérer un revoir en février, me raconte ce qu'il accomplit pour le réaliser. Il me parle de ses activités : un colloque à Urbino, un autre à Oxford. Avant de quitter Montréal, il m'avait demandé de lui faire un bilan de mes études, de mes recherches, de mes intérêts intellectuels. Je m'empressai de faire ce travail qui ne pouvait que m'éclairer moi-même. En le recevant, il ajoute à mes litanies « modèle de lucidité », et m'écrivit :

> *[...] car je l'ai lu et relu le bilan que tu m'envoies de tes expériences, de tes goûts et de tes désirs. Je crois que tout se ramène à deux termes : mieux comprendre, créer. Mieux comprendre le monde où nous vivons, c'est une tâche (et tu n'as pas besoin d'en psychanalyser*

le désir); Hegel disait que la lecture des gazettes est la pensée de l'homme moderne. Mais à moins d'être sociologue (et encore!), on ne peut comprendre le milieu et la culture qu'en recevant – et critiquant – l'information. Étant donné l'orientation que tu as donnée à ta vie, le maître-mot pour toi c'est : créer; traduis : écrire, car c'est le seul art dont tu aies la pratique; pour les autres comme moi, tu ne peux qu'en jouir, ce qui est beaucoup : s'associer à la création sans être créateur. Et réfléchir sur eux. Si tu exerces ta créativité – et pourquoi pas? – ce ne peut être que de façon mineure, comme en aménageant ton appartement ou comme passe-temps si, par exemple, tu t'amuses à peindre. Donc l'outil, c'est l'écriture. Quoi? ton autobiographie. D'abord : c'est acquis, et j'attends tes prochains chapitres. Ensuite, une thèse qui répond à la fois aux besoins de créer et de gagner ta vie, c'est-à-dire d'avoir un métier, car il le faut pour être indépendant. Une thèse sur quoi? Voilà le problème. Ton point faible, c'est la connaissance des philosophies. Tu as été étudiante pendant le règne du thomisme... Ton point fort, c'est la connaissance des relations humaines (je n'oublie pas, mon cœur, la séance de brainstorming *!) et de la pédagogie, et aussi ton goût des arts. Où trouver un sujet? Je t'avoue que je suis fort embarrassé, mais je te promets d'y réfléchir. La méthodologie de la philosophie à quoi tu pensais à Trois-Rivières, ça m'est bien étranger et ça me semble difficile et incertain;*

le terrain n'est guère défriché. La pédagogie ? Il faudrait que tu te convertisses à la psychologie. Et l'esthétique? Pourquoi pas, ma chérie? Soit un problème d'esthétique philosophique (à ma façon), soit un problème plus empirique et qui s'accorderait à ton besoin de connaître notre monde, comme la pratique ou la fonction de tel ou tel art dans le Québec ou dans notre civilisation. La difficulté ici serait peut-être d'instituer une enquête qui exige une équipe (cf. par exemple : L'amour de l'art *par Bourdieu et Tardif, Éditions de Minuit). Parles-en donc à...* [des noms de Québécois qu'il connaissait : je ne les ai pas consultés]. *Inutile de te dire que je serais d'autant plus heureux de te voir entreprendre une thèse qu'elle te conduirait à Paris en janvier.*

J'ai cru bon de transcrire cette partie de sa lettre, car elle me renseigne sur moi-même. Son analyse qui aboutit à « comprendre le monde et créer » me touchait beaucoup. Une de ses conclusions n'était pas tout à fait juste pour moi : celle de faire une thèse. Je gagnais bien ma vie dans l'enseignement au cégep et je pouvais écrire autre chose que de la philosophie. Mais je comprends Mikel de me l'avoir suggéré : l'enseignement est très hiérarchisé en France. L'idéal pour chacun, c'est d'atteindre le sommet de l'échelle, c'est-à-dire l'université. Pour l'heure, autant j'étais ouverte à des séminaires costauds, autant je n'avais pas le désir d'enseigner à l'université où il me semblait que les professeurs n'avaient pas autant de liberté qu'au cégep. Justement c'était le contraire en France. Je lui fis part de mes hésitations, sans trop insister, car j'étais séduite par l'idée de le rejoindre à Paris. Il prit mes réticences pour de la modestie et il me rassura : je pouvais faire une thèse. En pédagogie ou en esthétique ? Il me serait plus facile d'avoir une position à l'université en pédagogie. Toujours cette perspective de l'université... Je ne lui avais donc pas parlé assez clairement. Mais il me suggérait un sujet en esthétique plutôt tentant : comparaison et rapports *entre* l'expérience religieuse et l'expérience esthétique, ma double compétence !

Même si je percevais dans toutes ses suggestions son désir de m'avoir près de lui, je n'en étais pas moins touchée du temps qu'il me consacrait. Il orientait mon désir d'approfondissement vers des sujets précis et me proposait une expérience nouvelle d'étude, d'écriture et, peut-être, de vie en France. Mais je n'étais pas encore décidée. Nous nous reverrions d'abord. J'offris de lui rendre visite à Paris pendant les vacances de Noël s'il n'avait pas de contrat pour février. Il hésitait à accepter, car il ne pouvait me donner tout son temps et craignait que j'en souffrisse trop. Mais nous avions un tel désir l'un de l'autre que je le convainquis d'accepter. Comment résister à cette fin de lettre du 11 novembre 1969 :

> *Comme j'aimerais, après mes cours, aller frapper à la porte de la rue de Malines. Je demanderais à ma tendre Fontaine de Jouvence de m'offrir un verre, que nous dégusterions en bavardant, et puis vite déshabillés,*

nous plongerions dans la rivière profonde du lit, et nous laisserions nos corps poursuivre la conversation : les bouches et les mains seraient éloquentes, et le délicieux jardin embaumé de rosée nous livrerait son secret... Pour quand ces joies ? J'attends la réponse de D. S'il ne répond pas, penses-tu venir en janvier, ma chérie ?

Le 14 novembre, il reçut un coup de fil de Montréal : il serait près de moi trois semaines en février. Nous avons reporté notre revoir à cette date. Mais déjà il espérait que je pourrais assister à son séminaire, fin mai. Et en fait, me disais-je, ne serait-ce pas raisonnable que je fisse l'expérience de l'université française avant de m'y inscrire ? Justement, il le croyait aussi.

À une lettre dans laquelle je lui exprimais mes goûts et mes appréhensions, il répondit :

Je crois que je te comprends, mon cœur. Ta situation n'a rien d'étonnant, ni d'embarrassant. Après t'être abreuvée de mysticisme, tu as réagi en revenant à la pensée rationnelle : méthodologie, épistémologie, positivisme. Mais à Trois-Rivières, rien qu'à te voir avant d'avoir pu vérifier – délicieusement ma Fontaine de Jouvence... – ta sensibilité au plaisir, ton goût de la vie, ton ouverture à la beauté, je m'étonnais déjà de tes propos et de tes intérêts positivistes. Il me semble que ta nature t'oriente vers les domaines de pensée où le sentiment a sa place ; et c'est pourquoi je t'ai suggéré l'esthétique. D'autant plus – je l'ai vérifié sur moi – que lorsqu'on n'a pas été entraîné très tôt à la rigueur scientifique, il est très difficile d'y acquérir une certaine maîtrise... Mais l'on peut rendre justice à la pensée scientifique (et, par exemple, au structuralisme !) sans la pratiquer soi-même : c'est ainsi que je dirige les thèses d'inspiration structuraliste ou psychanalytique. On peut s'efforcer à une pensée exigeante et rigoureuse même en des matières qui en appellent au sentiment.

Et je crois que c'est là ta vocation. Et tu l'as mise déjà à l'épreuve en écrivant ton autobiographie ; tu le feras encore en te lançant dans une thèse : c'est le premier pas qui coûte, et il ne faut pas trop hésiter : à la grâce de l'inspiration ! En travaillant, tu deviendras ce que tu es, sans avoir trop cherché à te définir au préalable.

C'était bien lui ! Philosopher dans une thèse serait la meilleure preuve de mes capacités à le faire.

Mikel atterrirait à Dorval le 8 février pour trois semaines d'enseignement à l'Université de Montréal. À cette nouvelle, grande liesse suivie d'une crise d'anxiété. Je m'en étais ouverte à mon amie Yolande qui vivait une vie de couple. « Que vais-je faire avec Mikel pendant tout ce temps ! On ne peut pas toujours faire l'amour ! Nous aurons d'ailleurs chacun notre enseignement, comment harmoniser nos horaires ? Aurons-nous assez de temps pour nous aimer ? » Yolande m'encouragea en mettant de l'avant l'expérience avec ma mère, qui se déroulait bien. Justement, sa présence avec Mikel était pour moi une crainte supplémentaire. Alors que ma relation avec elle n'en était qu'à ses débuts, interviendrait une autre présence. Je devrais jouer tour à tour mon rôle dans deux duos et un trio. Et si je demandais à Augusta d'aller chez son fils Robert pendant ce temps? Elle s'entend bien avec sa bru Monique. Je m'apaisai quelque peu, mais un vieux fond d'angoisse demeurait et émergeait à la moindre occasion. J'avais peur, je crois, de vivre un grand amour dans la proximité de l'autre. Je n'envisageais cet amour que dans l'intensité; je n'arrivais pas à le voir « se dérouler » dans le quotidien. Le modèle de sainte sœur Thécla demeurait-il donc prégnant en moi? Sœur Thécla, après les grâces d'union, après les extases et la lévitation, avait peine à revenir sur terre. Le désir la tenait vigilante. Plus de sommeil, plus de force : elle sombra dans la dépression. Mais la situation est alors très différente. Personne ne voit Dieu, il est invisible ou il se cache. Avec lui, la communication est un soliloque. Mon amant, lui, est un être de chair et de sang : je le vois, l'entends, le touche, l'étreins. Même absent, il se manifeste par des lettres, des projets multiples à partager, par des invites à l'aimer. C'est d'ailleurs ainsi qu'il m'a apprivoisée et séduite. L'état amoureux offre des analogies, surtout dans ses sommets, avec la vie spirituelle, mais il en diffère beaucoup, puisque les partenaires sont des êtres humains. Le divin est évanescent, pour ne pas dire insaisissable. Seul le fantasme ou la foi le soutient. Mais si Dieu envahit la vie, il ne prend pas matériellement de place. Au contraire, un homme, une femme, occupent chacun un territoire, ce qui entraîne d'ailleurs d'autres difficultés auxquelles j'étais aussi très sensible. Je n'avais jamais vécu la vie à deux et je n'avais pas vu de près les autres la vivre. Dans mon enfance, on vivait en famille de façon peu orthodoxe. Sans parler de la longue absence de mon père à la guerre. Dans le cloître, la proximité était régie par des rituels et des règles. Même si l'on disait « notre » cellule, on l'habitait seule.

Pendant les vacances de Noël, je travaillai beaucoup à l'histoire de sœur Thécla et à la préparation de mes cours. La rentrée au cégep pour le deuxième semestre avait lieu vers la fin janvier. Ces occupations calmaient mes craintes, tandis que les lettres de Mikel suscitaient mon espoir : nous serons très heureux pendant ces trois semaines. Il se demandait si ce fond d'angoisse, dont je lui parlais, ne venait pas de ma solitude sexuelle et il me répéta que je devais me sentir libre en son absence de vivre quelques aventures si j'en avais le goût. Justement, je n'avais pas ce goût. Il ajouta que c'était lui qui devrait être anxieux : serait-il à la hauteur de mes attentes ? Mais il avait confiance en sa « Fontaine », elle le ranimerait. De toute façon, c'était un homme joyeux, optimiste ; il croyait à la puissance de la vie. Il me communiqua le feu de son attente et mes craintes s'envolèrent.

Mon cœur, quelle joie de te retrouver, de t'avoir tout à moi, d'être tout à toi, vivre avec toi dans l'improvisation de la fête, de n'obéir qu'à notre désir, de réinventer les gestes et les mots de l'amour, sans réserve, sans scrupule, dans la liberté de l'instant...

Et aussi de parler, de discuter de ton cours, de ta thèse. À ce propos, tu rêves d'année sabbatique; une bourse de thèse, ce serait deux ou trois années sabbatiques.

Le revoir

Le 8 février, il arrive à Dorval; un professeur de l'Université de Montréal l'y accueille et l'accompagne ensuite rue de Malines. Enfin seuls, chez moi, comme s'il ne m'avait pas quittée. Nos corps se retrouvent, s'ajustent et s'envolent rapidement. Nous poursuivons le voyage ensemble dans l'intimité de la rivière profonde. Je ne me rappelle que de quelques détails de ce premier séjour que j'avais tellement redouté. Il me laisse un souvenir de plénitude avec la dominante amoureuse au beau fixe.

Et, pourtant, que de choses profanes nous avons réalisées! Notre enseignement respectif, que j'avais envisagé comme un problème, se révéla un lieu de complicité. Pendant que l'un donnait son cours, l'autre préparait le sien. Et nous discutions pendant les repas du midi, plutôt rapides, que nous prenions à l'occasion à l'École d'hôtellerie en face de chez moi. C'était délicieux et pas cher, avec une vue sur Montréal.

Nous sommes allés chez mes frères où Mikel fit la connaissance de leur famille et de maman. Natacha et Jean nous invitèrent à dîner. Repas raffiné, rythmé par des discussions philosophiques serrées. Yolande et Al, son mari – un Italien de Rome qui, comme moi, avait été religieux –, nous reçûmes également, de même que François-Marc Gagnon qui nous mit en contact avec le peintre André Jasmin. Nous visitâmes son atelier qui avait une vue sur l'église Notre-Dame. Des gouaches très lumineuses. Est-ce alors que Mikel m'offrit un Jasmin ? Il décore toujours mon salon.

Je me rappelle de deux week-ends. Le premier : un pèlerinage à Québec pour y célébrer notre amour naissant. Le paysage d'hiver le fascine. Nous admirons le fleuve à moitié gelé et le traversier de service, précédé d'un brise-glace qui avance précautionneusement pour se rendre à Lévis. Il se montre curieux de connaître les nouvelles danses rock et yé-yé. Nous entrons dans une discothèque, au hasard : les danseurs ne semblent pas avoir plus de dix-huit ans. Ils nous indiquent une autre salle pour « vieux ». Des jeunes gens de vingt-cinq ans esquissent quelques pas sur un *slow* langoureux. Nous les imitons. On nous remarque gentiment. Nous nous mettons à gesticuler comme les autres pendant quelques rocks. Avec son corps très souple et son sens du rythme, Mikel n'est pas déplacé dans ce lieu. Cependant, l'orchestre se met à jouer la jolie chanson *Le café crème à Saint-Germain* : « Il eût suffi de quelques années de moins pour que je t'invite à prendre un café crème à Saint-Germain... » Il ne la connaît pas, moi, si ! Le regard de ces jeunes gens sur nous n'en demeure pas moins sympa.

La fin de semaine suivante : séjour dans les Laurentides. Nous louons une chambre d'hôtel, à mi-pente, sur les collines de Sainte-Adèle. Dès le vendredi soir, nous allons à la Butte à Matthieu, la première – 1959 – et la plus célèbre des boîtes à chanson. Nous y entendons Jean-Pierre Ferland et Claude Léveillé. Le phénomène des boîtes à chanson n'existe pas en France. À Paris, il y a des « caves », des bars, des cafés, mais pas identifiés à un groupe d'âge comme au Québec. Les boîtes à chanson sont, je crois, un produit mis à la mode par les jeunes des années 1960. Nous sommes assis sur des bancs ou des coussins, ou carrément par terre ; l'atmosphère y est *cool* ; on y fume souvent un peu de hash ou de mari. On écoute musique et chansons avec ferveur. On en réclame d'autres après la fin du récital. Il est enchanté par l'expérience. Le samedi, nous nous promenons sur les collines d'où partent les pentes de ski. À proximité du Mont-Gabriel, un pneu crève. Je lui demande d'aller au garage, à quelques mètres. Dix minutes après, il revient, penaud : « Je ne comprends pas le garagiste... et lui non plus, il ne saisit pas le problème. » On intervertit les rôles. Je remarque pour la première fois comment le parler des mécaniciens est un jargon. Je le comprends, mais quel français bâtard ! Tout est réparé dans l'heure.

À cette époque, les motoneiges sont très en vogue. On les trouve partout, dans les villages, sur les pistes des promeneurs et même des skieurs. Ces solides bolides circulent à pleine vitesse – causant souvent des accidents – et rompent le silence du paysage. On n'avait pas encore légiféré sur leur usage. Mais Mikel, encore imprégné, comme bien des Français, des vieux mythes du Nord canadien, inspiré par *Maria-Chapdeleine* et les récits des pères oblats, souhaite faire l'expérience du *skidoo* comme s'il s'agissait d'un traîneau à chiens. Il y a une petite piste à Sainte-Adèle même. Nous louons une motoneige sur une piste clôturée. Et nous voilà partis. Nous conduisons la machine à tour de rôle. Pas longtemps ! Elle s'emballe, nous projette à quelques pas et retombe sur moi ! J'ai mal, j'ai peine à respirer, mais je parviens à conduire l'auto pour le retour à Montréal. Heureusement, c'est le dimanche, en fin d'après-midi.

Aussitôt arrivés, je prends un bain chaud : il m'aide, me masse, me caresse... et nous sommes à nouveau dans notre paradis. Mais je suis inquiète, car ma respiration est difficile, mon corps n'obéit plus. Je décide d'aller à l'urgence de l'Hôpital Saint-Luc. Il veut m'y accompagner ; je proteste : je suis tellement habituée à me prendre en charge. Il insiste. Puisqu'il en est ainsi, il fera l'expérience des urgences : inscription et attente, avec le cinéma de tous les éclopés de la semaine – les crises de foie des fêtards et des robineux (certains profitent d'une cuite pour se mettre au chaud à l'hôpital, qu'ils préfèrent aux abris de la ville), les bras et les jambes cassées, la crise de folie, tout ce que l'on veut. Moi, j'aime bien croquer sur le vif ces scènes de la vie urbaine. Lui, il s'impatiente. Tout en persistant à demeurer avec moi. Mon tour vient : le médecin diagnostique, après radiographie, une entorse de la cage thoracique ; seul le repos peut me guérir. Il m'ordonne donc une semaine de congé de maladie.

« Chouette alors, de s'exclamer Mikel.
— Mais j'ai vraiment mal, tu sais ! »

Voilà l'événement malheureux qui nous met à l'épreuve. Nous nous en sortons fort bien. Je me repose. Il est aux petits soins avec moi. Mais nos corps ne cessent de se chercher. Nous inventons des gestes, des positions, des postures qui me conviennent. Il se plie volontiers à ces exigences qui deviennent une occasion de plaisanterie.

Mots d'amour

Tu tiens ma vie entre tes doigts.

MIKEL

De ces trois semaines, je gardai un merveilleux souvenir : j'avais vécu une tranche de vie quotidienne avec mon amoureux, et c'était le bonheur. Qu'en était-il pour lui ? Il me suffit de relire ses lettres. Du 2 mars au 21 mai, il m'écrivit presque quotidiennement des missives brûlantes qu'il m'envoya tous les deux ou trois jours. Même de Dakar, où il enseigna pendant deux semaines. Je sentais que, pour lui, j'étais toujours présente. Dans ses allées et venues, il composa des poèmes qui chantaient notre amour. Voici un premier écho de notre vie à deux, à Montréal :

Samedi soir, dans l'avion. 2 mars 1970

Ma douce, ma tendre,
ma voluptueuse Fontaine miraculeuse,

Je ne veux pas attendre pour te dire ce qu'ont été pour moi ces trois semaines de fête : un enchantement permanent, pour l'esprit, pour le cœur, pour le corps... Nous avons parlé, nous avons ri, nous avons dansé, nous avons mangé et bu, nous nous sommes régalés de paysages et d'œuvres d'art, nous nous sommes risqués au « skidoo », nous avons plongé dans la rivière profonde. Que de souvenirs, mon cœur, à garder comme des trésors. Comme nous avons vécu intensément chaque instant, dans l'instant ! Cette plénitude, c'est à toi que je la dois : à ta douceur, à ta disponibilité, à ton entrain, à ta compréhension. J'ai été aimé comme un roi, ma reine, ma bonne fée. Comment te remercier ?

Mais tu t'es sentie aimée aussi, n'est-ce-pas ? Je n'avais pas à me contraindre pour t'en donner le témoignage : tu appelles l'amour, ma chérie, comme tu crées la fête [...] Comment résister à tes grands yeux, à ton sourire, à ton charme ? Comment être insensible à la douceur de tes petites mains ? Je me sens mille raisons de t'aimer, Marcelle ; mais ai-je besoin de raisons ? Hélas, nos vacances sont finies... au travail ! Je crois que je vais m'y remettre avec zèle. Et toi aussi, mon cœur, n'est-ce-pas ? Quand nous travaillons, nous ne sommes pas tout à fait séparés, puisque nous explorons un même terrain. J'ai hâte que tu puisses te remettre à ton livre : tu es pleine d'idées pour l'écrire, je m'en suis aperçu à maintes reprises. Au boulot, donc ! Et le temps de nos vacances reviendra.

3 mars 1970, 6 h

Ma douce petite Marcelle chérie,

Je viens de me lever – tôt, tu vois – et je viens vers toi : il est 1 h à Montréal, et je te vois dormir, chaude et délicieuse, au creux de la rivière... que puis-je te réveiller de caresses, et me griser de ton sourire ! Comment vas-tu, mon cœur ? Tes douleurs ont-elles définitivement disparu ? Le travail n'est-il pas trop lourd ? [...] J'ai maintenant une idée plus précise de ton travail, de ton milieu, de tes relations : je peux te suivre par la pensée dans la plupart de tes occupations : je « participe », ma chérie !

Pour moi, je suis emporté par le flot de travail, et cela ne me fait pas peur : les cours, l'UNESCO, deux thèses dans les jours qui viennent, une réunion du comité consultatif jeudi... Mais ce qui m'ennuie, c'est la détérioration de la situation à Nanterre : Ricœur a fait une erreur en appelant la police ; toute la gauche le condamne, et l'amitié m'interdit de m'associer à ces accusations ; je le presse de démissionner – il aurait dû le faire plus tôt –, mais il hésite, ne voulant pas déserter. Cette après-midi, il y a une AG (assemblée générale) des étudiants : j'irai, mais je crains que les groupuscules ne la sabordent. Enfin, on verra. Si Ricœur n'était pas impliqué, je me sentirais plus à l'aise.

[...] Ah ! mon cœur, comme ton bonheur m'a rendu heureux... comme tout était simple, lumineux, joyeux avec toi, y compris les « flats » et autres incidents de ce genre... comme le ciel était bleu et la neige radieuse... comme ton sourire était chaud, tes petites mains douces, et ton jardin secret parfumé... Si tu redoutais l'épreuve d'une vie commune, avec quel brio tu as passé l'examen, ma douce !

Lundi, 17 h

Bonjour Marcelle, ma chérie,
ma douce, ma profonde,

Oui, ce que j'ai découvert en toi pendant notre fête, c'est la dimension de ta profondeur. Jusque-là, outre ta gentillesse, j'avais surtout été séduit par ta vitalité et ta liberté, que manifestaient tes aventures et ta sensualité [...] Et de mon côté, je me suis aperçu, je te le disais hier, qu'il y avait en toi une autre dimension : une profondeur, que ta sensualité – qui est réelle, et c'est aussi ton charme ! – pouvait s'allier à la tendresse, à la générosité, au goût d'une communion véritable. Bref, tu es un amour, mon amour ! Et c'est par toi que je commence à comprendre la distinction difficile à conceptualiser du besoin et du désir qui sont au centre de la problématique freudienne.

Et rassure-toi : cette découverte ne signifie pas qu'à notre prochain revoir, je me limiterai à un amour platonique !

Comment ne pas vibrer à la lecture de telles lettres ! J'étais magnifiée par mon amant qui me découvrait chaque jour davantage. Personne ne m'avait accordé pareille attention ! Et par amour, non par métier. Lui, qui ne prisait pas l'analyse, tentait de saisir mes émotions, d'expliquer les ambivalences de mon désir, de me stimuler à la liberté de l'amour.

Mercredi 11, 7 h 30

Marcelle aimée (moi je n'ai pas besoin de guillemets !), ma folle maîtresse,

Quelle joie hier de trouver deux lettres de toi à Nanterre ; je les ai lues et relues avec l'avidité que tu devines. Pour avoir partagé un moment ta vie, je réalise mieux tout ce qu'elles me disent de tes activités, les visites que tu reçois, tes cours, le Collège, tes démarches au Comité de perfectionnement (au fait, et la Palestre ?). Tes réactions physiques à notre séparation ont été aussi dures que pour moi, mon cœur : moi aussi, dans l'avion, je trouvais l'air irrespirable. Et moi aussi, les quatre ou cinq premières nuits, j'ai beaucoup dormi : nous avions vécu avec une telle intensité que nous étions fatigués, tu sais (surtout le filet mignon, si porté à la paresse !). Mais ta deuxième lettre m'a inquiété, Marcelle chérie : le 2 mars, tu me parlais d'une telle angoisse que tu te demandais si tu pouvais continuer notre liaison... Mais tu ajoutais : « Je me suis mise au travail et, victoire ! j'ai écrit cinq pages sur l'influence... »

Ainsi, mon trésor, ne cesse pas de me dire comment tu te sens, et si le travail et toutes tes occupations cicatrisent bien la blessure de la tristesse : encore une fois, je ne veux pas être cause d'angoisse, d'autant plus que tu es assez profonde pour que l'angoisse retentisse profondément en toi ; et il ne le faut pas, il ne faut pas que cette liberté et cet équilibre que tu as conquis soient compromis : je te veux heureuse, je te veux avec cet air de bonheur sur ton visage.

Au travail, maintenant.

Vendredi 20 mars, 6 h 45

Mon adorable Marcelle,

Comme je vais te laisser sans lettres, ou presque, pendant les onze « jours » de Tchécoslovaquie, je multiplie les envois en ce moment – et je n'ai pas besoin de me forcer pour t'écrire, tu sais ! Hier, jeudi, quelle joie encore : à Nanterre, où j'allais pour cette soutenance, j'ai trouvé ta lettre datée du 13 et timbrée du 15. Du coup, j'ai bien peur de ne rien avoir aujourd'hui ; et ce sera quinze jours sans... n'oublie pas, mon cœur, de m'écrire pour le 3, au Bureau 72, 83, rue de l'Ouest (14e) et ensuite de nouveau à Nanterre.

Comme j'ai été heureux de ta lettre, ma bonne fée, ma douce, ma profonde. Ne t'étonne pas si je te comprends, si nous communiquons vraiment : tout le mérite t'en revient, mon cœur : tu es merveilleusement ouverte à moi (et même le jardin secret n'a pas de secret pour moi...). Et puis, je t'aime ; mais ce n'est pas non plus un mérite de ma part : comment ne pas t'aimer ?

Vendredi 20 mars, 18 h

Marcelle chérie,
ma Fontaine, mon printemps,

Quelle joie : une lettre que je n'osais pas espérer – du 15 – m'attendait à Nanterre ; une semaine donc avant mon retour de Prague. Et quelle lettre adorable encore, mon cœur... deux choses d'abord, qui me réjouissent profondément : tu n'as plus de crises d'angoisse depuis le lendemain de mon départ ; tu proposes, pour notre programme de juin, « un crescendo de joie ». Quel heureux présage, ma bonne fée : j'avais bien deviné, tu vois, que tu saurais métamorphoser en nouvelle fête un revoir qui ne sera pas aussi libre qu'à Montréal. Non, je ne redoute plus que tu sois déçue : tu es à la fois trop sage et trop folle, ma folle maîtresse, pour l'être !

Il faut que je m'excuse encore, Marcelle chérie, d'avoir un instant, comme tu me le rappelles, assombri notre merveilleux rapport à M. Oui, je renonçais alors à te comprendre – à comprendre que tes aventures étaient à la fois le moyen d'éprouver ta liberté et de satisfaire ton goût de vivre –, mais aussi la recherche – vaine à ce moment – de quelque chose de plus profond, l'expression d'un désir de communion qui est peut-être l'âme de tout désir, qui l'est pour toi, parce que ton goût de vivre s'identifie à ce goût, de t'ouvrir et de partager, comme tu as besoin, nous avons besoin, d'avoir le monde – le Québec ! bientôt Paris... – pour témoin de notre amour. Cependant, je suis heureux que tu te veuilles plus réservée, et que tu sois sensible à l'avertissement qu'involontairement t'a donné ta maman. Les gens interprètent mal ton sourire, ton air de bonheur. Ce qui me peinait, mon amour, c'est l'idée qu'on puisse te prendre pour une femme facile et pour tout te dire, qu'on te manque de respect. Bien sûr, on ne peut empêcher des crétins de te siffler dans la rue comme si tu étais à vendre, ou un infirmier de te faire des offres de service... à 7 h du matin ! ; mais ceux-là, j'aimerais tout de même leur casser la gueule : je ne veux pas qu'on te prenne pour une bégueule, mais l'idée qu'on te méconnaisse, qu'on ne te traite pas comme tu mérites de l'être, m'est insupportable. Je ne demande pas, ma chérie, que tout le monde t'aime – j'espère me réserver ce monopole ! –, mais je voudrais que tout le monde éprouve pour toi de l'amitié, ou de l'estime, ou du respect, me comprends-tu ? C'est pourquoi, je te remercie de veiller à ne pas avoir l'air provocant ; mais ne te contrains pas trop, mon cœur, et n'éteins pas, à force de précautions, ton adorable spontanéité ! Si des idiots se croient provoqués, l'important est que tu les remettes à leur place, et voilà tout ! Mais... j'aimerais tout de même être là pour leur chauffer les couilles !

À demain, ma douce, ma tendre, ma profonde. Je t'embrasse toute, longuement, dévotieusement, avec des mains et des lèvres ivres de toi [...].

Dans la suite, j'ai beaucoup réfléchi à cette tendance des hommes à considérer « mon sourire, mon air de bonheur » comme une provocation et une promesse à leur égard. La femme ne peut-elle jouir d'un bon vin, d'un repas fin, du soleil, des fleurs, d'une conversation, sans qu'ils en soient pour quelque chose ? Cette interrogation donnera lieu de ma part à un article, *Jouissance et jouir-dire*, dans la *Revue d'esthétique*, en 1986. Encore une lettre où il précise son analyse de mes craintes :

19 avril 1970

Ma douce Marcelle chérie,
mon bel érable dont j'aimerais tant
recueillir en moi la sève,

J'ai enfin reçu avant hier ta lettre du 11, et ne veux pas tarder plus à y répondre, bien que je sois accablé de travail (finir un texte pour l'Université, préparer un exposé sur l'image littéraire selon Bachelard pour mon séminaire de mardi, lire un texte de 500 p. pour jeudi). Mon cœur, je crois avoir bien suivi ta pénétrante analyse : tu m'aimes, comme je t'aime, et, comme moi, tu ne fais pas les choses à moitié. Et sans doute le don, la profondeur de l'expérience sont-ils ta vocation : tu entres en amour comme tu es entrée au monastère. Mais précisément, tu as un peu peur de ton propre élan : tu ne veux pas « te laisser emporter » : parce que tu veux préserver une liberté à laquelle tu as pris goût, et qui est aussi une exigence de ta nature ; parce que notre amour ne peut pas toujours totalement s'exprimer, par exemple, à Paris, parce que de mon côté je ne suis pas « libre ». Ton problème est donc de concilier engagement et liberté, à la fois pour être vraiment toi-même, et aussi pour réaliser notre amour. Oui, notre amour ne peut être que luxe, fête, poésie ; vouloir l'insérer dans « la prose du monde », l'institutionnaliser, le rendre possessif, serait le « compromettre », tu le dis. Moi, ma chérie, je m'accommode de cette situation ; et d'ailleurs, mon luxe est assez quotidien quand même, puisque c'est tous les jours que j'essaie (sans grand succès !) de vivre notre intimité dans la poésie... Et j'ai confiance que, malgré toutes les entraves et les précautions, nos revoirs seront de merveilleuses fêtes : tu verras, ma douce, à Paris... Mais toi, Marcelle chérie : comment équilibrer le don, qui est chez toi si spontané et si profond, et la nécessaire réserve de la liberté – cette liberté durement conquise ?

Mikel

Je t'enverrai mardi Éros bis : pèlerinage à ma source : j'y célèbre précisément ton pouvoir de donner.

Le 21 avril, il reprend ce thème du don et de la liberté dont la solution me hante tant.

21 avril 1970, 7 h

Bonjour Marcelle chérie,
ma belle, ma douce,
ma généreuse, ma voluptueuse,

Comment vas-tu ce matin ? J'aimerais te voir dormir souriante, abandonnée, toute chaude... juste un mot que je posterai en allant à Nanterre où j'irai... pour te lire : Nanterre, c'est tes lettres, mon cœur ! Je travaille très dur cette semaine, mais je pense à toi, et à ta précédente lettre, au problème qu'elle posait : comment concilier don et liberté ? Tes deux vertus maîtresses : car ce qui m'a tout de suite séduit en toi, ma chérie, c'est ta vitalité, ton ouverture au plaisir et au bonheur ; et j'en percevais, plus ou moins confusément, deux composantes : ton pouvoir d'accueil (aux idées, aux paysages, aux gens, bref au monde), et ton souci d'indépendance. Si j'avais à faire une dissertation, je proposerais bien une dialectique pour accorder ces deux dimensions de ta personnalité ! Mais la vie n'est pas si simple. En fait, il me semble que ta liberté s'exerce dans le don même, lorsque tu le veux, sans réserve, comme tu l'as voulu pour notre fête de février, ma douce. Mais il faut aussi que tu puisses te reprendre après : que le don soit total, mais discontinu ; séjour d'alternance en quelque sorte (il me semble que Proust a parlé de ça...) qui répond au rythme de nos revoirs, de nos fêtes. Cela ne signifie pas que dans les intervalles tu m'oublies ; mais il ne faut pas que ta fidélité – la continuité – soit un devoir ; il faut qu'elle soit librement assumée, et que tu te sentes disponible pour les engagements ou les aventures qui peuvent te tenter (ce que tu exprimais, je pense, en disant « peut-être qu'au Portugal... »), mais sans te faire non plus un devoir de ces expériences pour éprouver une indépendance que tu as conquise.

Quant à moi, ma douce, je ne pense qu'à notre revoir : retrouver ma Fontaine, quelle joie, quelle plénitude !

Mikel n'était pas porté à analyser ses propres sentiments ; chaque jour, il me les offrait en inventant de nouveaux vocables – comme à Dakar : « ma source fraîche au cœur des tropiques, mon laurier rose, mon bougainvillier, ma neige ardente et lumineuse » –, en composant des poèmes, ou tout simplement par des mots tendres.

Éros

Tu tiens ma vie entre tes doigts,
Ô douceur !
Agile tu en joues
(Et je joue à en mourir),
Légère et grave comme le feu

(Et je brûle).
Nulle mémoire qui t'induise,
Nulle loi qui te contraigne,
Nul endroit qui te retienne.
Innocente,
N'obéis-tu qu'à ton divin caprice ?
Mais non, ces mains irréelles
Qui me délient de moi-même
Connaissent trop bien mes secrets
Dont elles instruisent ta ferveur.
C'est le monde qui les inspire,
Dociles au pacte originaire
Par quoi conspirent toutes choses.
Tes mains sont la brise du soir
Qui meut la harpe du feuillage,
La soie rieuse des fleurs
Qui s'offrent à la lumière,
La patiente caresse du flot
Que flatte une joue de pierre...
Chères mains qui me prodiguez
L'eau baptismale de ma source,
À travers vous me pénètre,
Lame éclatante dans la nuit,
La force sourde du désir
Qui m'emporte vers toi au plus
profond de l'être.

Ô mon érable en feu, ma folle maîtresse, je remplirai toutes mes dévotions à l'égard du jardin secret, et de son mignon voisin, et de tout ton corps livré à ma ferveur, tu seras mon poème et je serai le tien, ma Fontaine, et nous vivrons notre amour mieux qu'avec des mots [...].

Ô ma Fontaine, le filet mignon soupire vers toi, vers tes mains, si douces, ta bouche si tendre, vers le jardin secret embaumé, l'enivrante offrande de ton corps ! Et comme je brûle de te rendre caresse pour caresse, ma folle maîtresse, de te porter lentement à l'extase, et après de te sentir abandonnée dans mes bras détendue, confiante, heureuse [...].

Au début de notre liaison, la ferveur de ces mots me gênait. C'était trop, il me semblait. Je réfléchis... Mikel avait soixante ans. Il avait pratiqué la littérature libertine et les romans érotiques des XVIIIe et XIXe siècles. Ses mots d'amour qu'il inventait étaient dans l'esprit de ces époques. Et puis, il les encadrait de lettres qui parlaient de son quotidien : l'enseignement, l'écriture, les voyages. Et surtout de problèmes philosophiques, par exemple, à partir de son séminaire d'hiver 1970, sur l'image et l'imaginaire, il tenta de préciser sa propre doctrine philosophique sur la question :

Tu me demandais de te dire où j'en suis de cette réflexion sur l'imagination : je cafouille ! Nous avons recensé les divers emplois du mot image : image perçue (Bergson), image mentale (Sartre), schème (Kant), fantasme (Freud), figure (la sémiologie) ; bref, tantôt visage du réel ou accès au concept, tantôt forme de délice ou de l'irréel. Ce que je voudrais montrer, comme dans le Poétique, c'est que l'image comme imaginaire est à la fois subjective (expression du désir, fantasme) et objective, donc que le réel comme Nature est gros de l'irréel comme possible. Mais cela a-t-il un sens ? Il y a aussi le problème de l'image libératrice, si bien traité par Bachelard (je l'évoque dans Jalons *: je te donnerai ce livre à Paris, ma belle) : opposition de dire et de voir. On transforme tout en « texte » aujourd'hui ! Inflation de langage ! Je suis contre ! Et je t'envoie un tout petit poème où j'essaie de dire (encore dire !) que la présence et les gestes de la présence valent mieux que les mots, et que le vrai poème, ma folle maîtresse, c'est toi, dans l'extase.*

[...] À ce propos, je crois qu'il faudrait nuancer la pensée de ton collègue sur la rationalité de l'image : certaines images peuvent faire accéder au concept (le schème kantien) ou l'illustrer (l'exemple chez Husserl, le diagramme, l'imaginaire graphique...), mais d'autres ouvrent l'inspiration et en appellent à la rêverie (le fantasme, l'image littéraire selon Bachelard, etc.) : le mot image est équivoque ! et j'en sais quelque chose avec mon sacré séminaire sur l'imagination !

À mesure que notre correspondance se poursuivra, ses mots d'amour échappèrent à ce vocabulaire ancien et quelque peu désuet pour coller davantage à sa personnalité et à notre vécu amoureux.

Mikel me racontait aussi les rebonds politiques de Mai 1968 au printemps 1970, à Nanterre, d'où était parti le mouvement. Il y avait encore de la contestation. Le doyen, Paul Ricœur, mal conseillé, fit venir la police. Les étudiants protestèrent en l'enfermant dans son bureau et en occupant l'université. Mikel était près des étudiants, mais fidèle à son ami Ricœur, il négocia sa libération. De même, il réussit à faire sortir les secrétaires. Il me narra le déroulement des événements, mais sans mentionner son rôle spécifique. Il m'écrivit simplement qu'il demeura le seul professeur à garder le contact avec les étudiants. Des assistants se joignirent à lui. On discutait une réforme pédagogique de l'enseignement.

De mon côté, je lui parlais de nos luttes pour l'indépendance, des actions du FLQ, de ma contribution active au Parti québécois avant les élections de fin avril. Je faisais du porte-à-porte dans le comté de Saint-Jacques. Mikel suivait les événements de près :

> *Je me passionne – et nos étudiants canadiens encore plus – pour les élections. Je communie avec toi dans l'attente de mercredi, mon cœur. [...] Bravo pour les résultats des élections dans ton secteur : si tous les participants du PQ avaient été aussi dévoués, aussi efficaces que toi... Mais les résultats n'ont pas été décourageants, loin de là, pour le PQ, les journaux français l'ont souligné.*

Tous deux, nous participions à la vie de l'un et de l'autre. Déjà, nous partagions tout, même à distance. Il attendait mes lettres, il aspirait à ma « présence réelle » à Paris en juin. Je me sentais aimée et comprise. L'image qu'il projetait de moi correspondait à la perception que j'en avais, même si le désir l'auréolait chez lui, mais juste assez pour ne pas en brouiller la réalité. Au contraire, elle suscitait mon dynamisme. En témoigne ma dernière lettre avant notre revoir, que je me retins d'envoyer à Dakar, de peur qu'elle ne lui revienne à son domicile parisien.

17 mai 1970

Mon cher cœur, mon Mikel très aimé,

Quand tu liras cette lettre, je serai à deux jours de tes bras, de ton étreinte. Un peu las de ton voyage, mon Amour ? Nous saurons nous reposer et nous stimuler ensemble. Gardes-tu des regrets pour quelque sombre fleur sauvage que tu aurais étreinte ? ou parce que tu ne l'aurais pas étreinte ? J'essaierai de te combler de tant d'attentions et de caresses que ta nostalgie fondra comme neige au soleil.

Sais-tu, mon chéri, que depuis ta dernière lettre de Paris, le 9, je n'ai pas eu de nouvelles de toi. Mais il peut en être ainsi sans que tu n'y sois pour rien. Vendredi, il y avait grève des postes à Montréal et lundi, fête de la Reine (oui, Élizabeth d'Angleterre !), il n'y aura pas de livraison de courrier. J'espère cependant recevoir du courrier mardi, car il est plus que probable qu'il y ait grève générale à travers le Canada à partir de mercredi. Tu vois, dans le fond, nous n'avons pas été trop touchés par le conflit postal. J'essaierai de t'écrire un petit mot, mardi, pour te dire si j'ai reçu de tes nouvelles.

Tu devines, mon cœur, que je suis extrêmement prise actuellement. Six heures de corrections par jour! De quoi abrutir le plus intelligent des profs! Il en sera ainsi jusqu'à mardi. Puis se succéderont les examens oraux jusqu'à lundi prochain. J'espère avoir peu de candidats ce jour-là. Ils se sont inscrits surtout pour les jours précédents. Je finirai alors le calcul des notes que je remettrai à la direction. Puis, hop, un saut à ma banque pour obtenir des chèques de voyage, un autre à la Palestre, natation, massage et bain se succéderont. Ensuite au lit : je veux passer une très longue nuit de sommeil pour ne pas arriver trop fatiguée à Paris. Je me soigne bien, mon trésor, pour être en forme.

Paris, ce sera toi! Et tu m'offriras <u>ton</u> Paris, celui que tu habites depuis tes quinze ans. Je pénétrerai dans <u>ton</u> univers; l'université, que je redoute, y tient une grande place, mais tu sauras me la rendre plus sympathique, puisque j'y suivrai ton séminaire. Nanterre n'est pas la Sorbonne! Heureusement!

Et puis, il y a le Paris des atmosphères. Les rues où tu flânes, les parcs où tu rêves, tes cafés, ton quartier et même ton appartement, puisque j'y suis invitée pour le cocktail de thèse de F.-M. Gagnon.

Mais là où je serai le plus heureuse, ce sera dans cette chambre de l'Hôtel de l'Institut où je nicherai pendant mon séjour. C'est là que j'aspirerai à toi et t'y accueillerai.

Le lieu de nos étreintes et de notre amour en effusion. Et nous serons poètes avec tout notre corps.

À très bientôt, mon Amour très doux et très fort, en qui je me perds déjà tout en caressant le solide gouvernail qui me conduira au large.

Je l'aime et je t'aime,

Marcelle

Épilogue

Nos choix sont plus nous que nous

ANDRÉ SUARÈS

Ainsi étais-je, juste avant de le rejoindre à Paris, ce 19 mai 1970. Déjà toute à lui qui était tout à moi – dans l'ombre de sa femme. Mon angoisse s'était envolée. Par delà l'Atlantique, je faisais le saut vers lui qui l'avait fait vers moi.

Apparemment, j'allais prospecter le monde de l'Université. Pourrais-je m'inscrire au doctorat? Sans doute, puisque j'avais une maîtrise en philosophie. Pour moi, c'était l'unique moyen d'être avec lui. Ne pouvait-il divorcer? Il l'avait proposé à sa femme avant de me connaître. Elle avait refusé en menaçant de se suicider. Il ne pouvait vivre avec cette perspective.

Je pressentais, dans mon angoisse des mois précédents, les dangers d'un amour qui s'emballerait. Ne m'étais-je pas retrouvée anéantie d'avoir vécu une passion extrême? Peut-être redoutais-je aussi les aléas d'une liaison avec un amant lointain, déjà engagé dans le mariage. Et d'être près de lui, sans être avec lui, n'était-ce pas encore pire ? Me fallait-il l'expérimenter pour le savoir au risque de m'y perdre ? Mais n'étais-je pas déjà perdue dans son amour ? Et qu'importe l'issue de ce voyage de cinq semaines. J'éprouvais comme une nécessité de vivre dans sa proximité pendant quelques mois, voire quelques années. Ma seule réserve de survie : mon emploi de professeur dont je m'étais libérée pour une année. Que notre amour s'éprouve dans une présence plus soutenue pour que l'absence ne soit pas le vide ! Mais à ce moment-là, je ne formulais même pas cette appréhension. J'entrevoyais à peine ce qui en moi nourrissait mon projet qui ne fût pas lui.

Je percevais qu'un être aimé était un monde. Il m'offrirait son univers que je découvrirais peu à peu comme moi je l'avais initié au mien. Les appartenances au sol qu'on habite, à une profession, à des groupes d'amis, de parents sont les biens d'échange les plus évidents et déjà il était amoureux du Québec, de Montréal, de mon quartier. Ma mère, tout d'une pièce, lui avait plu comme mes amis et mon cadre de vie. Même sœur Thécla, que je faisais revivre devant lui, l'avait conquis. À mon tour d'aller prospecter son monde. Qu'il m'offre lui-même les lumières de Paris, celles de la philosophie, de sa philosophie. Qu'il me présente à sa maman de quatre-vingt-onze ans dont il parle avec émotion, à ses collègues, à ses amis. Que j'aille plus avant dans la connaissance de sa vie, de son caractère, de sa personnalité. Que je saisisse sur le vif, d'un seul coup d'œil, son rapport au quotidien, au temps, à l'espace. Le moindre détail devient alors révélateur de l'autre. On le reconnaît : c'est bien lui. Nous étions intimes, nous deviendrions familiers.

« Ma mère ne m'attirait pas à elle... je marchais les yeux et les bras tendus vers l'inconnu. » Dans ce récit, j'ai évoqué cette image comme une matrice originelle qui inspire mes rêves et imprègne mes choix. J'aime partir... sauter dans le vide, plonger dans l'inconnu. Je veux me donner les conditions d'une nouvelle donne, abolir les déterminismes du réel physique et social, jouer avec le hasard. Danger de mort, espoir d'une vie nouvelle, « risquer la corne du taureau » (Leiris). Oserais-je parler d'une certaine folie qui chevauche en moi et me pousse là où je ne veux pas aller ou plus loin que je veux aller.

C'est ce désir souterrain qui affleurait dans mes rêves d'adolescente, inspirait mes routes et mes voyages, mon désir d'Absolu. Ma mère avait perçu les dangers de cette force qui me projetait dans l'aventure ou dans l'offrande. Elle s'en était ouverte à Odette Gilles, notre correspondante de Caen. Après avoir fait mon éloge, elle ajouta : « Mais elle a trop confiance en elle, elle ne voit pas la dureté du monde, la méchanceté des hommes. » Ainsi interprétait-elle mes expériences « risquées » qui ne s'inscrivaient pas dans notre réalité quotidienne. Elle ne réalisait pas que je l'imitais dans sa passion du jeu : seul le risque pouvait bouleverser mon quotidien et me transformer. C'est lui aussi qui me transporta dans le cloître, jusqu'aux cimes de l'extase. C'est lui qui me donna des ailes pour affronter, par-delà la clôture monastique, ma condition de femme libre.

Depuis quelques années, ma carrière de professeure se déroulait sans histoire. Je sentais le besoin de bouger. J'aménageai au carré Saint-Louis. Je me rapprochai du monde des artistes, des écrivains, de la contre-culture, sous le mode de la québécité en voie d'affirmation.

Et voici que sourd en moi à nouveau cet obscur désir de l'autre, la musique du hasard se fait entendre, mes bras se tendent vers l'inconnu... vers lui. Telle étais-je lorsque nous nous sommes rencontrés et aimés sur les bords du Saint-Laurent.

FIN

Table des matières

AGMV Marquis
MEMBRE DU GROUPE SCABRINI
Québec, Canada
2000